Het tuinfeest

Sarah Challis bij Boekerij:

Voetstappen in het zand
Het tuinfeest

www.boekerij.nl

Sarah Challis

Het tuinfeest

ISBN 978-90-225-6095-2
ISBN 978-94-6023-198-8 (e-boek)
NUR 302

Oorspronkelijke titel: *The Garden Party*
Oorspronkelijke uitgever: Headline Review
Vertaling: Fanneke Cnossen
Omslagontwerp: Studio Marlies Visser
Zetwerk: Mat-Zet bv, Soest

Voor de allerliefste Caro

1

Wanneer Alice Baxter niet kon slapen, wat tegenwoordig vaak het geval was, merkte ze soms dat er zomaar uit het niets grootse, filmische taferelen haar hoofd binnen dreven. Het idee voor het feest kwam voor het eerst bij haar op terwijl ze in de halfschemer van een grijze, vroege lenteochtend in bed lag. Plotseling zag ze de hele film voor zich, met alles erop en eraan, waaraan ze in de echte wereld vanaf het begin aandacht moest besteden. Daarin was de tuin bijvoorbeeld een weelde aan veelkleurige zomerbloemen en het gazon was van een verbijsterend smaragdgroen, netjes gemaaid in wisselende, zilverkleurige banen, en niet het verdord ogende, maartse gras dat ze door het keukenraam zag als ze bij de gootsteen stond.

Achter het huis was een kleine, witte tent neergezet, die je via de openslaande eetkamerdeuren kon betreden en die was gevoerd met het soort zijdeachtig, roze materiaal, dat een tent tot een paleis transformeert en een flatterende gloed werpt op de gezichten van de gasten. Er stonden elegante, vergulde stoeltjes aan lange tafels die gedekt waren met witlinnen kleden, glanzend zilver en fonkelende glazen.

En de hele familie was er, met champagneglazen in de hand: Charlie, haar oudste zoon, even lang en donker als haar man David ooit was geweest, zijn intelligente, kleine vrouw Annie en hun zoons Rory en Archie; dan haar op een na oudste zoon, Ollie, luidruchtig en energiek, met zijn vrouw Lisa en haar kinderen, Agnes en Sabine, uit een eerder huwelijk met een Fransman. Ze zag haar dochters:

Marina met haar partner Ahmed en baby Mo; Sadie met haar huidige vriendje Kyle, en haar dochters Tamzin en Georgie; en haar zus Rachel, in een marineblauwe deux-pièces en met talloze gouden kettingen.

Ze stonden daar met een opgewekte, verwachtingsvolle glimlach op hun gezicht, keken allemaal naar het huis en wachtten totdat zij en David naar buiten zouden komen. En daar kwamen ze, hand in hand: gelukkig lachend liepen ze door de openslaande deuren alsof ze enthousiast aan een spelletjesshow gingen meedoen. David droeg een blazer, iets wat hij van z'n leven nog nooit had gedragen, met een onbekend roze overhemd en stropdas. Alice zag er bepaald niet als zichzelf uit: haar haar was in een sluik bobkapsel gestileerd, ze was minstens twaalf kilo lichter dan nu en droeg een marineblauw, linnen broekpak met witte biezen en witte kraag. Dat broekpak was een verrassing. Hoe had ze het in haar hoofd gehaald om in zo'n onverwachte uitdossing voor de dag te komen? Zoiets had ze absoluut niet in haar klerenkast. In de afgelopen tien jaar had ze met haar dikker wordende middel het liefst stretchrokken en gemakkelijk zittende tops gedragen, maar nu zag ze er gedistingeerd en chic uit in een overduidelijk dure outfit. En het kon lukken, zei ze tegen zichzelf, als ze maar de wilskracht had om zich te beheersen, af te vallen en een avontuurlijker kapsel aandurfde. Ze zag er al vijftien jaar hetzelfde uit, werd om de zes weken door de dochter van haar schoonmaakster, Diane, geknipt, in haar eigen keuken met een strandhanddoek over haar schouders.

Zo'n verandering móést te doen zijn. Het was nog niet te laat. Vrouwen van zestig werd altijd wijsgemaakt dat ze de klok konden terugdraaien, zich beter konden leren kleden, de halve marathon konden lopen of een vreemde taal konden leren. Tijdens de vakantie konden ze zelfs een bikini dragen, hoewel ze rilde bij het idee. Er was geen excuus om gemakzuchtig af te glijden tot wat zij nu was: saai en bezadigd.

Terug naar haar dagdroom, want nu kwam Charlie in beeld, en

ook hij zag er in een licht pak netter en beter verzorgd uit dan anders – hij was geschiedenisleraar en gaf niet veel om z'n uiterlijk – en hij tikte met een vork op een glas en vroeg om stilte zodat hij met zijn speech kon beginnen. Alice wist wel wat ze kon verwachten, ze was vaak genoeg naar zulke gelegenheden geweest, maar hij steeg daarboven uit en sprak zo warm over zijn ouders dat zij en David, nog altijd hand in hand, elkaar blij verrast en dankbaar aankeken. Wat haar nog vreemder voorkwam, was dat er tijdens zijn speech geen onvertogen woord viel, niemand onderbrak hem of sprak hem tegen. De jonge kinderen dromden allemaal met lachende, blije gezichten om hem heen en zelfs Mo, een onhandelbare, krijsende baby, lachte en zwaaide met zijn armpjes. Roger, de oude labrador, was er ook. Hij was niet zo mollig, snuffelde niet aan Jan en allemans kruis, zoals hij dat meestal op feestjes deed, maar zat er oplettend bij en keek met zijn lieve, oude, grijze snoet naar hen op.

Het was alsof ze in haar visioen het tafereel van bovenaf bekeek, en Alice merkte dat ze het wanneer ze maar wilde kon stilzetten en terugdraaien. Elke keer dat ze de film in haar hoofd afspeelde, raakte ze er meer van overtuigd dat ze de droom heel goed kon laten uitkomen. Er zouden een hoop goede wil en hard werken aan te pas komen, en het zou een aardige cent gaan kosten, maar dat was voor zo'n speciale en prachtige gelegenheid meer dan de moeite waard.

Ze ging rechtop in bed zitten en deed het bedlampje aan. Het feestelijke tafereel verdween, maar de ermee gepaard gaande opwinding niet. Ze keek met een frisse blik naar haar sjofele, comfortabele slaapkamer met de oude, zo vertrouwde meubels; op het bed de sprei met de ovaalvormige inktvlek, waarvan door het binnenvallende zonlicht de kleur was verschoten. Eigenlijk was alles aan haar door een jarenlang gezinsleven zo versleten en getekend. Ze liet haar blik rusten op de hoedendoos boven op de klerenkast, waarin haar twee trouwhoeden zaten, en daarbovenop de schoenendoos waarin ze schatten bewaarde uit de tijd dat haar kinderen klein waren: eerste tandje, eerste schoenen, in kleurig katoen gebonden haarlokjes van de eerste knipbeurt. Dit is er van me geworden, dacht ze, net als deze kamer en die doos: een samenraapsel uit het verleden. Onze familiegeschiedenis begint bij David en mij, waar we vandaan komen, wat we geworden zijn. Aan dat alles hangt een onbetaalbaar prijskaartje en dat moet gevierd worden.

Zij en David waren nooit het soort mensen geweest dat uit de band sprong, en ze gaven zeker geen feestjes. Zodra ze getrouwd waren, moesten ze elk dubbeltje omdraaien en hadden ze een rustig en sober leven geleid. Hun grootste uitspatting bestond uit hun vier kinderen, in schril contrast met hun vrienden. Een groot gezin was slechts weggelegd voor degenen die welvarend en vol vertrouwen waren, of voor roekeloze armen, niet voor gewone, zorgvuldige mensen zoals zij, hoewel Sadie, hun vierde kind, niet gepland was geweest. Ze kwam eenvoudigweg. Toen Alice had ontdekt dat ze weer zwanger was, was ze een week of twee in shock geweest, maar daarna was ze er heel blij mee.

In alle sereniteit van die zwangerschap wist ze dat ze het met Davids schamele docentensalaris van de universiteit op de een of andere manier wel zouden redden. Het zou moeilijk worden, maar ze zouden de eindjes wel aan elkaar knopen. David was minder optimistisch geweest, want hij was van nature een pessimist. Hij had een paar weken met de handen in het haar gezeten, maar toen hadden Alice' ouders hen uit de brand geholpen met een lening voor de hypotheek op hun huis, dit huis, waar ze nog steeds in woonden, en toen was alles in orde gekomen.

Natuurlijk kon er met een vierde kind geen sprake zijn van extravagante feestjes, en Alice en David waren niet het soort mensen dat in het middelpunt van de belangstelling wilde staan. Tot nu toe hadden ze de grootste mijlpalen in hun leven rustig gevierd, maar dat betekende niet, bedacht Alice, dat ze niet voor één keertje de bloemetjes buiten konden zetten. Tenslotte mochten ze trots zijn op hun gezin en na veertig jaar waren ze nog steeds getrouwd, wat tegenwoordig al een prestatie op zich was. En dat ze zestig was, nou ja, dat was ze gewoon geworden, bijna ongemerkt. De hectische jaren waren voorbijgevlogen, en toen trok ze ineens een pensioentje en had ze in de winter recht op brandstoftoeslag. Maar vanbinnen voelde ze zich nog alsof ze eenentwintig was, toen zij en David, beiden studenten aan de universiteit, met elkaar trouwden.

Nu ze klaarwakker was, kon ze net zo goed opstaan en een kop thee zetten. Ze tastte met haar blote voeten naar haar sloffen en toen ze die had gevonden, zag ze met hernieuwde blik hoe verschrikkelijk afgedragen ze waren. Het nepschapenleer was grijs en kaal. Dat was nog zoiets waar wat aan gedaan kon worden; ze kon alles weggooien wat zijn beste dagen had gehad, versleten en uitgewoond was. Het werd hoog tijd voor een grote schoonmaak.

Terwijl ze langs de slaapkamerdeur liep, had ze nog steeds het gevoel dat de jongens daar sliepen, ook al waren ze al jaren het huis uit, en daarbinnen hoorde ze Davids ritmische gesnurk. Sinds hij vorig jaar met pensioen was gegaan, had hij vreemde slaapgewoonten ontwikkeld: als een oudere jongere bleef hij tot laat op en sliep 's ochtends lang uit. Op een avond, toen ze voor het naar bed gaan had afgewassen en de keuken aan kant maakte, had hij zonder haar aan te kijken gezegd: 'Ik ga vannacht in de jongenskamer slapen. Dan kan ik tot laat opblijven en wat lezen als ik daar zin in heb.' Ze wist toen meteen dat er iets aan de hand was, iets belangrijks, maar ze had met de afwasborstel door het water gespetterd en alleen maar gezegd: 'Oké, als je dat liever hebt.'

Ze had hem nooit verteld dat ze zich buitengesloten voelde door deze nieuwe regeling, want het voelde eerder als een afwijzing dan een attent gebaar, alsof hij werkelijk liever alleen sliep. Eerlijk gezegd sliepen ze sindsdien allebei beter en het was een luxe om het hele bed voor zichzelf te hebben, wanneer ze maar wilde het licht aan te doen en naar de radio te kunnen luisteren. Maar er was ook een steek van eenzaamheid wanneer ze met haar hand over de koude kant van het bed streek en ontdekte dat het leeg was.

Terwijl ze naar beneden liep, dacht ze opnieuw aan het feest. Ze begon nu al te twijfelen, want ze moest toegeven dat ze zich wel eerder had laten misleiden door wat David haar impulsieve ideeën noemde. Sterker nog, haar hele leven had ze zich laten leiden door inspirerende visioenen over hoe alles zou kunnen zijn. Daarna sloop meestal gaandeweg de desillusie naar binnen en moest ze uiteindelijk accepteren dat haar dagdromen niet waren wat ze leken. Ze herinnerde zich nog dat ze, als klein meisje al, over het aankomende kerstfeest droomde, of een verjaarspartijtje, en hoe vaak die teleurstellend uitpakten. In haar hoofd was haar prachtige feestjurk met fluwelen sjerp de allermooiste en won ze de stoelendans, terwijl ze in werkelijkheid een mollig meisje was dat in een koddig, doorzichtig geval was gehesen. En ze was zo verlegen en onzeker dat ze bij het uitdelen van de prijzen door de volwassenen over het hoofd werd gezien.

Maar hoe meer ze erover nadacht, hoe meer ze ervan overtuigd raakte dat het een goed idee was om een verjaardagsfeestje te geven. Ze zou het juiste moment afwachten en het nieuws dan aan David vertellen. Ze verwachtte niet dat hij enthousiast zou reageren, maar ze had wel degelijk zijn steun nodig. Ze zou met de tactiek van een politicus te werk moeten gaan om hem over te halen. Hij zou haar om te beginnen niet serieus nemen. Hij zou het zien als het zoveelste wilde plan dat je maar het beste kon negeren tot het weer was vergeten. Hij zou het niet zo levendig voor zich zien als zij. Hij zou zich niet kunnen voorstellen dat de hele familie op een prachtige zomerdag in de tuin bij elkaar zou zijn om haar verjaardag en hun veertigste trouwdag te vieren, of dat hij er goede herinneringen aan zou overhouden waar ze tot op hun oude dag op konden teren.

In de keuken wachtte ze tot het water kookte en ze wreef met haar voet over de warme buik van Roger, die in zijn mand lag te snurken. Ze wist wat David zou zeggen. Dat waren van die dingen die zo'n lang huwelijksleven nu eenmaal met zich meebracht. Uiteindelijk kon je voor van alles en nog wat het scenario van tevoren uittekenen. Hij zou allereerst zeggen dat het te duur was. Hij zou zeggen dat ze het zich niet konden veroorloven. Wat had het nou voor zin om een hoop geld te spenderen aan een grootse familiereünie wanneer ze een barbecue of iets simpels konden doen, zoals worstenbroodjes en blikjes bier? Ja, dacht Alice, terwijl ze in haar hoofd al tegenargumenten bedacht, en in de keuken zou het warm en chaotisch zijn, ze zouden alles heen en weer moeten slepen naar de tuin, al die vieze borden moeten opruimen. En binnen dat alles zou zij in het middelpunt staan, in haar oude spijkerbroek waar haar buikje overheen puilde, haar rode gezicht glimmend van inspanning en haar haar in de war.

Hij zou zeggen dat het geen zin had om iedereen uit te nodigen, want voor twee gezinnen zou het een lange reis zijn en er was te weinig ruimte om iedereen te laten logeren. Hij zou zeggen dat het niet nodig was om een familiefeest te organiseren. Agnes en Sabine zouden zich met hun elf en dertien jaar maar vervelen, en Lisa en Annie waren nooit de beste vriendinnen geweest. In het verleden hadden zich een paar 'incidenten' voorgedaan, tijdens een doop- of kerstfeest, toen er een wat gespannen sfeer hing en er over en weer stekelige opmerkingen werden gemaakt. Hij zou zeggen dat de nieuwste aanwinst in de familie, Ahmed, zich niet op zijn gemak zou voelen. Die zou denken dat hij door de hele Baxterclan overweldigd werd en Marina leek alles aan te grijpen om daar een punt van te maken. Die was altijd al wat lichtgeraakt geweest, zelfs als klein meisje al; dan stoof ze de deur uit en sloeg ze met de deuren. Hij zou al deze bezwaren te berde brengen en nog veel meer. In sommige ervan zat vast wel een kern van waarheid, maar dat veranderde niets aan het feit dat Alice wist dat ze deze probleempjes wel het hoofd konden bieden, ze wisten immers wat ze met z'n allen vierden. Ze wist zeker dat het een prachtige dag zou worden.

De ware reden van Davids onvermijdelijke tegenwerpingen, bedacht ze, terwijl ze met de punt van een vork het theezakje uit haar kopje viste, was dat hij tegenwoordig apathisch en vaak knorrig was. Hij was een jaar geleden met pensioen gegaan, had de universiteit vaarwel gezegd, maar kon daar bepaald niet trots op zijn. De laatste tien jaar was het lesgeven één grote frustratie en desillusie geweest en hij was de eerste om toe te geven dat hij, uitgewrongen en gedemoraliseerd, op z'n laatste benen naar de eindstreep was gestrompeld. Wat nou zo verdrietig was, vond Alice, was dat zijn levenskracht of -vreugde daarna niet meer was teruggekeerd. Hij had bijvoorbeeld niets in de tuin gedaan, terwijl zij nog wel had gedacht dat hij daar nog wel enige interesse in zou hebben. Hij had de afbladderende raamkozijnen niet geschilderd of de goten schoongemaakt. Hij nam amper de moeite om zich voor de middag aan te kleden, rommelde de halve ochtend met zijn magere oudemannenbenen in zijn zakkige boxershorts rond. Vaak nam hij niet eens de moeite om zich te scheren, zodat er een stoppelbaard op zijn kin doorschemerde.

Hij zou wel in de put zitten. Hij kon er maar moeilijk aan wennen om de hele dag thuis te zitten. Aan de andere kant had hij zo bitter over zijn baan geklaagd dat je toch mocht aannemen dat hij blij was iets anders te kunnen doen dan die eindeloze faculteitsvergaderingen uitzitten, en met zijn andere zonderlinge, oude collega's te jeremiëren over het nieuwe faculteitshoofd en de jammerlijke neergang van de academische normen.

Hij praatte niet over zijn gevoelens. Er trok een gepijnigde uitdrukking over zijn gezicht wanneer ze hem erop wees dat hij in een dip zat. Dat vatte hij op als kritiek, wat in zekere zin ook zo was. Hoewel Alice zich zorgen om hem maakte, zei ze eigenlijk: 'Waarom ben je niet een beetje opgewekter?' en zelfs: 'Ziet ons leven er voortaan zo uit?'

Ze had er ooit met Ollie over gepraat, die arts was, en hij had gezegd: 'Ik zou me er niet te veel zorgen over maken. Pap is altijd een neerslachtige ouwe dwaas geweest. Het is een gewoonte geworden. Bij andere mensen is hij heus wel opgewekt. Hij reageert het gewoon op jou af.' En dat was ook zo. David was vooral somber wanneer ze samen thuis waren. Dat was altijd zo geweest, en hij was niet de enige echtgenoot die zo deed. Dat wist Alice wel. Heel wat vriendinnen zeiden dat hun man precies zo was; zelfs de uitbundigste feestnummers bleken thuis humeurig te zijn. Goddank had ze haar werk nog en kwam ze het huis uit voor haar parttime baan als receptioniste in een dokterspraktijk.

Gewapend met haar kop, pen en papier die ze uit de hoop verzamelde rommeltjes naast de telefoon viste, zocht Alice haar bed weer op om plannen te maken voor het feest.

David hoorde haar langs de deur lopen. Ergerlijk dat ze 's ochtends zo veel lawaai maakte, dacht hij geïrriteerd. Ze leek nog geen deurkruk fatsoenlijk te kunnen vastpakken. Ze draaide en duwde altijd tegelijk, zodat het slot ratelde en de deur opensloeg. Ze dacht zeker dat hij overal doorheen sliep en vroeg zich kennelijk niet af of hij wakker zou worden wanneer ze op zo'n goddeloos uur theezette.

Hij dacht erover na dat ze de laatste tijd op fysiek gebied zo uit elkaar waren gegroeid, terwijl ze jarenlang hetzelfde bed hadden gedeeld. In hun studententijd was dat een matras op de vloer geweest, toen Alice een slungelige meid was met lange benen in minirokken; daarna een twijfelaar met een kuil in het midden in de eerste flat die ze samen huurden. Een goedkoop kingsize bed was het volgende toen ze in dit huis trokken. Destijds had het gênant groot geleken. Vroeger meende hij altijd dat zijn ouders, die hun hele huwelijksleven dicht naast elkaar in een twijfelaar hadden geslapen, er met weerzin naar keken wanneer ze op bezoek waren.

In dat bed hadden de kinderen als donzige baby's tussen hen in gelegen, daarna als peuters, met rode koortswangen of snikkend in de greep van een nachtmerrie. Toen ze ouder werden, waren ze nog altijd 's ochtends in bed geklommen en kibbelden, giechelden en vochten om een plekje, schopten met hun prachtige, gladde, onbezoedelde voeten. Wat is er eigenlijk met dat bed gebeurd? vroeg David zich af terwijl hij zich omdraaide en het kussen onder zijn hoofd propte. Ah, ja, Alice had in een tijdschriftartikel gelezen dat je elke tien jaar een nieuw bed moest nemen. Ze wilde negen jaar geleden per se dat bed de deur uit doen en een nieuw kopen. Dat was nog zo'n ergerlijk trekje van haar. Ze haalde zich ideeën in haar hoofd en liet ze niet meer los.

Hij vroeg zich of hij het miste dat hij niet meer naast haar lag en bedacht dat dat waarschijnlijk wel zo was. Een eenpersoonsbed is een eenzame plek voor een volwassene, maar in zeker opzicht wilde David zich ook eenzaam voelen. Soms had hij er genoeg van om deel uit te maken van zijn gezin, dat zo van alle kanten aan hem trok. Toen hij z'n werk nog had, kon hij tenminste wegvluchten naar een onafhankelijk bestaan waar zij geen deel van uitmaakten, ergens waar ze niet bij hem konden komen om hem met hun eisen en verwachtingen leeg te zuigen.

Nu hij de hele dag thuis was, moest hij alles uitleggen en rechtvaardigen hoe hij zijn tijd doorbracht. Alice legde altijd briefjes voor hem klaar, deed suggesties. Onder andere de ramen schilderen, godbetert. Bij het idee om verf, kwasten en terpentine te kopen en daarna het rotte houtwerk te schuren en de oneffenheden glad te strijken, voelde hij zich al uitgeput nog voor hij eraan begon. Hij piekerde er niet over om aan het klussen te slaan alleen maar om haar te plezieren. Ze behandelde hem zoals ze dat tijdens regenachtige dagen in de vakanties met de kinderen had gedaan: zocht karweitjes, deed opgewekte voorstellen over hoe hij de lange uren moest doorbrengen. Straks gaf ze hem nog zakgeld en hield ze zo'n verdomde sterrenkaart bij voor goed gedrag.

Hij draaide zich weer om. Met een beetje geluk viel hij weer in slaap, in zo'n diepe vroege-ochtendslaap, waarin hij van de wereld was tot ver nadat Alice naar haar werk was gegaan en hij het huis weer voor zich alleen had. Waarin hij totaal niets nuttigs deed.

Het idee van een feest kreeg steeds meer vorm. Alice dacht eraan toen ze door het modderige, natte landschap naar haar werk reed en in de straat achter de dokterspraktijk parkeerde. De eerste twintig minuten van de dag gingen op aan algemene dingen en babbelen voordat de telefoons begonnen te rinkelen, maar vanochtend luisterde ze afwezig naar Margarets geklaag over het computersysteem.

Margaret, een van haar collega-receptionistes, was op z'n zachtst gezegd iemand die je goedgevuld zou kunnen noemen en voor iemand van in de vijftig droeg ze wel heel strakke rokken en laag uitgesneden, glimmende T-shirts. Ze had een weelderige bos kastanjebruin haar dat met verschillende kammen was opgestoken en waaruit ontsnapte lokken tuimelden alsof ze net een stoeipartij achter de rug had. Op deze ochtend zag haar zwarte rok er aan de voorkant goed uit, maar wanneer ze zich omdraaide om wat dossiers te verplaatsen, werd er een split onthuld die bijna tot haar billen liep. De achterkant van haar mollige knieën was niet echt aantrekkelijk, dacht Alice, en paste eerder bij koeien of kleine kinderen.

Toen Margaret nog maar net in de praktijk werkte, had Alice zich afgevraagd of Deirdre, de praktijkmanager, er iets van zou zeggen. In plaats daarvan had ze na een week of twee Alice tijdens een koffiepauze apart genomen en haar gevraagd of ze, als senior receptioniste, informeel het onderwerp fatsoenlijke kleding op de werkplek ter sprake wilde brengen. Alice had dat resoluut geweigerd. Ze had de indruk dat je Margaret beter niet tegen je in het harnas kon jagen en tenslotte moest ze met haar samenwerken.

In plaats daarvan zei ze tegen Deirdre dat de mensen misschien wel wat opfleurden als ze Margaret zagen terwijl ze in de rij stonden voor herhaalrecepten of om een volgende afspraak te maken. Wanneer je je beroerd voelde door een vastzittende hoest of enge uitslag verwachtte je bepaald niet iemand als zij door het glazen schuifraam te zien. Uiteindelijk werd er helemaal niets van gezegd, raakte iedereen aan haar uiterlijk gewend en wisten ze niet anders dan dat ze eruitzag als een variétéartieste.

Moest ze Margaret op het feest uitnodigen? Ze probeerde zich haar voor te stellen in een van haar opgedirkte uitdossingen en op wankele hoge hakken. Voor het kerstdiner met de dokterspraktijk, dat in een Indisch buurtrestaurant werd gehouden, dofte ze zich exotisch op. Vorig jaar had ze er in harembroek en een strakke, zilverkleurige top uitgezien als een buikdanseres. Ja, besloot ze, ze zou het leuk vinden als Margaret er ook was, want ze was belangrijk in haar leven en een echte vriendin.

Alice was nog niet serieus met de gastenlijst begonnen, en terwijl ze in haar hoofd de namen opsomde, realiseerde ze zich dat ze ergens een streep zou moeten trekken, anders zou de feesttent groter zijn dan de tuin. Ze had zelfs even het wilde plan gehad om er een soort straatfeest van te maken, omdat ze ook de buren wilde uitnodigen. Aan de ene kant woonden de Bakers, beiden leraar en gepensioneerd, met een dikke, volwassen dochter met platvoeten, Mandy, die nog altijd bij hen woonde nadat twintig jaar geleden haar huwelijk al na twee maanden op de klippen was gelopen.

Aan de andere kant woonde John Pritchard, al heel lang weduwnaar, die onlangs een nieuwe partner had gevonden, een gescheiden vrouw van in de zeventig die hij had ontmoet tijdens een seniorenreis in Egypte. Hij was bij hen langs geweest om zijn vakantiefoto's te laten zien en Carol stond overal op. Alice had met samengeknepen ogen naar de nogal imposante, kleurrijk geklede dame getuurd. Er was zelfs een foto van haar op een kameel met op de achtergrond de piramides.

Toen ze Carol uiteindelijk in levenden lijve ontmoette, wist Alice eigenlijk niet wat ze met haar aan moest. Ze was zo heel anders dan Betty, Johns vrouw, die steevast zowel qua kleding als levensopvatting in beige door het leven ging. Zij was een lange, stralende blondine, gespierd gebouwd en in broekpak. Ze zag er in broek beter uit dan John, die zich onlangs te buiten was gegaan aan een kunststof sportbroek die over zijn bejaardenbuikje spande, waardoor zijn benen te kort leken en hij eruitzag als een oude waadvogel.

Carol bleek een energieke, makkelijke prater die elk onderwerp zo wist te sturen dat het zomaar weer over haar ging. Alice zag dat

David er rusteloos van werd, en daarna wanhopig. Na een poosje was hij opgestaan en zodra hij er een woord tussen kon krijgen, had hij gemompeld: 'Als je me wilt verontschuldigen, ik moet…' Vervolgens was hij de kamer uit gegaan. Alice had hem naar boven horen lopen en een smoes moeten verzinnen dat hij nog aan een artikel moest werken waar hij mee bezig was. John zat intussen in zijn fauteuil, liet een kop thee op zijn knie balanceren en zag eruit alsof hij in shock was. Hij leek op een land dat door een bezetter onder de voet was gelopen en geen tegenstand had geboden.

Alice startte haar computer op en maakte een nieuwe map aan, die ze 'Tuinfeest' noemde. Ze was de hele ochtend stiekem bezig er namen aan toe te voegen of weer te wissen. Eerst de familie, natuurlijk. Haar zus Rachel met man en kinderen, en hun partners en kinderen. Ze trok de grens bij neven en nichten. Het werd al snel een lange lijst. Daarna voegde ze er de buren en goede vrienden aan toe. Algauw was de lijst veel te lang en moest ze er opnieuw naar kijken. Zelfs als de helft niet zou komen, zou de boel uit de hand lopen.

'Wat ben je aan het doen?' vroeg Margaret, die achter haar stoel langsliep. Ze hoorden op de kantoorcomputers geen dingen voor zichzelf te doen, maar Margaret was verslaafd aan internetshoppen en chatrooms, en ze waren het er min of meer over eens geworden wat in de stille uurtjes naar hun gevoel wel of niet door de beugel kon.

'Een feestje organiseren,' zei Alice met een glimlachje. Ze zei het nu voor het eerst hardop. 'Nou, van organiseren is nog geen sprake. Eerder bedenken.'

'Een feestje! Ik ben dol op feestjes!' Margaret maakte een danspasje en wiegde met haar heupen.

'Nou, dit is voor ons een nogal bijzonder jaar. In november zijn we veertig jaar getrouwd. Ja! Echt waar! Twee jaar geleden is David zestig geworden en dat hebben we toen niet gevierd, en ik word in juni zestig, dus dat vind ik wel een feestje waard.'

'Eerder een medaille omdat jullie het zo lang hebben volgehouden. Hoe is het je gelukt om zo lang getrouwd te blijven? Mijn record is zes jaar, en ik kan je wel vertellen dat ik dolblij was toen de scheiding erdoor was.'

Margaret wachtte even om de telefoon aan te nemen en keek op haar computerscherm om een afspraak in te toetsen. Ja, dacht Alice, het is inderdaad een prestatie, en er ging een kleine golf van vreugde door haar heen bij het idee dat hun huwelijk écht de moeite van het vieren waard was.

'Wat wordt het voor feestje?' vroeg Margaret terwijl ze de telefoon neerlegde. 'Ergens leuk uit eten? Avondkleding voor manlief en een chique cocktailjurk voor jou?'

'Nee, volgens mij moeten we thuis iets doen. Een echt feest, met een tent en alles erop en eraan. Een partytent, bedoel ik.' 'Een tent' klonk als iets van de padvinderij.

'Hé, poppelepee!' zei Margaret en ze trok een gezicht. 'Dan zou je opnieuw je trouwbelofte moeten afleggen. Mensen doen dat tegenwoordig, en dan zijn hun kinderen getuigen. Ik heb de foto's in *Hello!* gezien, hoewel Joost mag weten wie daar lang genoeg voor getrouwd blijft. Half glamourland lijkt het te doen, om vlak daarna weer uit elkaar te gaan.'

'O, nee, zoiets willen we helemaal niet. Dat zou David verschrikkelijk vinden.' Het was om te beginnen al moeilijk genoeg geweest om hem mee te slepen naar een kerkelijk huwelijk. Hij bleef erbij dat hij een rothekel had aan die apenpakjes en al dat gedoe. 'Nee, dit is eerder voor de hele familie. Met z'n allen bij elkaar zijn. Het gaat niet alleen om ons.'

'Een familiereünie lijkt mij een rampzalig idee. Ik kan geen vijf minuten met mijn zus in één ruimte zitten of ik heb al de neiging haar een klap te verkopen.' Alice probeerde zich in te denken dat ze haar eigen zus, Rachel, een klap zou willen verkopen, die zelfs nog dikker was dan zij en in het provinciebestuur zat, maar dat lukte niet. Ze dacht vaak dat als David iets overkwam, Rach de enige in de hele wereld was met wie ze gelukkig kon samenwonen. Sterker nog, met haar samenwonen zou nog veel leuker zijn dan met David. Ze gingen soms met elkaar op vakantie en konden het dan zo goed met elkaar vinden en lachten zo veel dat hun echtgenoten er nukkig van werden.

'Ik denk dat ik allereerst een geschikte datum moet zien te vinden waarop iedereen kan. Een zondag is denk ik het beste.'

'Niet doen. Stel gewoon een datum vast en zeg dat ze er dan moeten zijn. Je kunt het nooit iedereen naar de zin maken.'

Misschien had Margaret gelijk, maar Alice was normaal gesproken nooit zo assertief. Ze keek in haar kantooragenda. Vóór het feest zou ze tijd vrij moeten nemen en in mei had ze al een week vakantie gepland, aansluitend op een officiële feestdag na het weekend. Het personeel met jonge kinderen kon dan tijdens de schoolvakanties weg. Zondag 6 mei viel aan het einde van die week. Op die dag moest het gebeuren. Dat werd de dag van het feest. Nu hoefde ze het alleen nog maar aan David te vertellen.

David was nog maar net uit bed. Het was half elf en hij vond dat hij iets moest eten, maar had geen zin in wat er in de koelkast lag. Ontbijt leek een zinloze maaltijd als je toch de hele dag thuis was. Dat had alleen nut als je ergens naartoe moest. Hij zette water op om koffie te zetten en ging aan de keukentafel de krant van de vorige dag zitten lezen. Hij hoefde niet zo nodig de krant van die dag uit de gang te halen, want het nieuws was iedere dag nagenoeg hetzelfde. Bovendien maakte het niet uit of hij goed op de hoogte was of niet. Toen hij nog aan de universiteit werkte, genoot hij ervan om te discussiëren over actuele ontwikkelingen, maar nu er toch niemand meer was die hij op de kast kon jagen, had het weinig zin om er sowieso een mening op na te houden.

Later zou hij het nieuws online op zijn laptop lezen, door de pop-upadvertenties bladeren en zijn e-mails checken, wat trouwens toch altijd bagger was. Stiffy in Jiffy. Vergroot Uw Mannelijkheid. Candy stuurt je een bericht via Facebook. Groot, Groter, Grootst. Dit was de merkwaardige, virtuele wereld van de eenzame tijdverspiller. Of liever gezegd: leeghoofdige tijdvuller. Hij stelde zich alle teleurgestelde, thuiszittende mannen voor die naar een scherm staarden en op toetsen drukten op zoek naar soelaas en bevrediging. God, wat was dat deprimerend, dat schimmige, smerige fantasielandschap op internet. Toen hij jong was, hadden gepensioneerde mannen lol in duiven houden, ze bewerkten een lapje grond of schuifelden over straat naar de bibliotheek met in een boodschappennetje de boeken die ze moesten terugbrengen. Als je in die tijd zestig was, was je oud en had je het wel gehad. Daar hoefde je je niet voor te schamen. Tot zijn opluchting had hij ontdekt dat internetporno hem totaal niet boeide. Wanneer hij, uit nieuwsgierigheid, 'Office Babes' of 'Hot Black Pussy' intypte, deden de beelden die over zijn scherm langskwamen hem niets of wekten afkeer bij hem op. Op dat terrein had hij tenminste niets voor Alice te verbergen.

Hij dronk zijn koffie op en zette de kop in de gootsteen. Het kwam niet bij hem op om hem in de vaatwasser te zetten, net zomin als hij had gemerkt dat de vloer geveegd moest worden of dat hij de besteklade open had laten staan nadat hij naar een lepel had gezocht. Hij keek uit het raam. Grijze wolken verdrongen zich aan de tinkleurige hemel. Hij zag in een oogopslag dat het een koude en onaangename ochtend was. Dus had het geen zin om eropuit te gaan. Zonder er verder nog een gedachte aan te wijden, liep hij de trap op naar de kamer waar hij nu sliep, en waar hij zijn computer had neergezet op de jarenlang bekraste en mishandelde tafel waaraan de jongens met hun huiswerk hadden geworsteld. De mes- en passerpunten hadden pitten en groeven achtergelaten die wel op braille leken. Hij ging in zijn onderbroek aan tafel zitten, zette zijn laptop aan en wachtte tot die ging flakkeren en zoemen. Hij drukte op de e-mailknop en daar was het, onder een bericht van Amazon, een e-mail van een adres dat hij niet herkende, met als onderwerp: Hoi! Ben jij dat, David?

Alice was moe en een beetje boos toen ze thuiskwam, de boodschappentassen uit de auto zeulde, ze achter de drempel van de voordeur opstapelde en door het stille huis riep of iemand haar met uitladen kon helpen. Een scherpe pijn had zich onder in haar nek genesteld en haar schouders voelden stijf aan.

Ze was in de keuken toen David tevoorschijn kwam. 'O, daar ben je!' zei ze overbodig.

'Hoezo? Waar moet ik anders zijn?'

'O, ik weet niet.' Hij kon zo irritant zijn. 'Kun je me helpen met de boodschappen? Ik heb m'n nek verrekt, of zo.'

Hij keerde zich gehoorzaam om om de tassen uit de gang op te halen en op het aanrecht te zetten. Alice begon ze uit te pakken en dacht: ik koop ze, ik sleep ze naar huis, ik berg ze op, ik haal ze weer tevoorschijn, ik kook, ik was na afloop af, en dat zal wel zo doorgaan totdat ik naar een bejaardenhuis word gereden, als een mijnpony die naar boven wordt gebracht en voor z'n ouwe dag in de wei wordt gezet.

'Wat heb je dan met je nek gedaan?' informeerde David plichtsgetrouw. 'Het zal wel door al dat computerwerk komen. Weet je dat een gemiddeld hoofd wel zo veel weegt als...' Maar hij zag dat Alice niet luisterde. Ze leek meer geïnteresseerd in het aantal blikjes kikkererwten in de keukenkast.

'Ik begrijp het niet,' zei ze naar de planken starend. 'Ik heb zeker een soort winkelwoede, want elke keer als ik in de supermarkt ben, ben ik ervan overtuigd dat we kikkererwten nodig hebben en dan koop ik een blik. Ik bedoel, hoe vaak per jaar maak ik nou iets met kikkererwten? Er staan hier vijf blikken en vandaag heb ik er weer een gekocht. Een tijdje geleden kon ik niet ophouden worcestersaus te kopen. Kijk nou, we hebben drie flessen.'

'Misschien verander je in een mormoon. Onbewust.'

'God, dat hoop ik niet. Zijn die niet een beetje raar? Waarom kopen ze zo veel kikkererwten? Heeft dat met hun godsdienst te maken?'

'Ze bereiden zich voor op het einde van de wereld. Ze hamsteren.'

'Als de wereld dan toch aan zijn einde komt, waar heb je dan kikkererwten voor nodig?' Alice kon zich niet voorstellen dat ze met een armageddon in het vooruitzicht nog een volgende maaltijd moest klaarmaken.

'Ze doen aan polygamie, althans, dat was vroeger zo,' zei David, alsof hij daarmee de vraag beantwoordde. Alice, die vaak dacht dat een echtgenote erbij best handig zou zijn, zuchtte en zette water op.

Ze merkt niet eens dat ik een totaal ander kapsel heb, dacht David. Die middag was hij naar de duurste kapper in de nabijgelegen stad geweest en had meer voor een knipbeurt betaald dan hij kon verantwoorden. Het was een ruige, korte stijl waarvan het meisje zei dat zijn dikke haarbos zo het beste tot zijn recht kwam. Ze zei dat hij geluk had met zo'n mooie kop haar, en had na afloop wat spul op haar handpalmen gedaan en zijn haar lichtjes gladgestreken, bijna als een teder gebaar van een minnares, terwijl haar borsten tegen zijn schouders duwden.

Hij sloeg Alice gade terwijl ze twee koppen thee zette en daarna een ervan naar hem toe schoof. Ze ging aan tafel zitten met haar mok tussen haar handen geklemd en begon de krant op z'n kop te lezen. Ze had hem nog steeds niet goed aangekeken en hij voelde zich plotseling niet op z'n gemak, zoals hij daar stond te wachten tot hij werd opgemerkt. Hij kon maar beter iets zeggen.

'Valt je niets op?' vroeg hij, terwijl hij met zijn handen omhoog wees.

Alice keek. 'Hemeltje!' zei ze. 'Wat heb je nou gedaan? Waar is je haar gebleven?'

'Nou, dat heb ik laten kníppen!'

'Dat zie ik, ja. Waarom?'

David had het gevoel dat ze de spot met hem dreef. 'Waarom denk je? Het was te lang, vond je niet?'

'Ja, maar waarom moest het zo plotseling heel anders? Het staat trouwens goed. Je ziet er jonger uit. Waar heb je het laten doen?'

'De Studio.'

Alice trok een verschrikt gezicht. 'Hemeltje!' zei ze nogmaals. 'Je hebt 't breed laten hangen. Ik dacht dat je liever maar een paar pond uitgaf voor een beurt bij de hondentrimmer.' Ze stond op en liep naar het aanrecht waar hij tegenaan leunde, stak een hand uit en woelde door zijn haar alsof hij een groot kind was. ''t Zit leuk,' zei ze luchtig. 'Je ziet er, eh,' ze zocht naar het juiste woord, 'modern uit. Cool. Alsof je op tv een historisch programma of zo presenteert, je weet wel.' Ze wendde zich af en masseerde met een hand haar nek.

David was blij. De pijnlijke situatie was voorbij en Alice had hem ervan overtuigd dat hij er inderdaad beter uitzag. Hij voelde zich als het soort man dat ooit als model robuuste sweaters had geshowd tijdens buitenopnamen. Vroeger had zijn moeder een boek met zulke breipatronen gehad. In die tijd mochten modellen nog met een pijp tussen de tanden geklemd met een voet op een hekje steunen. Misschien was hij met zijn leeftijd en zilvergrijze haar eerder zo'n ouder model dat lezend in een fauteuil werd afgebeeld, met de benen over elkaar geslagen en een kop thee bij de hand, of geconcentreerd over een scheepje in een fles gebogen zat. Mannen hielden zich toen nog met zulke onschuldige dingen bezig. Waren de breipatronen dan verdwenen, evenals de wolwinkeltjes? vroeg hij zich af.

Grappig, dacht Alice, terwijl ze bedacht wat ze die avond zouden eten, dat David uitgerekend vandaag zijn haar heeft laten knippen. Door aan zijn uiterlijk te werken, had hij onbewust aan een van de eisen voor haar feest voldaan. Hij zag er trouwens helemaal niet verkeerd uit. Eigenlijk was het een rotstreek dat mannen zo veel eleganter ouder werden dan vrouwen en er bijna niets voor hoefden te doen om aantrekkelijk te blijven. Ze dacht aan al dat waxen en polijsten en die antirimpelspullen waartoe vrouwen ongeveer na hun vijfentwintigste hun toevlucht namen; de cellulitisperikelen en de afschuw van borsten en billen waar zo veel tijd aan verspild werd.

Voor zover zij wist had David in zijn hele volwassen leven geen moment om zijn uiterlijk gemaald. Hij had een beperkte garderobe die hij altijd had gedragen en zou blijven dragen. Maar er was veel meer dat hij voor geen goud zou willen aantrekken. Hij had bijvoorbeeld nog nooit een trainingspak aangehad, of sandalen, een sweater met opdruk of een moderne das. Het ging erom dat je wist hoe je eruitzag, zoals de modekenners zouden zeggen, en David wist dat als geen ander.

Het had op het puntje van haar tong gelegen om na het gesprek over de kapper het feest ter sprake te brengen, maar ze had zich bedacht. Ze had besloten dat ze beter eerst de kinderen kon e-mailen om het hun voor te leggen en daarna David voor een fait accompli te stellen. Na het avondeten zou ze haar oude laptop aanzetten en hun allemaal een berichtje sturen.

David was weer verdwenen. Ze hoorde het journaal uit de woonkamer. Ze haalde een fles wijn uit de koelkast en schonk twee grote glazen in. Zij en David waren van het soort middle-classdrinkers dat het met de gezondheidsmaffia aan de stok zou krijgen, te oordelen naar de frequente uitstapjes naar de glasbak.

'David!' riep ze. 'Glaasje?' Er kwam geen antwoord, dus ze bracht het glas naar hem toe. Ze was verbaasd toen ze merkte dat de televisie aanstond, maar er niemand in de kamer zat. 'David?' Ze liep door de gang terug en keek langs de trap naar boven. De deur naar zijn kamer zat potdicht. O, nou ja. Ze zette het glas op de tafel naast zijn fauteuil en ging weer naar de keuken.

David zat boven nogmaals zijn e-mails te checken. Hij wist niet precies waarom hij het gevoel had dat hij dat stiekem deed, maar dat was wel zo, des te meer toen hij Alice hoorde roepen. Er was een bericht van Sandra Supersize You en Shelley zei: Kom Je Me Opzoeken, maar verder niets. Hij zette de computer uit en bleef een ogenblik nadenkend zitten. Hij zou niet onmiddellijk antwoord moeten verwachten. Misschien was hij wat te haastig geweest, leek hij iets te gretig doordat hij onmiddellijk had teruggemaild. O, nou ja, nu was het te laat. E-mails waren ook zo gevaarlijk. Eén druk op de knop en weg waren ze, en je hoopte dat ze zwijgend en stilletjes aankwamen. Niet dat hij het gevoel had dat hij geheimzinnig deed. Hij was gewoon niet van plan het aan Alice te vertellen, dat was alles.

2

*H*et was Annie, Charlies vrouw, die de e-mail van Alice opende. Ze las hem twee keer, legde toen haar hoofd vermoeid op de tafel naast haar laptop en sloot haar ogen. Haar eerste reactie was dat als er íéts een eeuwigdurende ruzie en onenigheid garandeerde, dan was het wel een hele familie, welke dan ook, die onder één dak – of tent – bij elkaar was. Ze kwam in de verleiding om het bericht te wissen en te doen alsof het nooit was aangekomen, maar dat had geen zin. Dit aangekondigde feestje ging niet weg om haar een plezier te doen.

Het was half elf 's ochtends en het was rustig in huis. Rory zat op de basisschool en ze had Archie op de crèche afgeleverd, en in de kostbare drie uur voordat ze het hele proces moest herhalen om hem weer op te halen, moest ze een artikel afmaken voor het interieurmagazine van een keten van doe-het-zelfzaken, waarvoor ze de redactie deed. Het was een rotbaantje: wie schreef nou een schreeuwende kop als HAAL HET BESTE UIT JE ZOMER! bij een artikel over winkelveiligheid en hoe je een ladder moest gebruiken, zonder suïcidaal te worden? Maar ze kon tenminste thuis schrijven zonder de jongens aan een oppas te hoeven overlaten.

Ze tilde haar hoofd op en las de e-mail nogmaals, terwijl ze in haar hoofd Alice' meisjesachtige, opgewonden stem hoorde. Ze had al een datum geprikt en verwachtte dat iedereen er op een zondag in mei zou zijn. 'Ik wil echt dat dit een bijzondere dag wordt,' schreef ze. 'Niet alleen voor David en mij, maar ook voor jullie allemaal.' Annie zuchtte. Dacht Alice nou echt dat dat ging, terwijl zij en

Charlie met twee kleine kinderen een rit van een slordige tweehonderdvijftig kilometer moesten maken en ze ook nog zoet moesten zien te houden voor wat klonk als een officieel feest voor volwassenen met een lunch aan tafel? Wat dácht Alice wel niet? Zij, Annie, zou de kinderen voor haar rekening moeten nemen, terwijl Charlie te veel zou drinken, aangespoord door Ollie. Ze zou de scherpe opmerkingen van Lisa moeten verdragen, evenals de deprimerende hopeloosheid van Sadie die zich alweer met de zoveelste ellendige kerel had ingelaten, hoe dol ze ook op haar was, terwijl ze Tamzin en George weer zou verwaarlozen. Marina zou zich gedragen alsof ze de eerste vrouw ooit was die een kind had gebaard, terwijl Ahmed zou zitten mokken, zoals hij altijd deed als hij niet in het middelpunt van de belangstelling stond. En als klap op de vuurpijl zou zij helemaal naar huis moeten rijden met een nijdige echtgenoot en onhandelbare kinderen die over hun toeren waren.

Het was ongelooflijk dat Alice, die zelf met weinig hulp en niet veel geld in rap tempo vier kinderen had grootgebracht, kennelijk niet meer wist hoe het leven er met kleine kinderen werkelijk uitzag.

Annie leunde achterover en staarde door het raam naar het vierkantje grijze lucht boven haar hoofd. Nadat Rory was geboren en ze het zich niet konden veroorloven te verhuizen, hadden ze de zolder verbouwd tot wat voor een kantoor moest doorgaan, en hier had ze haar computer en archiefdozen neergezet om een werkachtige omgeving te creëren. Omdat ze daardoor opslagruimte hadden moeten inleveren, stond één kant van de krappe kamer vol met een verzameling kartonnen dozen en kampeerspullen, evenals Charlies nauwelijks gebruikte hometrainer en ander spul dat niet weggegooid kon worden maar waarvan ze zich amper kon herinneren dat het ooit was gebruikt. Ze werd somber van die gekmakende rommel. Het herinnerde haar aan het leven dat ze maar half leek te leiden, gevangen als ze zat tussen de werelden van werken en moederschap in, waar ze totaal geen voldoening in vond.

Ze staarde naar de dikke wattenhemel, die zo verzadigd was van vocht dat het als nevelig grijs vilt tegen het raam plakte, waarna ze zich overgaf aan een vertrouwde, neerslachtige inertie. Wanneer ze zich zo voelde, kreeg ze geen letter op papier. Het was alsof een reusachtige hand haar bij de keel greep en elke adem, verbeelding of inspiratie verstikte. Een zware vermoeidheid drukte op haar oogleden en ze verlangde ernaar ze te sluiten en haar hoofd weer op het bureau te leggen.

Ze voelde zich intens gedeprimeerd en wenste dat ze ergens een sprankje troost uit kon putten. Ze kon zichzelf eraan herinneren dat Charlie en de jongens gezond waren, dat ze genoeg geld hadden, een eigen huis, dat er geen afschuwelijk drama was dat hun leven overhoophaalde, maar ze wist dat het geen zin had om de positieve kanten op te zoeken. Dat had het nooit. Het leek alsof er iets in haar persoonlijkheid zat wat haar naar die loodgrijze plek toe trok en ze moest worstelen om er weerstand aan te bieden.

Ze had er een pesthekel aan dat ze zo neerslachtig kon zijn. Wat was er gebeurd met die knappe, grappige, levendige jonge vrouw die ze ooit was geweest? Het komt door dit achterlijke baantje, dacht ze boos, terwijl ze nijdig naar haar computerscherm keek, en ook door Charlie, die helemaal in zijn eigen werk opging. Hij gaf geschiedenisles op een welbekend en uitermate academisch gymnasium en behandelde haar alsof ze een lot uit de loterij had getrokken toen ze na de geboorte van Archie haar felbegeerde werk als redacteur van een tijdschrift had opgegeven.

'Ga je vandaag iets leuks doen?' zei hij altijd als hij 's ochtends zijn tas pakte.

'Ik breng Rory na school naar zwemles en Archie heeft vanmiddag een partijtje.'

'Hm. Nou, veel plezier!' Hij luisterde toch niet. Ze had net zo goed kunnen zeggen: 'Ik plant Archie op het vliegveld neer bij de centrale reserveringsbalie, voer Rory kalmeringsmiddelen en vlieg dan met de chagrijnige, honderdtwintig kilo wegende kerel van het postkantoor naar de Cariben.' Dan had hij nóg gezegd: 'Nou, geniet er maar van. Dag jongens!'

Ze was wel zo zelfbewust en intelligent om te weten wat er aan de hand was. Het syndroom was alom erkend en er was veel over geschreven. De ontevreden, thuiszittende moeder was een veelbesproken specimen. Elk tijdschrift waarvoor ze ooit had gewerkt publiceerde regelmatig artikelen over vrouwen die thuiszitten en kinderen grootbrengen geestdodend saai en frustrerend vinden. Ze had niemand nodig om haar uit te leggen waar haar wanhoop vandaan kwam. Ze verveelde zich, voelde zich ondergewaardeerd, had niet de voldoening van een baan en werd geplaagd door schuldgevoelens en faalangst. Ze vond het verschrikkelijk dat ze haar eigen geld niet verdiende, verschrikkelijk dat ze weliswaar vriendschappen had, maar alleen vanwege de kinderen en niet omdat ze iets met die mensen gemeen had. Ze had een pesthekel aan de huishouding, het eindeloos inslaan en koken van smakeloos, saai eten, waarvan ze de helft in de vuilnisbak kon gooien of van de vloer kon opvegen. Een pesthekel had ze aan het gruwelijke plastic speelgoed met van die cruciale kleine onderdelen die ze dag in, dag uit moest oprapen of opzoeken, een pesthekel had ze aan de viltstiften die zonder dop rondslingerden en waarvan de punt was uitgedroogd, een pesthekel aan de puinhoop, rommel en het lawaai dat haar het leven onmogelijk maakte.

En het ergst van alles was nog dat ze een pesthekel had aan zichzelf omdat ze een afkeer had van haar eigen kinderen; ze hield zielsveel van ze, was aan ze gehecht, maar vond het vaak ellendig om bij ze te zijn. Was het niet onnatuurlijk dat iemand haar geen groter plezier deed dan de zorg voor haar kinderen uit handen te nemen? Was het niet schandelijk dat ze niet in staat was meer van hun leven te maken dan ze van haar eigen leven deed? In hemelsnaam, dit ging wel over hun jéúgd. Dit waren de vormende jaren waarin ze werden gemodelleerd naar het soort mensen dat ze zouden worden. Ze grootbrengen was de belangrijkste taak die ze ooit had gehad en ze

maakte er een potje van. Ze was doodsbenauwd dat ze zouden op-
groeien en niet goed zouden functioneren, dat ze emotioneel ver-
knipt zouden zijn omdat zij geen goede moeder was.

Het was kúnnen, niet wíllen, omdat ze het probeerde, echt waar.
Elke dag weer deed ze een nieuwe poging. Op de ene dag ging het
beter dan op de andere, en dan had ze het gevoel dat het toch wel
meeviel. Maar dan was het weer zo'n puinhoop als op een dag als
vandaag, wanneer ze 's ochtends amper haar bed uit kon komen om
opnieuw aan een dag te beginnen waarop ze moest doen alsof er
niets aan de hand was.

Het was nog het moeilijkst om bij Charlie de schijn op te houden,
want uitgerekend aan hem kon ze nooit de verbijsterende waarheid
toegeven dat ze het gezinsleven een vloek vond. En evenmin mochten de vrouwen bij het schoolhek, de onderwijzers van de jongens,
haar familie of Charlies familie weten hoe hopeloos ze zich voelde,
en Alice nog wel het allerminst.

Annie dacht aan Alice, aan haar forse, kundige handen en haar
brede, vriendelijke gezicht. Ze bedacht hoe gemakkelijk de jongens
op haar schoot klommen en om haar nek hingen, dat ze haar met
hen hoorde lachen in de keuken, dat ze het kennelijk niet erg vond
dat ze rommel maakten en ondeugend waren als ze naar bed moesten. Alice was een geboren moeder en oma, en Annie voelde zich in
vergelijking met haar minderwaardig en hopeloos tekortschieten.

Ze schrok ervan dat ze zulke vijandige gevoelens jegens haar
schoonmoeder had. Ze wist dat ze die niet verdiende, maar ze was
verontwaardigd dat Alice alles belichaamde wat zijzelf kennelijk
niet kon zijn: het warme middelpunt van een liefhebbende familie.
Dat liet Alice je althans geloven. Zo zag ze zichzelf, want als Alice
wílde dat alles goed was, dan wás alles ook goed, en de anderen
spanden samen om haar in die waan te laten. In Alice' leven was
geen plaats voor duisternis. Ze weigerde iets anders te accepteren
dan het idee dat de Baxters niet minder dan een volmaakte familie
waren.

Dit feest, bijvoorbeeld. Die viering. Wat viel er nou te vieren? Het feit dat zij en David bij elkaar waren gebleven in iets wat duidelijk een hopeloos wrak van een huwelijk was? Of omdat ze zo trots was op hun vier kinderen, die in werkelijkheid maar ternauwernood hun leven op de rails wisten te houden?

Annie voelde een steek van spijt. Ze was oneerlijk wanneer ze in zo'n gemoedstoestand was; totaal niet in staat om mild, menslievend, optimistisch of zelfs maar een beetje vriendelijk te zijn. Alice verdiende deze narigheid niet. Alice was altijd lief en geduldig geweest, en had haar altijd gesteund.

Zelfhaat is zo vermoeiend, dacht ze mismoedig, en zo verlammend. Wanneer ze er zo aan toe was, kon ze niets op papier krijgen, zelfs niet zoiets banaals als LET OP HET AFSTAPJE! met daaronder tien aandachtspunten om de gezondheids- en veiligheidsaspecten erin te hameren over het goed hanteren van gereedschap, te beginnen met WAT JE MOET WETEN WANNEER JE EEN LADDER GEBRUIKT. Als je dat zelf niet kunt bedenken, zou je toch zeker niet zonder begeleiding naar buiten mogen. 'Vorig jaar,' had ze zojuist getypt, 'zijn er veertien doden en twaalfhonderd zwaargewonden gevallen door onjuist gebruik van gereedschap.' Ze zou dit echt serieus moeten nemen, maar dat lukte niet. Bovendien had ze tegelijkertijd ontdekt dat er na een incident met een hondenbak zes ernstig gewonden en één dode waren gevallen. Hondenbakken! De wereld draaide dol.

Ze zuchtte en keek op haar horloge. Ze had nog maar een uur voordat ze de deur uit moest en de kleine kilometer naar de crèche moest lopen om Archie op te halen, en dan zat haar dag er weer op. Ze had gevraagd of Dillon, een kind met een bleek gezicht, bij hun kon komen lunchen. Alles was iets gemakkelijker als er wat afleiding was en het niet alleen aan haar en Archie lag dat ze niet genoeg aan elkaar hadden.

Ze las de e-mail nogmaals. 'Ik schrijf dit aan jullie zodat jullie deze dag vrij kunnen houden voor een – als het even kan gezamenlijk – heel bijzonder feest dat we organiseren om een paar mijlpalen in ons leven te vieren. Ik ben van plan een partytent neer te zetten, er is champagne, een door een cateringbedrijf verzorgde buffet- lunch en misschien wordt er zelfs wel gedanst.' Annie mijmerde daarover, merkte op dat de persoonsvorm van 'wij' overging naar 'ik' naarmate Alice verder over het plan uitweidde. Het was duide- lijk dat ze dit plan helemaal zelf had bedacht. David wist er waar- schijnlijk zelfs niet eens iets van. Dus wat waren die mijlpalen dan? Davids pensionering? Het was een familiegrap dat hij pathologisch somber over zijn werk was geweest, maar dat het niet veel soelaas had gebracht toen dat was opgehouden. David was graag somber. Was dat de moeite van het vieren waard? Hij was de zestig al gepas- seerd en Alice zou deze zomer zestig worden, dus misschien was dat de reden voor het feestje, maar wat was er nou zo geweldig aan om zestig te worden? Tegenwoordig was dat een leeftijd van niks. Het was nog niet zo oud dat het in welk opzicht dan ook iets geweldigs was. Het markeerde alleen maar het begin van een neerwaartse spi- raal waarin je doof werd, minder goed kon zien, aan nieuwe heupen toe was, aan geheugenverlies ging lijden, niet meer aan een nieuw mobieltje kon wennen of muziek downloaden op een iPod. Annie had het allemaal al van haar eigen moeder gehoord, die twintig jaar na de scheiding van haar vader nog steeds bitter was.

O, misschien was dat het wel! Hun trouwdag! Ze wist dat David en Alice al sinds hun studententijd getrouwd waren, misschien had- den ze een van de grote jubilea te vieren. Dat zou ze aan Charlie moeten vragen. Maar het was een hele prestatie dat ze nog bij elkaar waren, dat moest ze toegeven. Ze dacht opnieuw aan haar moeder, die in haar eentje in een kleine flat in Bexhill woonde en zich opvrat van jaloezie omdat haar vader was hertrouwd en kennelijk gelukkig was met zijn tweede gezin, terwijl zij nota bene bij hem was wegge- gaan! Annie kon zich dat nog goed herinneren, want het was ge- beurd in het jaar dat ze naar de universiteit ging en haar leven al moeilijk genoeg vond. Haar moeder had haar verteld dat ze had ge- wacht tot zij het huis uit was om haar vader te melden dat ze wilde scheiden. Dat had Annie het merkwaardige gevoel gegeven dat het haar schuld was.

Maar voor zover zij het kon beoordelen, waren David en Alice alleen nog maar bij elkaar omdat zij hem verdroeg, wat niet veel vrouwen zouden doen, zeker niet die van Annies generatie. Ze haalde er ook een soort perverse genoegdoening uit om zo lang te lijden en gekweld te worden. Hielden ze van elkaar? Annie wist het niet. Ze leek niet veel meer van de liefde te weten. Ze wist niet of ze van Charlie hield. Ze dacht vaak van niet, en soms haatte ze hem. Ooit was ze op dat gebied gezaghebbend geweest. TIEN MANIEREN OM ERACHTER TE KOMEN OF HIJ DE WARE IS, schreef ze in een tijdschriftartikel. VIJFTIG MANIEREN OM TE TONEN HOEVEEL JE OM HEM GEEFT. Dat was ooit haar wereld geweest. Vol romantische zekerheden.

Het had geen zin meer om nu zelfs maar een poging te doen om verder te werken. Ze zou het schrijven over veiligheid van ladders vanavond moeten afmaken, wanneer de jongens in bed lagen. Ze deed de computer uit en staarde opnieuw naar de egale, grijze wattenlucht boven haar hoofd, tot haar mobieltje ging.

'Hallo?'

'Annie? Met mij. Alice!'

'O, hoi!' Annie probeerde opgewekt te klinken, maar zelfs in haar eigen oren klonk het zwaarmoedig.

'Alles goed?'

'Ja, ja. Prima.'

'Je hebt zeker de e-mail die ik je vanochtend heb gestuurd nog niet gezien?'

'Jawel hoor.'

'En?'

Annie probeerde normaal te ademen. Ze hoorde de opwinding in Alice' stem, de verwachting.

'Ja! Oké! Geweldig! Heel opwindend!'

'Vind je het een goed idee? Omdat, nou ja, ik dacht: waarom niet?

Waarom zetten we niet één keer in ons leven de bloemetjes buiten en gaan we feestvieren. Dat hebben we nog nooit gedaan, weet je, niet één keer. Er kwam altijd iets tussen, er was altijd wel een of ander bezwaar of er was geen geld, of wat dan ook, en ik dacht: we doen 't gewoon! En ik had nog iets bedacht. Wat dacht je van een springkasteel of zo'n trampolinegeval dat je kunt huren? Voor de kinderen. Ik weet dat Lisa's meisjes vast vinden dat ze er te oud voor zijn, maar de jongens zouden het geweldig vinden, denk je niet? En Tamzin en Georgie. Dan zijn ze lekker bezig terwijl jij van je lunch kunt genieten. Wat vind je ervan? Ik heb een advertentie in het plaatselijke sufferdje gezien en ik zou 'm eigenlijk moeten reserveren.'

Annie greep met haar vrije hand naar haar voorhoofd terwijl het schuldgevoel door haar heen spoelde. Alice was zo lief, zo attent, zo onschuldig in haar enthousiasme, terwijl zij een heks was, vanbinnen verschrompelde, zo'n zwartgallige geest had.

'Hoe dan ook, ik kan niet praten, want ik zit op m'n werk, maar ik wilde je het vast laten weten. Het gaat toch wel goed met je? Je klinkt een beetje, nou ja, in de put.'

Annie deed haar uiterste best. 'Het is een fantastisch idee. De jongens vinden het vast geweldig en met mij gaat het goed, hoor. Maak je geen zorgen. Ik had gewoon een lastige ochtend, heb geworsteld met de veiligheid van ladders!'

'O, ik begrijp het.' Hoe kon dat nou? dacht Annie. 'Nou, ik ben blij dat je het een leuk idee vindt. Ik heb het David nog niet verteld. Ik wil eerst wat steun verzamelen. Ik moet ophangen. Geef de jongens een knuffel van me.'

Later stond Annie bij de crèche met een groep andere moeders en een paar verveelde au pairs die in hun mobieltje praatten of naar hun iPod luisterden. Een paar van hen kende ze goed, de kinderen speelden over en weer bij elkaar, maar geen ervan beschouwde ze als een echte vriendin. Anderen stonden achter een buggy met een ingesnoerde baby en hadden holle ogen van uitputting. De meesten waren in spijkerbroek en waterdichte jacks, droegen gympen en hadden hun lange, vormeloze haar met een elastiekje bijeengebonden. Sommigen, die te voet naar het dorp kwamen, trokken hun rubberlaarzen nooit uit. Alleen de au pairs vertoonden een spoortje frisheid of allure.

Toen ze nog werkte, had Annie andere vrouwen jarenlang beoordeeld op hun gevoel voor stijl of bewonderd omdat ze er zo mooi uitzagen. Dat was haar wereld, die van TIEN MANIEREN OM JE GARDEROBE OP TE KRIKKEN, CRUCIALE AANKOPEN VOOR DIT SEIZOEN, DE JAS DIE JE MÓÉT HEBBEN. Ze dacht aan de tijd waarin ze met moderedacteuren had gepraat over toekomstige trends of de hipste kleur lipstick, en hier stond ze dan in een joggingbroek, terwijl ze eruitzag als een vluchteling of een bewoner van een opvanghuis.

Er ontstond een opgewonden gedoe in het gebouw alvorens de dubbele deuren openzwaaiden en de moeders naar voren stoven om hun kinderen in ontvangst te nemen en hun naam op de lijst af te vinken. Annie zag dat Archie op de grond zat en worstelde met de veter van zijn schoen, die aan de verkeerde voet zat. Dillon stond geduldig te wachten, al in regenjack met de capuchon op, alsof hij op het ergste voorbereid was. Hij gluurde met zijn bleke gezicht naar buiten als een klein, nerveus dier dat zijn kleine pootjes om zijn rugzak had geklemd.

Annie knielde naast Archie en hij keek op, straalde en sloeg zijn armen om haar hals. 'Ik heb een tekening voor je gemaakt!' zei hij, hij schreeuwde het bijna. 'Kijk!' Op de vloer naast zijn schooltas lag een groot vierkant vel zachtpaars, grof papier waarop zo te zien in een willekeurig patroon gedroogde bonen en macaroni waren geplakt waartussenin een paar verfstrepen prijkten.

Annie deed zijn schoenen aan. 'Wat is het?' vroeg ze terwijl ze naar opzij keek. Voor zover zij het kon beoordelen, had Archie totaal geen artistiek talent. Ze was doodsbenauwd voor de kunstwerken die zich overal opstapelden, te lelijk om er iets mee te doen maar weggooien kon ook niet.

'Zie je dat dan niet? Kijk! Dat is ons huis. Zie je wel? Dat ben jij in de tuin.' Annie zag een houterige figuur met een groot rond hoofd en een brede glimlach. Archie was net als Alice. Hij had getekend wat hij zich in het echte leven wenste.

Ze boog zich naar voren en gaf een kus op zijn kruin. 'Het is prachtig, liefje. Echt prachtig! Heel erg bedankt.' Ze stond op. 'Kom mee,' zei ze en ze pakte Dillon bij de hand. 'We gaan naar huis en wat eten, oké, en als het vanmiddag niet regent, gaan we naar de speeltuin.'

Sabine opende de e-mail die Alice naar haar moeder had gestuurd. Wanneer ze uit school kwam, ging ze allereerst naar haar slaapkamer om haar laptop aan te zetten. Ze was bijna dertien en hield meer van de wereld die ze via internet kon betreden dan van wat er in haar echte leven gebeurde. Twee jaar geleden waren zij en haar twee jaar jongere zus Agnes verhuisd van hun school in Frankrijk naar Wiltshire, om bij hun moeders nieuwe vriend te gaan wonen, die nu haar echtgenoot en hun stiefvader was.

Hun echte vader bleef in het dorp vlak bij Bordeaux achter, met zijn nieuwe vrouw, die mededirecteur was van zijn wijnexportbedrijf. Soms probeerde Sabine alle 'stieven' in haar leven op een rij te zetten: stiefbroers en -zussen, stiefmoeders en -vaders, stieftantes en -ooms, stiefneven, stiefnichten en stiefgrootouders. Nu was Jacqui, haar vaders nieuwe vrouw, zwanger, en dat zou weer een volgend soort stief zijn, of misschien een of ander halfkind of zoiets.

Haar moeder was heel erg van streek geweest toen ze hoorde dat er een baby kwam. Ze had het er liever niet over en Sabine vertelde haar niet dat ze er stiekem opgetogen over was, en Agnes ook, en dat ze geen last van Jacqui hadden en ernaar uitkeken om tijdens de vakanties naar hun huis in Frankrijk te gaan. Lisa vond het maar niets dat ze Pompignac nog altijd als hun thuis beschouwden. 'Dit is nu je thuis,' zei ze tegen hen. 'Jullie zijn bij mij in Engeland thuis.'

Ze hoefden Ollie geen papa te noemen, maar mochten Ollie zeggen, en daar was ze blij om; en hij deed niet alsof hij hun vader was, dat was ook mooi. Eigenlijk vond ze het wel best zo. Hij was vaak grappig en niet al te bazig. Hij legde niet zo veel regeltjes op, wat bij hun moeder wel het geval was. Zij had het er altijd over wat wel en niet 'hoorde', en meestal bedoelde ze daarmee dat zij en Ollie wat 'ruimte' moesten krijgen, zoals zij het uitdrukte. Het hoorde niet om zomaar hun slaapkamer binnen te lopen – Sabine vermoedde dat ze misschien wel lagen te wippen – en het hoorde niet om ze te storen als ze samen aan het eten waren, of te harde muziek te draaien of hun spullen in de woonkamer te laten rondslingeren.

Soms dacht Sabine dat hun moeder liever had dat ze er helemaal niet waren, maar wanneer ze naar Frankrijk teruggingen, maakte ze er een hele toestand van, dan huilde ze veel, belde en sms'te en wilde met ze skypen, alsof ze niet zonder hen kon.

Haar moeder wilde het liefst niets meer met Frankrijk te maken hebben. Wanneer mensen zeiden: 'Ah, Bordeaux! Een prachtige stad, een schitterend stukje Frankrijk,' dan zei zij altijd: 'Wacht maar tot je er woont.' En: 'We zijn blij dat we weer in Engeland terug zijn. Je weet pas hoeveel geluk je hebt dat je hier woont, als je het in het buitenland hebt geprobeerd.' Maar Sabine hield van Frankrijk. Ze vond het heerlijk dat ze half Frans was. Om te beginnen keken ze daardoor op school tegen haar op, terwijl Agnes geen woord Frans wilde spreken en alleen maar net als de rest wilde zijn. Sabine was blij wanneer mensen zeiden dat ze er Frans uitzag, omdat ze klein en donker was, en broodmager met grote bruine ogen; dat zeiden ze nooit tegen Agnes, die net als hun moeder lang en blond was.

Sabine las het bericht over het feest omdat zij, Agnes en hun moeder hetzelfde e-mailadres deelden, maar ze had voor zichzelf een hotmailaccount aangemaakt waar haar moeder niets van wist. Haar moeder hield graag een oogje in het zeil als het ging om met wie zij en Agnes contact hadden. Dat had te maken met het feit dat ze hun relatie met hun vader in de gaten wilde houden, dat wist Sabine wel. Ze had zich een keer in een e-mail naar hem beklaagd over het een en ander en zei dat ze wou dat ze weer in Frankrijk bij hem was. Haar moeder had de 'verzonden items'-lijst gecontroleerd en een verschrikkelijke scène geschopt.

Soms voelde Sabine zich niet opgewassen tegen wat haar leven kennelijk van haar eiste. Ze wist niet wat voor dochter ze voor haar vader moest zijn en tegelijk moest ze ervoor zorgen dat haar moeder niet van streek raakte. Ze hoorde haar met vriendinnen bellen en zeggen dat het 'ongelooflijk lastig' was en hoe Jean-Louis 'de meisjes gebruikte'. Ze wist dat haar ouders nog altijd in Franse rechtszaken verwikkeld waren over de scheiding.

Soms vergat Sabine alles en voelde ze zich net als ieder Engels schoolmeisje dat zich zorgen maakte over gewone dingen, zoals huiswerkopdrachten en of Delaware Hastings haar nog wel leuk vond, maar ze kon het nooit helemaal loslaten. Ze maakte zich op voorhand al zorgen over de volgende schoolvakantie en wat ze allemaal moest regelen om haar en Agnes in Bordeaux te krijgen. De spanning en akelige periode voordat ze ernaartoe gingen en de zwijgende rit naar het vliegveld met haar moeder, die Agnes' hand zo stijf vasthield dat het pijn deed; en ze tobde over het verleden, over dingen die waren gebeurd waardoor haar moeder zo ongelukkig was geworden en die nooit werden vergeten, die meestal over haar vader gingen, en, uiteraard, Jacqui.

Ze las de e-mail nogmaals en was blij. Ze vond het met name leuk om deze 'stieven' te zien: Ollies ouders. Kennelijk verwachtten ze helemaal niets van haar, ze vonden het altijd fijn om Agnes en haar te zien, wat er verder ook gebeurde; als ze daar waren, mochten ze doen en laten wat ze wilden: lezen, winkelen of Roger uitlaten. Toegegeven, erg opwindend was dat allemaal niet, maar het was er ontspannen en leuk. De laatste keer hadden zij en Agnes een hele maaltijd gekookt en meringues gemaakt die waren mislukt. Alice had ze geholpen om er îles flottantes van te maken en David had wel drie keer opgeschept.

Dus er kwam een feest. Sabine probeerde het zich voor te stellen.

Haar moeder zeurde altijd over Ollies familie, zei dat ze met veel te veel waren, zo veel dat ze ze niet altijd uit elkaar kon houden. Ze zei dat ze er voor haar gevoel onder bedolven werd. Ze vond het maar niks als ze belden, vooral zijn zus Sadie, die volgens haar alleen maar belde als ze iets nodig had. Sabine mocht Sadie juist heel graag. Ze maakte haar aan het lachen. Ze was lang en nogal mollig, met krullend bruin haar, en deed altijd iets geks; ze pikte een zwerfhond op of ging op de vuist met mensen die haar boos maakten, wanneer bijvoorbeeld een jonge kerel op de stoep fietste en bijna een oude man van z'n sokken reed.

Sadie had twee dochters, Tamzin en Georgie, die jonger waren dan zij en Agnes. Ze hadden een hoop energie en waren een beetje wild. Het ene moment gierden ze van het lachen en het volgende maakten ze ruzie met elkaar. Sabine wist niet precies wie hun vader was. Die liet zich trouwens toch nooit zien.

Ze nam aan dat Charlie, Ollies broer, er ook zou zijn, want hij was de oudste en kwam vast met Annie, bij wie er nauwelijks een lachje af kon, en hun kleine jongetjes op wie zij en Agnes wel eens hadden gepast. Ze waren ondeugend en luisterden niet. Ze gooiden met dingen, staken hun tong uit en maakten Tamzin en Georgie aan het lachen omdat ze zo brutaal waren. Ze kwamen vast allemaal op het feest.

Ze hoorde voetstappen de trap op komen en daarna ging haar slaapkamerdeur open. 'Wat ben je aan het doen?' Het was haar moeders stem.

'Niets. Er is een bericht van Ollies moeder, ze nodigt ons uit voor een feest.'

'Een feest?'

'Ja. Een heel groot feest. Kijk zelf maar even.' Ze stond op, deed een stap opzij en haar moeder ging op haar plek zitten. Sabine leunde op haar schouder en keek naar haar moeders haar, dat een diepe kleur goud had, als van heldere honing en in een paardenstaart naar achteren was gebonden. Het hing als een amberkleurige streep op

41

haar rug. Sabines vader was dol op haar haar geweest. Vroeger ging hij 's avonds wel op de bank zitten en borstelde het zo dat het als een sjaal om haar schouders lag. Jacqui had heel kort, donker haar, jongensachtig.

Lisa las het bericht en zuchtte. 'Daar moeten we vast naartoe,' zei ze. 'Zo te zien maakt Alice er een hele toestand van.' Ze keek op naar Sabine. 'Vind je dat erg, liefje? Daar zijn we een hele dag mee zoet. Jij en Agnes zullen je wel vervelen.'

'Nee, hoor, ik vind het niet erg. Ik ga graag naar Ollies ouders. Ik mag zijn vader en moeder graag. Ze zijn cool.'

Lisa lachte. 'Cool? Nou! Zo zou ik ze niet willen noemen. Kun je op je zestigste nog cool zijn?' Ze stond op en wees naar de stapel schone, opgevouwen kleren die ze op bed had gelegd. 'Wees een brave meid en berg dat even op. Heb je veel huiswerk?'

'Wel wat, ja. Ik wilde er net aan beginnen.'

'Je bent een fijne meid, Sabine. Kom hier,' en Lisa trok haar dochter in een omhelzing naar zich toe. Sabine vond het heerlijk dat haar moeder zo lang en sterk was, en ze was dol op haar geur. Ze rook naar zeep en frisse lucht, als wasgoed dat de hele dag in de zon aan de lijn had gehangen. Sabine had altijd gedacht dat ze te groot en sterk was om ooit gekwetst te kunnen worden, en toch had haar vader, die een paar centimeter kleiner was dan zij, dat gedaan. Sabine herinnerde zich de avonden nog dat haar moeder bij haar in bed kwam slapen, haar gezicht verhit en haar haren nat van de tranen, terwijl ze met haar sterke, grote, zachte lichaam de meeste ruimte innam.

Lisa drukte een kus op Sabines voorhoofd en liep de kamer uit. Sabine deed de deur achter haar dicht en ging weer naar haar laptop. Ze zou alleen haar hotmailaccount controleren en haar vader mailen. Hij antwoordde bijna nooit, maar ze mocht graag denken dat er een verbinding tussen hen was wanneer het bericht werd verzonden, als een heel dun draadje dat werd getrokken vanuit haar slaapkamer in Wiltshire over de heuvels en groene velden, over de ruwe zee van Het Kanaal en steeds verder naar het zuiden, tot pal in het zonlicht van het prachtige Frankrijk, helemaal naar het grijze, stenen huis in Pompignac.

Sadie las Alice' e-mail en belde onmiddellijk haar moeder op de huisartsenpraktijk.

'Waar gaat dit allemaal over, mam? Waarom pak je zo uit voor een chic feestje? Ik had de catering voor je kunnen doen, dan was je een duizendje of wat goedkoper uit geweest.'

Aan de andere kant van de lijn was Alice zich maar al te bewust van de stille wachtkamer, en wist zeker dat ze haar stem daar konden horen, terwijl ze aan Sadies kookkunsten dacht: altijd geïnspireerd en verrukkelijk, maar het werd niet erg verzorgd opgediend en meestal vanuit de steelpan opgeschept. 'Dat is ontzettend lief van je, schatje, maar ik wil dat dit ook voor jou een bijzondere dag wordt,' zei ze. 'Ik wil niet dat iemand van ons ook maar een voet in de keuken hoeft te zetten.'

'Wat zegt pap ervan?'

'Ik heb 't hem nog niet verteld.' Alice dempte haar stem nog meer. 'Ik wilde eerst bij jullie steun zoeken. Je weet hoe het gaat. In het begin sputtert hij tegen en uiteindelijk geniet hij er meer van dan wie ook.'

Sadie was daar niet zo zeker van. 'Denk je dat? Dat hij wil dat we allemaal bij elkaar zijn? Wil je dit gedoe niet veel liever vieren door lekker met z'n tweetjes op vakantie te gaan? Geef het geld daaraan uit.' Er doemde een beeld voor haar op van de gezinsvakanties op de camping die ze als kind allemaal te verduren hadden gekregen, en hoe haar moeder dapper worstjes had gebakken en opgewekt was gebleven, terwijl de regen in haar nek drupte en ze vier jengelende kinderen zoet moest houden. Nu het eindelijk kon, zouden ze toch zeker veel liever in een warm oord in een luxehotel verblijven dan ze allemaal met dit feestje opzadelen?

'Nee, dat wil ik niet. Wat heeft dat voor zin? Pap en ik houden van een simpel leven, we houden niet van luxe. Daar voelen we ons ongemakkelijk bij. En hoe dan ook, dit gaat over ons allemaal – de familie – niet alleen over pap en mij. Ik wil dat jullie het allemaal komen vieren. Ons leven samen vieren.'

Sadie probeerde zich dat voor te stellen, maar het ging haar verbeeldingskracht te boven, die ging niet verder dan een vredeskamp of een soort bijeenkomst in Glastonbury, waar de gasten wat rondhingen en dope rookten, terwijl haar moeder wilde dat ze zich allemaal opdoften, zich van hun beste kant lieten zien, en dat alles in een heuse volwassen setting. Sadie had er de fantasie gewoon niet voor. Over het geheel genomen plande ze niet zo ver vooruit in haar leven, het rolde gewoon voort en ze kwam pas in actie wanneer zich iets voordeed. Maar toch, zei ze tegen zichzelf, als haar moeder dat wilde, dan moest ze op hun medewerking kunnen rekenen, en Sadie besloot dat ze haar die zouden geven. Opeens zag ze daarin een rol voor zichzelf weggelegd. Zij zou degene zijn die het waar zou maken. Zij zou als het moest de anderen meesleuren.

'Nou, mam, als je dat echt wilt. Ik ken iemand die reusachtige wigwams verhuurt. Ik kan hem een belletje geven. Ik kan bij hem wel een mooi prijsje regelen.'

'Dank je, liefje, maar dit wil ik op de traditionele manier. Ik wil een heuse, witte partytent met een perzikkleurige voering.'

'Goh, mam, dat is eigenlijk niets voor ons, hè?'

'Waarom niet? Voor deze ene keer. Het gewoon doen zoals het hoort. In stijl.'

Wat is dat trouwens, 'ons'? dacht Alice toen ze de telefoon neerlegde. Waarom moest alles altijd erger zijn dan zoals zij zich het voorstelde? Waarom zou het altijd kleiner, goedkoper, middelmatiger, havelozer, minder leuk en minder romantisch moeten zijn? Voor deze ene keer ging ze voor niets minder dan het allerbeste.

Sadie, die groenten aan het sorteren was voor biologische-groenteabonnementen in een koude schuur aan het einde van een modderige weg vol diepe kuilen, dacht over het feest na. Sinds haar jeugd en sinds ze het taartjesbakstadium achter zich had gelaten, had ze zelf nooit een feestje georganiseerd; niet dat ze daar behoefte aan had. Zelfs toen ze met Tom trouwde, de vader van de meisjes, was ze na de burgerlijke stand regelrecht met een paar vriendinnen de pub in gedoken. Ze was al zo ver zwanger dat ze gewoon geen zin had gehad in iets anders. Drie jaar later had ze haar scheiding gevierd door met haar twee beste vriendinnen stomdronken te worden. Ze hield van feestjes die spontaan opkwamen en altijd uitmondden in een afhaalmaaltijd, een verschrikkelijke puinhoop en de volgende dag een fikse kater.

Ze telde de parelkleurige paddenstoelen in de bruine papieren zakken, waarvan ze de uiteinden handig omvouwde zodat ze dicht bleven. Wat wilde haar moeder nou eigenlijk? Ze kon het verjaardagsfeestje nog wel begrijpen, hoewel ze niet bepaald inzag wat er nou zo speciaal was aan zestig worden. En dan nog hun trouwdag – ze waren kennelijk al veertig jaar bij elkaar – en het feit dat haar vader met pensioen was.

Sadie kon zich het leven van haar ouders bijna niet anders voorstellen dan tegen de achtergrond van haar eigen leven, dat ze natuurlijk veel interessanter en opwindender vond. Nu haar eigen kinderen opgroeiden, realiseerde ze zich hoe vaak zij, haar zus en haar broers het maar heel gewoon vonden dat hun ouders er voor ze waren. Het was moeilijk ze als individuen te zien, met dezelfde behoeften en emotionele ups en downs die ze zelf meemaakte. Ze had hun huwelijk nooit zo interessant gevonden, hoe dat eruitzag en was geweest. Dat was eenvoudigweg verweven met wat zij als 'mijn familie' beschouwde. Misschien had haar moeder wel gelijk dat ze naar haar gevoel een mijlpaal had bereikt waarbij stilgestaan moest worden.

Maar al dat geld. Doodzonde, leek het haar. Momenteel zat Sadie extreem slecht bij kas. Kyle, haar partner, die vijf jaar jonger was dan zij, was melkveehouder op de boerderij waar de biologische groenten werden geteeld, en waar Sadie ook werkte wanneer Tamzin en Georgie op school waren. Er was een cottage bij, pittoresk om te zien, maar om in te wonen klein en vochtig. Hij stond vlak bij het omheinde grasveld, waar de koeien stonden te wachten om gemolken te worden.

Sadie moest nog altijd een fors gedeelte van haar studielening terugbetalen, hoewel ze niet veel aan haar graad had. Met vrouwenstudies kon ze niet zo veel, precies het punt waarover ze met haar vader ruzie had gehad toen ze naar de universiteit ging. 'Ga in hemelsnaam iets studeren waarmee je een baan kunt vinden!' had hij geroepen. 'Je bent goed in exacte vakken, doe scheikunde, farmacie of natuurwetenschappen. Daarmee krijg je een goedbetaalde baan in de farmaceutische industrie of bij een oliemaatschappij.' God, wat was ze kwaad op hem geweest, hij joeg haar met opzet op de kast terwijl hij wist dat beide bedrijfstakken in haar ogen het werk van de duivel waren.

Sindsdien had ze haar mening wat bijgesteld. Nu moest ze praktischer zijn. Het was niet leuk om in de bijstand te zitten of slecht betaalde, vervelende baantjes te doen. Trouwens, midden in Dorset, waar ze nu met Kyle woonde, was weinig werk te vinden. Ze hielp mee op de boerderij, wat tenminste nog íéts was. Ze hield ervan om in de kunststof kassen te werken met de warmte op haar rug, of buiten te schoffelen tussen de rijen snijbiet en spinazie. Zo kon ze elke ochtend en middag de lange weg af lopen naar de schoolbus, en wanneer de meisjes thuis waren kon ze ook nog allerlei klusjes doen. Zij moesten zichzelf vaak zien te vermaken terwijl Sadie in de schuur druk aan het werk was. Bovendien konden ze heel goed helpen, door fruit te plukken of eieren in dozen stoppen.

Ze probeerde zich voor te stellen dat ze veertig jaar met Kyle zou samenleven. Dan zou ze bijna zeventig zijn. Een oude vrouw. Wat zou er dan van hen geworden zijn? Zo ver kon ze niet vooruitdenken. Toen haar ouders zo oud waren als zij, hadden ze vier kinderen en woonden in het huis waar ze nu nog steeds woonden. Haar vader werkte toen al op de universiteit en was nog maar onlangs met pensioen gegaan. Al die zekerheid. Al die saaie zekerheid.

Hoe wist ze nou wat ze over vijf jaar deed? Hoe kon ze nou weten waar ze in het leven terecht zou komen en wat dan goed voor haar was? Kyle was geweldig. Ze waren verliefd. Hij had haar zo goed geholpen om haar positieve zelfbeeld weer terug te vinden na de dreun die ze had gekregen toen haar huwelijk op de klippen was gelopen. Hij hield van haar zoals ze was, te dik, chaotisch, warm, grappig en lekker in bed. In tegenstelling tot Tom, een worstelend musicus, die al genoeg van haar had toen ze amper getrouwd waren, en die buiten de deur begon te rotzooien toen zij zo snel na de geboorte van Tamzin weer zwanger was. Tom had niets met zwangerschappen en baby's. Hij wilde alle aandacht voor zichzelf.

Hoe dan ook, dacht Sadie, terwijl ze de groentelijst voor de dozen controleerde en er een knobbelige, modderige pastinaak bij stopte, als mam een feest wil, dan krijgt ze dat. Daar zal ik voor zorgen. Ik krijg de anderen wel over de streep. Toen ze over haar broers en zus nadacht, kon ze zich niet voorstellen dat een van hen het soort enthousiasme voelde dat haar moeder volgens haar nu verdiende.

Aan het einde van de dag had Alice alleen Marina en Ahmed nog niet weten te bereiken; ze zou het morgen nog een keer proberen. Ze was voldaan dat ze nu een begin had gemaakt met de organisatie van het feest. De reacties waren wisselend geweest; van aarzelend tot enthousiast, maar niemand had gezegd het een slecht idee te vinden. Toen ze haar computer afsloot nadat de laatste patiënt het middagspreekuur had verlaten, voelde ze zich zo zelfverzekerd als maar kon, als je bedacht hoe onzeker ze zich normaal gesproken voelde.

'Ik weet niet waarom je bang bent voor wat ze ervan denken,' zei Margaret, terwijl ze lippenstift opdeed voor ze naar huis reed naar, voor zover Alice wist, een avond met haar katten. 'Ze zouden blij moeten zijn dat ze worden uitgenodigd voor zoiets chics als jij nu organiseert. Iedereen vindt het heerlijk om zich een keer lekker op te tutten!' Ze zei het als iemand die daar vast van overtuigd was.

'Nou, dat hoop ik dan maar,' zei Alice, terwijl ze andere schoenen aantrok. 'Maar, weet je, het is soms moeilijk in te schatten hoe mensen ergens tegenaan kijken. Vaak is dat heel anders dan je denkt. De volgende stap is het aan David vertellen.'

'Het komt met hem best goed, maak je nou maar geen zorgen,' zei Margaret en ze tikte tegen haar haarkammetjes. 'Eigenlijk zou hij dit voor jou moeten doen, niet andersom.'

'Als het aan hem lag, zou het er nooit van komen. Nog in geen miljoen jaar.'

'Hij weet toch zeker wel hoeveel geluk hij heeft met een vrouw als jij? Hij zou dolblij moeten zijn met het feit dat je al die jaren met 'm opgezadeld hebt gezeten.'

Alice was ontroerd door Margarets loyaliteit, hoewel ze wist dat haar opmerking niet klopte. Het zou nooit bij David opkomen dat hij met haar een lot uit de loterij had getrokken. Ze was zijn vrouw en dat was dat. Hij zou eerder denken dat het aan zijn goede inschattingsvermogen te danken was dat hij voor het gevoelige, stabiele meisje had gekozen van wie waarschijnlijk geen gedoe of narigheid zou komen. Want zo keek hij nu eenmaal naar vrouwen. Die leverden over het algemeen alleen maar problemen op.

Vond ze hém dan wel een lot uit de loterij? Natuurlijk wel. Hij had zo veel goede eigenschappen, waarvan de belangrijkste nog wel waren dat hij eerlijk en absoluut betrouwbaar was. Goudeerlijk, zeiden de mensen over hem. En hij was nog steeds aantrekkelijk. Ze dacht aan zijn nieuwe kapsel en hoe zijn verweerde gezicht daardoor was opgeknapt. Hij was een knappe man, en het mooiste was nog dat hij dat niet eens wist. Hoe dan ook, zij was in dit geval degene met een lot uit de loterij.

David had een rusteloze dag achter de rug, terwijl er niets was gebeurd. Hij had bijna de hele ochtend aan zijn computer gezeten en om de paar minuten zijn e-mails gecontroleerd. Er waren geen nieuwe berichten, behalve dan uitnodigingen om zijn penis met zevenenhalve centimeter te vergroten. Nu was hij bang dat het door hem verzonden antwoord misschien niet was aangekomen. Misschien waren inkomende berichten wel toegestaan, maar raakten uitgaande boodschappen zoek. Hij dacht erover na en stuurde toen een paar berichten naar oud-collega's met de vraag of ze hem een telefoonnummer wilden mailen omdat hij dat kwijt was. Een van hen zou sowieso antwoorden en dan wist hij zeker dat alles met het systeem in orde was, en dat het feit dat hij nog geen reactie had ontvangen kwam doordat Julia wellicht minder enthousiast was om weer met hem in contact te komen dan hij, zielige ouwe kerel die hij inmiddels was.

Hij schrok toen hij om half vier de sleutel van Alice in het slot van de voordeur hoorde steken. Hij sprong verschrikt op en keek op zijn horloge. De dag was omgevlogen! Hij zou niet eens durven opbiechten dat hij Roger niet had uitgelaten, die had hij alleen maar om de paar uur in de achtertuin gezet.

Met een schuldig gevoel zette hij de computer uit en liep over de overloop naar de trap. Hij hoorde Alice in de keuken en vroeg zich even af of hij de vaat van zijn lunch wel had opgeruimd. Hij dacht eigenlijk van niet. Er kwam een strategie bij hem op die meestal wel werkte en hij haastte zich de trap af naar de keuken.

'Sorry van de rommel,' zei hij, voordat ze iets kon zeggen. Met haar rug naar hem toe was ze spullen in de kasten aan het zetten. 'Een van mijn oude promotiestudenten vroeg opeens of ik naar een paper wilde kijken. Daar heb ik de hele dag aan gewerkt.' Liegbeest, liegbeest, straks ben je d'r bij, dacht hij.

'O, oké. Dan moet ik 't je maar vergeven.' Alice' stem klonk opgewekt en niet dreigend.

'Heb je zin in een kop thee?' vroeg hij.

'O ja. Lekker.'

'Hoe was je dag?'

'Oké, prima. Eigenlijk…' Alice haalde diep adem en draaide zich naar hem toe. 'Eigenlijk, David, wil ik iets met je bespreken.'

Redeloze angst overviel hem. Hoe kon ze het nou weten? Had ze zijn e-mails soms gelezen? Wist ze dat hij de hele dag zo opgewonden was geweest omdat Julia weer in zijn leven was gekomen?

'Ik vind dat we een feest moeten geven, pas in de lente, hoor, maar een feest zoals het hoort, om onze verjaardagen en veertigste trouwdag te vieren en zo. Ik wil de hele familie uitnodigen, evenals de buren en een paar van onze beste vrienden. Een fatsoenlijke bedoening met een feesttent en catering. Wat vind je?'

Hij keek haar uitdrukkingsloos aan. Ze had hem compleet overrompeld.

'Nou? Zeg eens wat.'

'Wel een beetje plotseling, hè?' was het enige wat hij kon uitbrengen.

'Plotseling? Wat bedoel je? Hoe kan het nou plotseling zijn terwijl ik de datum pas in mei heb gepland, over twee maanden?'

David had het gevoel dat ze hem met een eigenaardige blik aanstaarde. 'Nou, als jij het wilt,' zei hij ongemakkelijk. 'Als jij denkt dat het een goed idee is.' Hij vulde bij de gootsteen de ketel, blij dat hij wat te doen had.

Er hing een vreemde sfeer in de keuken en Alice kon er niet de vinger op leggen wat er tussen hen gebeurde, maar er werd niets over gezegd. Ze keek haar man nieuwsgierig aan.

'Echt?' zei ze. 'Ik dacht dat je er een toestand van zou maken, zou protesteren. Ik weet dat feestjes bepaald niet je hobby zijn.'

'Hoe weet jij nou wat wel of niet m'n hobby is?'

'Na al die jaren lijkt me dat wel duidelijk!'

Haar woorden klonken David zelfvoldaan en bevoogdend in de oren. Hij schonk opstandig water in de theekopjes. Ze mocht denken wat ze wilde. Wat had Julia ook weer gemaild? 'Ik herinner je me als de aantrekkelijkste man van de faculteit…'

'Vind je het dan niet erg?'

'Nee. Geef je feestje, als jij dat wilt. Als je daar gelukkig van wordt.'

Hij nam zijn kop mee, liep de keuken uit en Alice hoorde hem de trap op lopen. Nou, dacht ze, dát was heel anders gegaan dan ze had verwacht. Dus hij vond het niet erg. Hij had zonder morren het idee geaccepteerd. Ze ging aan tafel zitten om haar thee te drinken en vroeg zich af waarom ze zich aan zijn antwoorden ergerde en er niet blij van werd. Natuurlijk, in een ideale wereld zou hij wellicht hebben gezegd: 'Liefste! Wat een schitterend idee!' of 'Je verdient het mooiste feest van de wereld!' Maar beide reacties waren te absurd voor woorden. Ze was eerder van streek doordat David er helemaal niets tegen in had gebracht. Ze had het gevoel dat er een belangrijke stap in het organisatieproces van het feestje was overgeslagen. Misschien zou hij tijdens het avondeten weer zijn oude zelf zijn en kreeg ze dan de kans het argument te berde te brengen dat ze zo zorgvuldig in haar hoofd had voorbereid.

Ze zat daar en voelde zich beledigd dat hij zich er eenvoudigweg bij had neergelegd en was weggelopen. Zo kwam hij er niet mee weg. Ze had nu niet het idee dat haar feest het respect of de aandacht kreeg die het verdiende. Ze pakte haar kop op, liep de keuken uit en de trap op. Zo mocht hij niet met haar omgaan. Ze liet niet toe dat hij haar zo behandelde. Ze zou hem de redenen vertellen waarom ze dit feestje wilde, of hij die nu wilde horen of niet.

3

Sadie startte haar campagne met een telefoontje naar Marina; sinds hun jeugd was hun relatie niet noemenswaardig veranderd. Voor Marina was Sadie nog altijd het kleine zusje, ook al had die een paar jaar eerder recente, ingrijpende gebeurtenissen doorgemaakt zoals trouwen en zwanger raken.

Ze belde haar op kantoor omdat ze te ongeduldig was om tot 's avonds te wachten. Marina nam onmiddellijk op. Ze was beleggingsbankier bij een City-bank en de toon van haar formele stem gaf aan dat ze geen tijd had voor kletspraat. Dat ontging Sadie echter volkomen, die voor wat dan ook meer dan genoeg tijd had. Sterker nog, die ochtend had ze met een kop koffie op de drempel van haar voordeur gezeten en was ze in de warme lentezon in slaap gevallen, terwijl haar vier gevlekte kippen om haar voeten in de aarde pikten.

'Hé. Ik ben 't maar.'

'Sadie? Is er iets gebeurd?'

'Nee. Bedoel je iets akeligs?'

'Ik bedoel dat je me nooit op m'n werk belt.'

'Nou, ik moest met je praten. Had ik een afspraak moeten maken?'

'Doe niet zo raar. Wat wil je?' Sadie hoorde dat ze met een pen op een bureau zat te tikken. Ze stelde zich Marina voor in een City-mantelpak, terwijl ze zich in een kantoorstoel van meeluisterende collega's wegdraaide.

'Heb je mam gesproken?'

'Nee. Hoezo? Er is wél iets mis, hè?'

'Nee, niet waar. In hemelsnaam, zeg. Ze wil alleen maar een feest geven.'

'Een feest? Wat bedoel je, "een feest"?'

'Marina! Wat heb je! Je weet best wat een feest is.'

'Wat voor feest? Waarom wil ze eigenlijk een feest?'

'Daar gaat het nou om. Ze wil een groot familiefeest. Chic, met een tent, catering, alles erop en eraan. Zij wordt zestig, ze zijn veertig jaar getrouwd en pap is met pensioen. En ik vermoed dat ze het gevoel heeft dat er tot nu toe niet veel gevierd is.'

Er viel een stilte waarin Marina de in-box op haar computer checkte.

'Ik heb hier een mail. Heb nog geen tijd gehad om 'm open te maken. Oké, waar gaat het nou helemaal om?'

'Waar gaat het om? Ik wil alleen zeker weten dat je erin meegaat. Met mam. Het betekent heel veel voor haar.' Sadie hoorde aan Marina's stem dat dat haar in het verkeerde keelgat schoot, alsof Sadie haar iets vaags verweet. Nou, het kon geen kwaad als ze zich een tikje schuldig voelde, ze had het immers zo druk dat ze haar eigen familie verwaarloosde. Als Marina een slecht geweten had, was dat niet Sadies schuld.

'Ja, oké, ik snap 't. Nou, ik bel haar wel.'

'Precies.'

'Hoezo "precies"?'

'Marina, nou doe je het weer. Ik bedoel "ja, precies". Bel haar op en zeg ja, en dat het een enig idee is.'

'Jij hoeft me niet te vertellen wat ik moet doen. Sinds wanneer maak jij je zo'n zorgen om mama? Als ik denk aan wat…'

'Marina! Hou op! We zijn geen zes meer!' Dat vond Sadie een goeie. Haar zus zei altijd tegen haar dat ze zo kinderachtig was, en ze was blij dat de rollen nu eens omgedraaid waren. 'Ik wilde alleen zeker weten dat je het een goed idee vond, want toevallig denk ik dat het echt heel belangrijk is als mam dit wil. We moeten allemaal ons

best doen om ervoor te zorgen dat het ook van de grond komt.'
'Oké, ik snap je. Ik zal 't met Ahmed bespreken. Het heeft heel wat voeten in aarde voordat Mo…'
'Marina. Zeg gewoon dat je komt.' Sadie genoot van dit ongewone, superieure gevoel.
'Oké, oké. Ik hou er gewoon niet van platgewalst te worden, want zo voelt 't. Wat mij betreft zijn er nog andere overwegingen. Hoe dan ook, ik kan nu niet praten. Ik bel je vanavond wel.'

Dat is je geraden, dacht Sadie. Marina kwam niet voor zeven uur thuis en dan moest ze haar kwaliteitsuurtje met Mo ertussen proppen voordat hij naar bed ging. Sadie kon zich niet herinneren wanneer haar zus haar voor het laatst had gebeld voor een babbeltje, tenzij ze haar advies wilde over iets met kinderverzorging, dat trouwens meestal in de wind werd geslagen.

Sadie vroeg zich soms af waarom ze zo vijandig stond tegenover de levensstijl van haar zus, terwijl ze daar bij anderen over het algemeen vrij gemakkelijk over deed. Ze vermoedde dat het iets met jaloezie te maken had, wat haar verbaasde, want ze vond niet dat ze een jaloerse inslag had, maar ze benijdde Marina wel dat ze het zo verdomd goed voor elkaar had. Ze bracht jaarlijks vast een bedrag van ver over de honderdduizend in het laatje, schatte Sadie, terwijl zij en Kyle nog geen kwart daarvan bij elkaar wisten te sprokkelen. En hoewel ze het niet graag toegaf, want voor haar gevoel stond het lijnrecht tegenover alles waar ze voor stond, maakte geld wel degelijk een reusachtig verschil.

Ze werd er soms moe van dat ze niets overhield voor kleren en vakanties, en ze maakte zich er zorgen over dat Kyle gebukt ging onder het feit dat hij haar en de kinderen moest onderhouden terwijl haar ex geen fatsoenlijke alimentatie wilde betalen.

Sadie ging weer op de drempel zitten en dacht na over Kyle. Hij was geweldig, in alle opzichten. Hij was in haar leven gekomen toen ze op de bodem van de put zat en had haar er in zijn sterke boerenarmen uit getild. Niet letterlijk, natuurlijk. Daar was ze veel te dik voor. Ze vond het nog altijd verbazingwekkend dat hij van haar hield, dat ze drie weken nadat ze hem had ontmoet uit die verschrikkelijke flat in Yeovil weg kon en in zijn cottage bij de boerderij kon gaan wonen. In de zes weken daarna had ze de meisjes van en naar de basisschool moeten brengen, drie kwartier heen en drie kwartier terug, maar aan het begin van het zomersemester kon ze voor hen een plaatsje op de dorpsschool bemachtigen en daarna werd het rustig in haar leven.

Dat was bijna een jaar geleden en alles was nog steeds goed, hoewel misschien niet meer zo romantisch als vroeger, maar aan de andere kant kon je ook weer niet verwachten dat dat eeuwig zou duren. Ze hielden nog steeds van elkaar en dat was het belangrijkste; ze konden goed met elkaar opschieten en maakten geen ruzie, wat heerlijk was voor de meisjes na de ellendige scènes die ze hadden meegemaakt.

Sadie voelde een gewicht op haar borst drukken. Misschien was het verdriet, spijt of berouw, ze wist niet wat het was. Natuurlijk wilde ze dat de zaken anders waren gelopen. Ze wenste dat ze er niet zo'n puinhoop van had gemaakt, dat ze mensen niet zo ongelukkig had gemaakt, maar het had geen zin om bij de pakken te gaan neerzitten. In heel veel opzichten had ze geluk. Ze had Tamzin en Georgie, om te beginnen. Plotseling kreeg ze een beeld van hun angstige gezichtjes, hoe ze zich de eerste dag op hun nieuwe school aan haar handen hadden vastgeklampt. Ze wilde het met ze goedmaken, dat had ze al zo vaak beloofd. Ze wilde ervoor zorgen dat ze altijd veilig en gelukkig waren. Maar vrolijker werd ze niet van die gedachte, want ze wist dat dat niet altijd kon. Ze was niet langer het zelfverzekerde meisje van toen. Daar hadden haar huwelijk en de daaropvolgende scheiding wel voor gezorgd. Shit gebeurde nu eenmaal.

En bovendien was er nu weer een kind op komst. Ze had het Kyle de avond tevoren verteld, en hoewel hij niet bepaald overliep van blijdschap, wist ze dat hij er uiteindelijk wel blij mee zou zijn. Hij moest gewoon aan het idee wennen. Onwillekeurig glimlachte ze bij het idee dat hun kindje in haar buik groeide. De bezegeling van hun relatie. Door de baby zouden ze een echt gezin vormen. Maar mijn hemel, het zou een stuk gemakkelijker zijn als er wat meer geld binnenkwam, en daarom benijdde ze Marina.

Die avond belde Sadie naar wat in haar gedachten nog steeds thuis was en Alice nam op.

'Heb je iets van Marina gehoord?'

'Ja, ze heeft vanavond gebeld. Arm ding, ze klonk uitgeput. Ze was nog maar net thuis. Ahmed moest Mo naar bed brengen en was eten aan het koken.'

'Nou, hij is huisman, dus waarom zou hij dat niet doen?' zei Sadie. 'Als hij een vrouw was, zou iedereen dat doodnormaal vinden.'

'Sadie! Dat is niet eerlijk. Ahmed is geen "huisman". Hij doet er alles aan om aan werk te komen. Als Syrische journalist heb je het in Londen niet gemakkelijk.'

'Nou, daarom kan hij nog wel voor het kind zorgen.'

Alice zuchtte. Ze was te moe om te kibbelen. Ze had net de vaat van het avondeten weggeruimd en wilde dolgraag even gaan zitten.

'Heeft ze iets over het feest gezegd?'

'Ja! Daarom belde ze. Ze zei dat ze zou komen en dat ze graag wil meehelpen.'

'Mooi zo. Dat heb ik haar ook gezegd.'

'O, heb je haar al gesproken?'

'Ja. Ik heb haar vandaag gebeld. Ik sta vierkant achter je, mam. Ik krijg de anderen ook wel mee, maak je maar geen zorgen.'

'Nou, dat is fijn.' Alice vond het wonderbaarlijk zo snel als Sadie iedereen tegen zich in het harnas wist te jagen. Dat was een talent van haar, hoe opgewekt ze ook was en hoe goed ze het ook bedoelde.

'Heb je het al aan pap verteld?'

'Ja. Tot mijn verbazing vond hij het een leuk idee.'

'Echt? Nou, dat is niets voor hem. Dat verbaast mij ook.'

'Dat kun je wel zeggen, ja. Ik weet niet of hij ook echt zal mééhelpen, maar hij was er in elk geval niet op tegen. Dus nu kan ik gaan plannen en organiseren. Ik ga eerst een paar cateringbedrijven bellen om een offerte op te vragen.'

'Het gaat je een vermogen kosten. Je kunt het veel beter door mij laten doen. Ik kan zalm en ham klaarmaken en al die andere zomerfeestgerechten.'

'Dat weet ik wel, schatje, en het is echt lief dat je het aanbiedt, maar ik wil dat jij ook feest kunt vieren, dat iedereen feest kan vieren.'

'Nou, zorg dan maar dat het eten uit de streek komt en ethisch verantwoord is en zo. Sommige cateringbedrijven kopen hun kip in Thailand en Korea, en zien er geen been in om ontdooide feestpuddingen weer in te vriezen.'

'Natuurlijk. Alleen het neusje van de zalm!'

Er viel een stilte en even overwoog Sadie om haar moeder te vertellen dat ze weer een kind kreeg, dat ze tijdens het feest in mei vier maanden heen zou zijn, maar iets weerhield haar ervan. Ze voelde een knagende angst dat dit kind misschien niet zo'n handig idee was, dat ze financieel gezien nou niet bepaald in de positie verkeerden om nog een kind te onderhouden. Dat had Kyle de avond tevoren gezegd, dat het verdomd rampzalig was, dat het in meer dan één opzicht raak was. Het was niets voor Sadie om niet meteen te zeggen wat haar op het hart lag, omdat ze van nature open en direct was en omdat ze, zelfs toen ze een opstandige tiener was, altijd heel dik met haar moeder was geweest.

Ik vertel het haar later wel, bedacht ze. Nadat ik bij de dokter ben geweest. Het heeft geen zin haar overstuur te maken voordat ik het zeker weet.

Maar in werkelijkheid wist ze het al zeker; er was nog een reden waarom ze het nieuws voorlopig liever vóór zich hield, maar daar kon ze niet precies de vinger op leggen.

Alice legde de telefoon neer en maakte zich nu al bezorgd om Sadie, die voor haar gevoel niet zichzelf was geweest. Ze kon zich zo moeilijk voorstellen hoe het echt voor haar jongste dochter was, die zich vol enthousiasme en optimisme een weg door het leven leek te blunderen, totdat er iets gebeurde waardoor alles om haar heen instortte en ze diep in de put en in zak en as achterbleef. Alice had zo haar twijfels over haar relatie met Kyle. Hij was een fijne vent, maar met zijn vierentwintig jaar te jong om Sadie en de meisjes op sleeptouw te nemen. Toen ze hen samen zag, had ze eerder het idee dat hij Sadies kind was dan haar partner.

Als het om Tamzin en Georgie ging, nou, ze moest er niet aan denken hoe hun leven er vroeger uit had gezien en wat ze hadden doorgemaakt. Zij en David hadden gedaan wat ze konden, hadden de meisjes lange perioden te logeren gehad wanneer ze door Sadies toedoen dakloos waren omdat ze de deur uit was gelopen, en ze had ze vaak genoeg na schooltijd opgevangen wanneer Sadie weer eens de hort op was. Het was zo fijn dat ze in de buurt woonden zodat zij en David een helpende hand konden bieden. Het waren zulke grappige, vrolijke, dartele popjes, en sinds ze op de boerderij woonden, waren ze zo bruin als koffiebonen en leken ze met hun krullenbol net zigeuners. En klaarblijkelijk leek het ze niet te deren dat er geen stabiliteit in hun leven was.

Maar ze konden ook koppig en ondeugend zijn, vooral bij hun moeder, bijna alsof ze aanvoelden dat ze haar konden straffen omdat ze een alleenstaande moeder was. Op een dag was Alice die weerzinwekkende, modderige oprit op gereden en toen ze op het erf was, stond de cottagedeur open en had ze daarbinnen bloedstollend gegil gehoord. Met angst in haar hart was ze uit de auto gesprongen en naar binnen gerend. Tamzin lag in een woedeaanval op de vloer van de woonkamer en werd door Sadie, die in de keuken bij de gootsteen stond, weloverwogen genegeerd.

'Wat is er aan de hand?' had Alice uitgeroepen. 'Tamzin, wat is er gebeurd, liefje?'

'Ze is geen liefje,' zei Sadie, die zich niet omdraaide. 'Ze heeft een vlaag van razernij omdat ik haar heb verteld dat ze zaterdag niet mag paardrijden.'

'O jeetje, waarom niet? Daar is ze toch zo dol op?' Tamzin was helemaal weg van Comet, een ruigharige pony met korte benen van de plaatselijke rijschool.

'Omdat, mam, ze niet altijd haar zin hoeft te krijgen. Dat heb jij ons geleerd, weet je nog? Ik kan haar zaterdag niet brengen omdat ik een workshop mandenvlechten heb, en Kyle moet werken.'

Alice zweeg. Zou Tamzin niet op de eerste plaats moeten komen? wilde ze vragen. Had ze in haar korte leventje niet al genoeg te verstouwen gekregen? Sadie zag toch zeker wel hoe belangrijk het voor haar was omdat ze het zich zo aantrok? Ze knielde naast haar kleindochter neer en pakte haar hand. 'Sst! Sst! Je moet niet zo huilen.' Tamzin sloeg haar ogen naar haar op, haar gezicht was vuurrood van de emotie en haar lijfje schokte van de gierende snikken.

'Comet wacht op me,' zei ze met overslaande stem. 'Op zaterdagochtend zorg ik altijd voor 'm. Ik vul z'n hooi bij en poets hem en zo.'

'Nou, dan moet deze week iemand anders dat doen, hè? Hij komt heus niet om van de honger alleen maar omdat jij er niet bent,' zei Sadie.

'Sadie! Kan ik haar niet brengen? Ik vind het niet erg om haar en Georgie op te pikken. David kan ze later weer van de rijschool ophalen en dan blijven ze een nachtje bij ons logeren.' Alice wist dat ze zich er niet mee moest bemoeien, maar ze kon er niets aan doen.

Sadie had er vol tegenzin mee ingestemd, zich omgedraaid, haar handen aan een theedoek afgeveegd en de laatste restjes aan de achterkant van haar spijkerbroek. Een nachtje vrij was een verleidelijk vooruitzicht, dat wist Alice wel. 'Maar echt, mam, je zorgt er alleen maar voor dat ze met een woedeaanval haar zin krijgt.'

Alice had daar niets op gezegd. Sadie had gelijk, maar als grootmoeder probeerde ze instinctief goed te maken wat er aan Tamzins kindertijd ontbrak.

Boven schoof David een stuk krantenpapier onder de deur en liep naar zijn laptop. Die leek steeds trager te worden nu hij vol ongeduld wachtte om online te komen. Met een half oor luisterde hij of hij Alice hoorde. Ze kon nu bijna elk moment gaan zitten en zich afvragen wat hij aan het doen was. Hij trok zich 's avonds eigenlijk nooit op zijn kamer terug, want meestal zaten ze dan samen in de woonkamer de krant te lezen of tv te kijken. Hij had maar een paar minuten om zijn e-mail te checken. Hij was zo geschokt geweest door het eerdere gesprek dat hij met Alice had gehad. Stom van hem om zo verdedigend te reageren terwijl zij natuurlijk van niets wist. Tenminste, dat kon toch zeker niet? Het viel op als hij zich zo vreemd gedroeg, en op dit moment was dat wel het laatste wat hij wilde.

Hij was zo gespannen dat hij opschrok toen hij beneden de telefoon hoorde gaan en Alice hoorde opnemen. Hij nam aan dat het een van de meisjes was, Sadie, waarschijnlijk. Marina had al eerder gebeld. Hij hoorde vaag Alice' stem en schatte in dat het over dat idee voor een feest ging waarmee ze hem had overvallen. Nou, daar zou hij gewoon in meegaan. Om te beginnen zou het haar aandacht afleiden, en nu hij erover nadacht, kon hij er bovendien niet veel tegen inbrengen. Als hij wilde protesteren, moest hij zich er meer in verdiepen, en daar had hij nu geen zin in.

Eindelijk verscheen de inbox van zijn e-mail op het scherm. Niets nieuws. Zelfs geen bericht van Lindy die hete praatjes wilde verkopen. Hij had al antwoord gekregen van zijn oud-collega's – eentje was kort van stof, de andere omstandiger, beiden hadden hem het telefoonnummer gegeven dat hij zogenaamd kwijt was – dus hij wist dat het systeem in orde was. Hij had ze trouwens niet beantwoord. Zijn hoofd stond er niet naar om zelfs maar die vroegere, schertsende docentenkamertaal te bezigen. Hij probeerde opnieuw 'zenden met bericht van ontvangst': nog steeds niets. Hij bekeek het oorspronkelijke bericht nog eens dat hij die ochtend had gekregen en las zijn antwoord. Had hij zich volkomen vergist door Julia's bericht als uitdagend flirterig op te vatten? Er stond nergens een punt of komma, wat hij verwarrend vond en wat hem normaal gesproken zou ergeren. Maar nu vond hij het verfrissend jong en vrij, en de aanhef, 'hoi', was ook al zo fris. Hij had met 'hoi' geantwoord en las zijn bericht nog maar eens.

Hoi, Julia,
Natuurlijk herinner ik me je nog. Hoe zou ik jou nou kunnen ver-
geten? Je waaide als een frisse wind door de afdeling en ik vond
het verschrikkelijk jammer dat je wegging. Ik vrees dat het uni-
versiteitsbeleid nu eenmaal zo werkt, hoeveel druk je ook had uit-
geoefend, de beslissing zou onveranderd zijn gebleven. Dank je
wel dat je zulke leuke dingen over me schrijft. Weet je zeker dat je
je niet vergist en dat je het over mij hebt? Ik wil je met alle liefde
helpen, nou ja, binnen wettelijke grenzen, natuurlijk! Ik vind het
prima om met elkaar af te spreken en wat te kletsen. Sinds ik met
pensioen ben, kan ik meestal wel, hoewel het 's avonds moeilijk
wordt. Vervelend te horen dat het met je huwelijk is misgegaan.
Het zal geen gemakkelijke tijd voor je zijn geweest.
Hoe dan ook, als we elkaar weer zien, kunnen we bijpraten.
Ik hoop snel wat van je te horen.

En toen stuitte hij op het probleem hoe hij moest afsluiten. Julia had ondertekend met 'l.o.l.' en daarna 'Julia (ex-peters nu fairfield)', met een smiley erachter, iets wat zijn dochters hadden kunnen doen. Uiteindelijk had hij volstaan met 'David'. Iets anders leek hem beneden zijn waardigheid.

Hij las wat hij had geschreven en had het gevoel dat hij het niet beter had kunnen verwoorden, maar hij had absoluut een professionelere toon kunnen aanslaan; hij had Julia kunnen benaderen zoals een senior docent dat hoorde te doen met de promovendus die ze ooit was geweest. Hij had ook oprechter kunnen zijn. Vanuit de faculteit gezien was ze echt een hopeloos geval geweest en haar onderzoek was zonder meer onder de maat. Het was dan ook geen verrassing geweest dat ze geen fondsen had weten te werven om ermee door te kunnen gaan.

Maar ze was wel een frisse wind geweest, of had tenminste de bezadigde atmosfeer binnen de faculteit door elkaar geschud, waar de gemiddelde leeftijd minstens vijftig was en slechts twee fulltime vrouwelijke docenten werkten. Julia was daarentegen halverwege de dertig, een volwassen studente, was enthousiast en vol goede wil, maar ze vroeg altijd aandacht en speciale zorg omdat het leven in het algemeen tegen haar samenspande. Voor zover David zich kon herinneren was haar komst naar de campus elke dag een bezoeking geweest, haar man raakte zijn baan kwijt, haar moeder was ziek of ze was wanhopig op zoek naar een nieuwe flat terwijl ze haar huis al had verkocht. Ze leek altijd in een of andere crisis te verkeren. Ze kwam vaak met een rood gezicht en overstuur te laat op vergaderingen en had dan na afloop een haastig gesprekje met Roger McCrea, het afdelingshoofd, dat altijd leek te eindigen met een vaderlijk klopje op haar rug.

Ze was tenger, had blond, warrig haar, droeg lange sjaals en bezweek bijna onder een immense leren tas die over haar breekbare, meelijwekkend ingezakte schouder hing. Ze had kleine, witte handen waarmee ze tijdens het praten hevig gebaarde, tegen haar mond tikte of haar sprietige haar terugduwde. Ze zag er kwetsbaar uit en, moest David toegeven, uitermate inefficiënt. Sterker nog, in zijn beleving had men er geen moment aan getwijfeld om haar onderzoekssubsidie stop te zetten. Hoe sneller Julia haar academische aspiraties opgaf, hoe beter, was de algemene gedachte.

Ze was bepaald niet met stille trom vertrokken. Er waren wat onaangenaamheden geweest, wist hij nog – er dreigde een onderzoek binnen de universiteit naar beschuldigingen over vrouwendiscriminatie – maar zover was het volgens hem nooit gekomen.

Eigenlijk had hij wel medelijden met haar gehad. Tegen het einde van het semester had hij haar op een natte namiddag op de parkeerplaats in haar auto zien zitten. Hij vond het te gênant om haar kant uit te kijken want hij zag in een oogopslag dat ze zat te huilen. Hij was met gebogen hoofd langs haar gesneld, maar ze opende het portier en riep hem, dus hij kon niet anders dan zich omdraaien en haar te woord staan. Ze stapte uit de auto, droeg een lange waxcoat die om haar enkels flapperde en een leren cowboyhoed. Ze zag eruit alsof ze met vee of paarden in de weer was geweest, maar haar gezicht was nat van de tranen en zat vol strepen uitgelopen make-up.

David had zich er totaal geen raad mee geweten en terwijl hij afwezig om zich heen keek maar nergens in de buurt hulp ontwaarde, had hij voorgesteld om een kop koffie te gaan drinken.

'Oké, maar niet in de mensa,' snoof Julia. 'Ik wil geen bekenden tegenkomen.' Dus waren ze de stad in gegaan en aan een tafeltje in een dampig café gaan zitten, waar David de situatie weer onder controle probeerde te krijgen. Hij was naar de bar gegaan en had twee cappuccino's en niet weinig flensjes besteld, van het soort waar een stoere wandelaar op teerde tijdens een trektocht van dertig kilometer. Toen hij ze mee terug had genomen, zat Julia treurig te staren naar de plastic madeliefjes in een vaasje dat op tafel stond.

'O hemel, ik drink geen zuivel!' riep ze, hevig met haar handen gebarend toen David de kopjes neerzette. Hij was naar de bar teruggegaan om voor haar een kruidenthee te halen. Hij kon zich nu niet meer herinneren waar ze het over hadden gehad, vermoedelijk vooral over Julia's problemen. Hij had uiteindelijk alle flensjes opgegeten, terwijl zij van haar thee nipte, die naar gemaaid gras rook. Maar hij herinnerde zich nu dat hij had genoten van haar grote fletse ogen vol tranen en dat hij de neiging had gehad om een van de kleine, fladderende handen in de zijne te nemen, als een vlinder die hij ervoor wilde behoeden tegen een raam aan te vliegen.

Veel troost had hij haar niet kunnen bieden, maar toen ze na afloop naar hun auto's terugliepen, had ze haar armen om hem heen geslagen, haar hoofd tegen zijn borst gelegd en hem hartelijk bedankt omdat hij zo'n vriend was geweest. Hij kon niets anders doen dan met een grote hand op de rug van haar waxcoat kloppen, zoals je dat bij een hond doet.

Dat was de laatste keer dat hij haar had gezien, en eerlijk gezegd had hij sindsdien ook niet vaak meer aan haar gedacht, tot de e-mail uit het niets was opgedoken en zijn gemoedsrust had verstoord. Hoe dan ook, dacht hij toen hij de laptop wilde uitzetten, het was al laat en ze had niet geantwoord, dus hij moest het maar gewoon afwachten.

Hij zou nog één keer kijken alvorens naar Alice te gaan. Er ging een schok door hem heen toen hij zag dat er een nieuw bericht binnenkwam. Bij het zien van het dichte envelopje sprong zijn hart op. Het was van Julia en toen hij het opende, zag hij dat het heel lang was en begon met: *lieve david ik kan je niet vertellen wat het voor me betekende...*

Toen hij later boven aan de trap naar het gedempte geluid van de televisie beneden luisterde, wist hij zeker dat hij een dwaas was en dat hij helemaal niet blij was dat hij zo opgewonden en opgetogen was. Maar hij wist ook dat hij een weg was ingeslagen waarvan hij niet terug wilde keren. In elk geval voorlopig niet. Voor het eerst in maanden voelde hij zich vol energie en levend.

Dankbaar legde Annie de laatste hand aan haar werk en drukte daarna op de knop om het te verzenden. Als onderdeel van haar werk moest ze uit naam van de algemeen directeur het kwartaalbericht aan het personeel schrijven en, in het licht van de arme personeelsleden die ontslag boven het hoofd hing, had ze het zo opgewekt en bemoedigend mogelijk gehouden. Joost mocht weten of de man het zou overnemen; hij was in haar ogen een bijzonder zielloze en onaantrekkelijke man. Hij had de neiging om haar tekst af te kraken wanneer ze een poging deed menselijk en meevoelend over te komen. Ze was goed bevriend geraakt met zijn assistente – een opgewekte vrouw die Jennifer heette – en had haar al het een en ander verteld over wat ze die ochtend had geschreven. Ze moesten allebei lachen toen Jennifer zei: 'Nou, als je mij zou vragen wie dát heeft geschreven, zou hij de laatste zijn die in me opkomt! Volgens mij heeft hij nog nooit iemand ook maar een beetje geluk in het leven toegewenst. Misschien winst of een productief resultaat, maar geen geluk. Geluk is maar tijdverspilling.'

Eigenlijk, dacht Annie, kon het haar geen zier schelen wat er met haar tekst gebeurde. Wat haar betrof mocht die door de papierversnipperaar gehaald worden, zolang zij elke maand haar salaris maar kreeg.

Beneden hoorde ze dat Charlie de jongens naar bed bracht. Hij had ze volkomen over hun toeren gebracht door een jongetjes verslindende beer te spelen en ze door alle kamers achterna te zitten. Maar het kwam zo zelden voor dat hij om deze tijd thuis was dat ze blij was dat ze nu tijd had om na het eten haar werk af te maken.

Ze hoorde dat Rory's kreten hysterisch werden. Nu zou hij nooit meer in slaap komen. Annie raakte geïrriteerd. Charlie, verdorie, deed ook nooit iets goed. Als hij vroeg thuis was, gedroeg hij zich alsof hij in zijn eigen gezin op visite was, als een heel toegeeflijke oom. Hij fietste dwars door haar routine heen en ging volkomen zijn eigen gang. Hij las de krant terwijl de jongens met hun eten knoeiden en gooide de restjes in de vuilnisbak zonder dat ze de laatste drie happen groente hoefden op te eten. Wanneer hij ze in bad deed, was de vloer drijfnat en lagen er overal kletsnatte handdoeken, en wanneer ze voor het naar bed gaan juist rustig moesten worden, ging hij wilde spelletjes met ze doen. Ze vonden het fantastisch om met hem te spelen, dat gaf ze toe, maar het enige wat hij ermee bereikte was dat het leven er voor haar des te moeilijker op werd als hij er niet was, wat verdomme meestal het geval was.

Ze zette haar computer uit en draaide op haar kantoorstoel in het rond. Wanneer ze zich voelde zoals nu, ontstond er altijd een tweegesprek in haar hoofd. Een redelijker, meer uitgebalanceerde versie van haarzelf wees haar erop dat Charlie tijdens de lange schoolvakantie een ruim aandeel leverde aan de zorg voor de kinderen, en dat zij wat dat betreft beter af was dan veel moeders die ze bij school tegenkwam. Heel wat vaders werkten in Londen – een uur met de trein – en waren er nooit, behalve in de weekenden. Alle naschoolse activiteiten, en zelfs noodgevallen, kwamen enkel en alleen op hun vrouw neer. Annie hoorde vaak dat ze ad hoc iets moesten regelen om naar een afspraak in het ziekenhuis te kunnen of voor een andere lastige situatie. 'Als jij Oliver dinsdag van het voetballen ophaalt, haal ik Sean maandag van het zwemmen op.' Hemelse en helledagen, zo noemden ze die, wanneer ze de kinderen wel of niet hadden.

Haar bittere alter ego antwoordde daarop dat die afwezige mannen tenminste nog goed betaald werden, waar ze goed van konden leven met alle voordelen van dien: vakanties in het buitenland, hulp thuis en geld om uit te geven aan de dingen waar Annie haar hart aan ophaalde toen ze nog single was. Vier jaar geleden had Charlie een goede baan in de City opgegeven om leraar te worden, en hoewel hij haar voortdurend wees op de vele voordelen van zijn lager ingeschaalde carrière en beweerde dat hij onder andere daardoor zijn kinderen vaker zag, vroeg Annie zich af wie er nu eigenlijk het meest van profiteerde.

Op haar verbolgen momenten scheen het haar eerder toe dat Charlie in wezen niets had opgegeven. Hij vond lesgeven heerlijk en stoof elke ochtend met een gretige glimlach om zijn mond de deur uit. Op de particuliere middelbare jongensschool waar hij werkte vonden ze het vanzelfsprekend dat hij lange dagen maakte. Toen hij naar de baan had gesolliciteerd, was hem glashelder gemaakt dat van hem werd verwacht dat hij ook deelnam aan buitenschoolse activiteiten, en omdat hij vroeger een getalenteerd rugbyspeler was geweest, hadden ze hem uiteindelijk benoemd, ondanks een heftige concurrentie. Twee semesters per jaar coachte hij de Junior Colts en op de meeste zaterdagochtenden werd er getraind of waren er rugbywedstrijden. 's Zomers was hij tijdens de zaterdagmiddagen scheids-rechter bij eindeloos durende cricketwedstrijden. Hij had veel vrien-den gemaakt onder de jonge personeelsleden en er heerste een uiter-mate kameraadschappelijke sfeer, met een biertje na schooltijd.

O ja, voor Charlie was het allemaal prima uitgepakt, jammerde de stem in Annies hoofd, want Annie was degene die haar hele leven had opgegeven en in een uitzichtloos dorp vol zelfvoldane midden-klassengezinnen was gaan wonen. Annie was degene die haar werk, haar identiteit, haar vrienden, alles had opgegeven. Zij was degene die zich had opgeofferd om kinderen te baren en op te voeden, ter-wijl Charlie eenvoudigweg zonder noemenswaardige ellende tot ge-zinsman was omgetoverd. Sterker nog, hij was groter, breder, luid-ruchtiger en zelfverzekerder geworden, meer overtuigd van zijn eigen gelijk, en als klap op de vuurpijl dompelde hij zich in zelfinge-nomenheid onder, want lesgeven was tenslotte een eerbaar beroep, terwijl de mode- en tijdschriftenwereld oppervlakkig, waardeloos en narcistisch was.

Zij, daarentegen, was nu kleiner, grijzer en schimmiger. Ze moest nodig naar de kapper, maar ze had in de nabijgelegen stad geen fat-soenlijke kapsalon kunnen vinden en sinds de geboorte van de jon-gens had ze geen nieuwe kleren meer voor zichzelf gekocht. De de-signerkleren die ze nog had hingen ongedragen in de kast, want wat had ze nu aan een Galliano?

Op Charlies school werden af en toe personeelsfeestjes georgani-seerd en de keren dat Annie had ingestemd om met hem mee te gaan, werd ze op een afschuwelijke manier met haar neus op de fei-ten gedrukt: ze was een minderwaardig, onbeduidend persoontje geworden. Niemand vroeg haar wat ze deed en de andere echtgeno-tes waren opgewekte, niet-morrende types die oplettend en glimla-chend naast hun echtgenoot naar de gesprekken stonden te luiste-ren. Hun gretige gezichtsuitdrukking deed Annie denken aan honden die dankbaar waren dat ze niet alleen thuis hoefden te blij-ven.

'Je hebt een geweldige man!' werd haar door het sporthoofd meegedeeld, een man aan wie ze onmiddellijk een hekel had vanwege zijn geschoren kop en een scheefstaande neus door veelvuldige scrimmages, stelde ze zich zo voor, en omdat hij zich als een stier bewoog. Er ging een golf medelijden door haar heen met al die kleine, verlegen jongetjes die niet goed in sport waren. 'Hij bijt zich er helemaal in vast. De jongens zijn dol op hem, en hoewel hij nog nooit voor de klas had gestaan, heeft hij geen ordeproblemen, zoals bij sommigen wel het geval is.' Hij keek minachtend naar een spichtige jongeman met lang blond haar, die de hand vasthield van een net zo zouteloos uitziende vrouw, die gekleed was als een soort melkmeisje in een lange bloemetjesjurk en platte Sarah Jane-schoenen. Annie hoorde later van Charlie dat Jeremy klassieke talen doceerde en gepromoveerd was aan Oxford. Hij verdiende niet de hoon van een man die gespecialiseerd was in zoiets triviaals als rugby.

Maar meneer Sportbullebak had wel gelijk. Charlie was geweldig. Dat zei iedereen en ze noemden hem een geboren leraar. Hij was grappig, slim, fijn gezelschap en immens populair. Annie stelde zich zo voor dat zijn collega's na het kerstfeestje voor het personeel tegen elkaar zeiden: 'Heb je zijn vrouw ontmoet? Helemaal niet wat ik had verwacht. Stilletjes, saai en rancuneus, vond ik.'

Met name de rector had zich neerbuigend opgesteld. Toen hij haar had ontdekt en haar glas bijvulde met een kater verwekkende bisschopswijn, kreeg Annie het gevoel dat hij haar ondervroeg, om erachter te komen of ze wel geschikt was voor de rol van de vrouw van een rijzende ster. Hij vertelde dat Charlie pijlsnel afstevende op een hogere functie, en hoe belangrijk het was dat zij en Charlie als team opereerden, hoezeer hij haar steun nodig had als hij meer verantwoordelijkheden kreeg. 'Van hetzelfde muziekblad zingen', zo drukte hij het uit en Annie had hem kil aangekeken, weigerde in zijn opvatting over hun huwelijk mee te gaan.

Zelfs nu, maanden later, flakkerde er nog steeds een vonkje van die verontwaardiging op. Ze deed het licht uit en liep naar beneden naar de slaapkamers van de jongens, die nu gehuld lagen in het magische schijnsel van de paddenstoelnachtlampjes. Annie knielde bij elk bed neer en nam het doezelige kind in haar armen. Wat hield ze van hen als ze zo waren, hun warme lijfjes, het haar dat vagelijk naar koekjes rook, de dichtvallende oogleden met lange wimpers, de zachte huid, in Rory's geval de huid op zijn armen ruw van het eczeem. Ze streek met haar lippen over hun voorhoofd. Het was een overweldigend gevoel. Liefde golfde door haar hart en verdreef de demonen.

Toen ze zich beneden bij Charlie voegde, had hij al een glas wijn voor haar ingeschonken en de haard in de woonkamer aangestoken. Hij stond in de keuken een schoolboek te lezen met zijn bril op het puntje van zijn neus. Hij zag er groot, knap en betrouwbaar uit. Ze ging achter hem staan en sloeg haar armen om zijn middel.

'Hé!' zei hij en hij greep haar handen vast. 'Waar heb ik dit aan te danken?'

'Zomaar,' zei Annie en ze wreef met haar gezicht langs zijn rug. 'Sorry, meer niet.'

'Sorry, waarvoor?' Ze hoorde aan zijn stem dat hij gewoon had doorgelezen.

'Gewoon, sorry.'

'Malle meid. Heb je je glaasje gevonden?'

Hij heeft geen benul van wat er in me omgaat, dacht Annie toen ze haar glas pakte en op zoek ging naar een borrelhapje. Als ik er ook niks over zeg, kan hij daar amper iets aan doen. Aan de andere kant, waarom wil hij niet eens weten waarom ik sorry zei? Niet omdat hij niet van me houdt. Dat denk ik althans. Volgens mij interesseert het hem gewoon niet erg.

Achteraf zag Sadie wel dat de timing niet al te best was. Kyle was de halve nacht op geweest vanwege een moeilijke geboorte van een kalf en uiteindelijk was het beest nog doodgegaan ook. Het kleine zwart-met-witte kadaver had de hele ochtend in de hoek van het erf gelegen. Kyle was die dag zwijgzaam geweest, maar iets tegendraads in haar had haar ertoe aangezet om het slechtste moment te kiezen om over de baby te beginnen.

Tamzin en Georgie zaten boven voor het naar bed gaan tv te kijken en Kyle zat aan de tafel in de propvolle woonkamer aan de computer. Hij was nog in T-shirt en overall, die hij tot aan zijn middel omlaag had gerold. Sadie stond in de keuken met haar 'global warming'-schort voor. Het hele huisje rook naar de uien die ze had gebakken om Kyle op te vrolijken, voor bij de zelfgemaakte burgers die ze voor het avondeten had klaargemaakt, terwijl Sadie ontegenzeggelijk misselijk was. Met de meisjes was ze geen seconde beroerd geweest en ze meende dat het dus wel een jongen moest zijn. Het was misschien beter geweest om het nieuws nog een dag voor zich te houden, maar ze kon niet wachten.

'Weet je,' zei ze. 'Deze keer voel ik me anders. Je weet wel, niet zoals tijdens de zwangerschap van de meisjes. Volgens mij wordt dit een jongen, Kyle.'

Kyle keek niet op. Hij zat met zijn donkere hoofd nors over het toetsenbord gebogen.

Sadie wachtte. 'Zeg je niks?' zei ze ten slotte.

Kyle mompelde boos iets naar het scherm.

'Ik hoor je niet!' zei Sadie luid, en ze voelde dat er ruzie in de lucht hing.

'Ik heb je al verteld wat ik ervan vind. Dat is niet veranderd.'

'Het is ook jouw kind, hoor.'

'Ja, nou, laat 't dan maar wegmaken. Ik wil het niet. Dat heb ik je al gezegd.'

'En ik heb je al verteld dat ik dat niet doe. Het is een leven, Kyle. Ik geloof niet in moord. Hoe dan ook, ik wil ons kind. En als je aan het idee gewend bent, jij ook,' flapte ze er onnadenkend uit.

Kyle stond op, hij was lang en slungelig, en zijn hoofd veegde bijna langs het lage plafond. Zijn gezicht was vertrokken van woede. 'Ik heb het je toch gezegd, stom wijf! Ik wil deze baby niet en daarmee basta. Als je hem wilt houden, doe je dat maar in je eentje. Begrijp je dat? Je kunt vertrekken. Ik heb je hier trouwens nooit willen hebben. Jij hebt je aan me opgedrongen. Nou, ik kan je wel vertellen dat ik medelijden begin te krijgen met die man van je, de arme sukkel!'

Sadie haalde naar hem uit en een vuistslag landde vol op de zijkant van zijn gezicht toen hij zich vooroverboog om zijn overall op te hijsen. Even leek het crop dat hij zou terugslaan. In plaats daarvan gaf hij haar een harde duw zodat ze achteruitstapte en op de haveloze oude bank viel.

'Je hebt dit met opzet gedaan, hè? Je bent een verdomde heks, dat ben je! Het is jouw schuld dat alles zo is gegaan,' en hij beende het donkere erf op.

4

*I*n de week daarop begon Alice cateringbedrijven te bellen en prijslijsten te vergelijken. Ze had een kleine feesttent weten te reserveren en een afspraak gemaakt met een beschaafde jongeman van TentsForTheMemory.com zodat hij de maten van de tuin kon komen opmeten. Hij heette Toby en klonk als een gretige veertienjarige schooljongen. Hij raadde haar aan op tijd te reserveren en zei tegen haar dat als ze langer zou wachten, hij haar waarschijnlijk niet meer van dienst kon zijn. 'Onze kleinere tenten zijn heel erg in trek, ziet u,' legde hij uit, 'voor privétuinfeesten tijdens de zomermaanden, vooral lustrumfeesten. Onze tenten zijn gevoerd met dat zijdeachtige materiaal dat u zo graag wilt, en er zijn verschillende mogelijkheden als het gaat om raamstijlen, pilaarversieringen, ingebouwde vloer- en lichtsystemen. Is dit toevallig een verrassings- of themafeest?'

'Nou, het is een verrassing dat we überhaupt een feest geven,' zei Alice. 'Aan een thema had ik niet gedacht.'

'Themafeesten doen het heel goed,' vervolgde Toby opgewekt, 'en als u een thema bedenkt, kunnen we verschillende fantasie-effecten inbouwen.'

Alice begon de weg kwijt te raken. 'Wat voor thema's?' vroeg ze.

'De 007- of James Bondparty is het populairst. Dan heb je een enorme keus uit prachtige kostuums, ziet u.' Op dit punt wist Alice dat ze weer greep op de zaak moest zien te krijgen.

'Dit is een familiefeest, Toby, en los van dat het allemaal prachtig wordt, met heerlijk eten en zo, en dat alles naar ik hoop zonder stress, denk ik niet dat we een thema nodig hebben. Het is al heel wat als iedereen erbij is zonder dat we er een verkleedpartij van maken.'

'Wanneer ik de boel kom bekijken, kunnen we het in dat geval hebben over de tafelschikkingen, achtergrond en tafeldecoraties. Mag ik u een chill-outzone aanraden? Die doet het erg goed bij onze klanten met gasten van verschillende leeftijden.'

'Nee, dat hoeft niet,' zei ze. Ze realiseerde zich dat ze Toby stevig moest intomen, omdat hij anders op een riante rekening zou afstevenen. 'Als iemand wil gaan zitten of wat uit wil rusten, kunnen ze dat in huis doen. Zoals ik al zei, eigenlijk zijn we één grote familie.'

'Dan wil ik nu nog als laatste de toiletfaciliteiten, beveiliging, parkeergelegenheid, catering en bediening bespreken.'

'Nee. Nee, dank je wel,' zei Alice. 'Dat is allemaal niet nodig. Gasten kunnen van het huis gebruikmaken, de catering is geregeld en de mensen kunnen hier in de straat parkeren. Echt, Toby, ik heb alleen maar die tent van jullie nodig.'

'Uitstekend, maar ik moet u wel op deze belangrijke organisatieaspecten wijzen, want die worden door de niet-professional maar al te gemakkelijk over het hoofd gezien.'

'Nou, ik waardeer je advies en natuurlijk wil ik dat het een ontspannen feest wordt. Maar daar kunnen we het allemaal over hebben als je hier bent, oké?'

'Goed dan,' stemde Toby wat op z'n teentjes getrapt in. Alice voelde dat hij wilde zeggen: 'Nou, zo te horen wordt het een petfeest.' Dat zouden Rory of Archie doen als hun ideeën op die manier werden afgewezen. Maakt niet uit, zijn tent klonk perfect.

Ze had op haar werk de lunch al uitvoerig met Margaret besproken en ze hadden de menu's de revue laten passeren. Het verbaasde Alice dat Margaret zo goed wist wat wel en niet geschikt was. Het bleek dat ze een aantal jaren manager was geweest in een viersterrenhotel aan zee in Bournemouth.

'Doe vijf canapés per persoon,' zei ze, 'en neem dan de wat grotere, daar heb je meer aan, want dan hoef je geen voorgerecht te doen. Voor de kinderen neem je veel kleine cocktailworstjes, die kun je zonder problemen zelf thuis opwarmen.'

'Dat is een goed idee, want ik wil met champagne beginnen – het maakt me niet uit wat David ervan vindt – en daarna nemen we de canapés, voordat we op de wijn en de lunch overstappen. Nou, wat denk je van het hoofdgerecht: kip suprême is erg populair bij de cateringbedrijven, maar ik vind het nogal saai, vind je ook niet?'

'Waarom doe je geen mediterraan thema, het is toch een lentefeest? Kijk, ze hebben koud, halfrauw vlees met een salsa. Je kunt daar warme, nieuwe aardappeltjes bij doen, een aantal salades en wat van die speciale houtovenpizza's voor de kinderen en vegetariërs. Als toetje lijkt me de bittere chocolade met geroosterde hazelnoottaart heerlijk. En je kunt ook die frambozen met room doen, toch? IJs voor de kinderen.'

'Het vlees is verschrikkelijk duur, denk je niet, maar kijk, het komt allemaal uit de streek, daar kan Sadie tenminste niets van zeggen; ze is een voedselfanaat en ligt altijd dwars als het daarom gaat, vooral met supermarkten.'

Margaret zuchtte en klopte Alice op de arm. 'Het is jouw dag. Hou nou maar 'ns een keer op je zorgen te maken over je kinderen.'

Dat is gemakkelijk gezegd, dacht Alice, terwijl ze terugdacht aan de toestand die Sadie niet lang geleden had gemaakt over een paar vissticks die ze voor de meisjes had klaargemaakt. Ze waren honderd procent kabeljauw, daar had Alice zich van verzekerd toen ze ze kocht, want ze vond het heel belangrijk dat kinderen gezond aten. Maar Sadie benaderde de zaak eerder vanuit het standpunt van de vis, er was iets mis met de manier waarop ze werden gevangen.

Ze moest nu ook aan Sadie denken. Gisteravond had ze een beetje gedeprimeerd geklonken aan de telefoon – ze zei dat ze moe was – en had Alice gevraagd of ze het komend weekend de kinderen kon hebben. Natuurlijk had ze ja gezegd. Ze vond het heerlijk als ze kwamen logeren. Als het mooi weer was zouden zij en David ze zater-dagmiddag meenemen naar zee voor een strandwandeling. Dan konden ze als avondeten onderweg fish-and-chips eten, hun moeder was er toch niet bij.

'Wanneer ga je uitzoeken wat je aantrekt?' vroeg Margaret. 'Als je wilt, ga ik wel met je mee. We kunnen naar Londen gaan. Oxford Street. Selfridges heeft alle ontwerpers op één verdieping bij elkaar.'

Alice rilde. 'Dank je, Margaret, maar dat is voor mij ongeveer de hel. Ik haal liever iets uit een catalogus, zodat ik het thuis kan passen en kan terugsturen als ik het niet mooi vind.'

Margaret zuchtte. Alice was een verloren zaak. Ze kon zich niet voorstellen dat een vrouw niet van een dagje winkelen kon genieten.

'Hoe dan ook, ik koop helemaal niets tot ik minstens drie kilo kwijt ben. En deze keer zet ik m'n tanden erin,' zei Alice terwijl ze dacht aan dat droomgewicht waar zij, en veel vrouwen met haar, naar streefde, wat in haar geval nooit tot enig succes had geleid.

'Je hebt een prachtig vrouwelijk figuur. Daar moet je mee voor de dag komen. Draag kortere rokken, neem dat middel wat in!' Margaret lachte, zette haar handen op haar heupen en tuitte uitdagend haar lippen. 'Wat meer seks, meisje!'

'God verhoede het.'

'Bereid manlief een verrassing. Doe een make-over, zoals op tv.'

'Nee, dank je wel, Margaret. Ik geloof niet dat David zo'n shock overleeft.'

Maar David was met zijn hoofd helemaal niet bij het feest. In plaats daarvan wachtte hij ongeduldig tot de dagen om waren en hij met Julia kon gaan lunchen. De helft van de tijd zei hij tegen zichzelf dat hij een idioot was en dat er voor hen beiden onmogelijk iets goeds uit voort kon komen. Dit was het deel van hem dat rationeel en verstandig bleef en zich ernstig afvroeg wat Julia in hemelsnaam van hem wilde.

Hij wist dat hij haar met haar werk niet verder kon helpen. Ze had niets aan een referentie van een gepensioneerd senior docent van een tweederangs faculteit, en hij wist dat zij dat wist. Hij kon haar raad geven, vermoedde hij, maar hij moest eerlijk zijn en haar van een academische carrière zien af te brengen. Hij kon haar met haar cv helpen. Hij had meer dan genoeg ervaring in het verbeteren van het profiel van de studenten die met de hakken over de sloot waren afgestudeerd. En wanneer hij zich echt afvroeg wat hij nou precies bij Julia Fairfield te zoeken had, maakte hij zichzelf wijs dat hij haar als vriend en oud-collega hielp bij haar sollicitaties.

Maar voor het overige leek hij zijn verstandige zelf vaarwel te hebben gezegd en liet hij zich op een golf van opwinding meevoeren. In zijn hart wist hij dat deze lunch helemaal niets van doen had met een collegiale relatie. Dat ging alleen maar over wat Julia in haar e-mail had verteld, dat haar persoonlijke leven in duigen lag, dat het niet goed met haar ging sinds haar huwelijk op de klippen was gelopen, dat haar man haar heel grof bejegende, dat ze alleen was, blut en werkloos en dat ze echt, echt iemand nodig had om mee te praten, een vriend die ze kon vertrouwen.

Hij wist ook dat de gevoelens die dit bij hem losmaakte helemaal niet vaderlijk of vriendschappelijk waren. Hemeltjelief, hij had al te veel van zulke crises met Sadie meegemaakt om het met zo'n ontspoorde vrouw aan te leggen. Maar wat hij nu voelde kwam ergens anders vandaan.

Een aantrekkelijke jonge vrouw had gezegd dat ze hem nodig had en graag wilde zien, sterker nog, ze had contact hem gezocht. Van alle mannen op de faculteit, zowel uit het verleden als in het heden, was hij degene met we ze contact had opgenomen. De e-mailwisseling had een emotionele en intense lading gekregen, waardoor David weer mee terug werd genomen naar die regenachtige middag op het parkeerterrein, toen hij, zoals hij nu wel inzag, weinig had kunnen uitrichten.

Natuurlijk had hij in het verleden andere vrouwen best aantrekkelijk gevonden en toen de kinderen opgroeiden had hij zelfs een paar buitenechtelijke avontuurtjes gehad. En Alice, nou ja, Alice was niet meer zo bekoorlijk als vroeger.

Maar het feit dat Julia hem had gemaild, dat hele internetgedoe waardoor je zo gemakkelijk kon communiceren, de uitwisseling van mobiele telefoonnummers, terwijl Alice naar haar werk was en hij zo veel alleen was: al die dingen zorgden ervoor dat de mogelijkheden zo talrijk waren dat het uit de hand dreigde te lopen.

Hij had besloten om Alice een gekuiste versie van de waarheid te vertellen. In het verleden had hij nooit tegen haar gelogen. Toen hij nog druk aan het werk was, was dat ook niet nodig geweest omdat hij vaak genoeg de kans kreeg om wat te flirten. Er waren conferenties en zo geweest, waar hij na afloop in een hotelbar te veel had gedronken en zich wat onnadenkend had gedragen, hoewel technisch gesproken hij nooit ontrouw was geweest. 's Ochtends geneerde hij zich dan een beetje en voelde zich schuldig wanneer hij later zijn voordeur openmaakte en werd geconfronteerd met zijn gezin: Alice in de keuken, kinderen aan hun huiswerk, het geluid van gekibbel boven, het tv-journaal dat in de woonkamer aanstond zonder dat ernaar werd gekeken. Na een tijdje ebde het schuldgevoel echter weg. Per slot van rekening was er niets akeligs gebeurd en David was blij geweest dat onaangename gevolgen uitbleven.

Maar nu voelde hij zich heel anders, hoewel hij zich in dit stadium helemaal nergens schuldig over hoefde te voelen, behalve dan dat hij net als Jimmy Carter een diep verlangen in zijn hart voelde. Maar hij had wel min of meer met opzet aan Julia voorgesteld om af te spreken in een wijnbar in een stad op enige afstand van hun beider woonplaats. Doordat hij een uur moest rijden, kon hij zijn thuispersonage afschudden en groeien in de rol van de man die Julia kennelijk in hem zag.

O god, wat ben ik aan het doen? David omklemde zijn hoofd met zijn handen. Dit was waanzin. Het leven was volmaakt in orde in het binnenwater waarin hij na zijn pensioen terecht was gekomen. Alice was haar verdomde feestje aan het organiseren, schoof menu's onder zijn neus en had het over een of andere blaaskaak die de partytent zou leveren, en het kon hem allemaal geen barst schelen. Het enige waaraan hij kon denken was Julia, haar kleine witte handen, de van tranen glinsterende, grijze ogen en het buitengewoon verwarrende nieuws dat ze hem altijd al aantrekkelijk had gevonden.

Sadie gaf niet gemakkelijk op. Dit was hoe dan ook geen strijd die ze van plan was te gaan verliezen. Ze hield van Kyle en zou zijn kind krijgen. Zo simpel lag het. Zijn reactie was gewoon een tijdelijk probleem en ze was ervan overtuigd dat als ze het goed aanpakte hij wel zou bijdraaien. Een van de dingen waarom ze zo dol op hem was, was dat hij confrontaties liever uit de weg ging. Hij liep liever de kamer uit dan ruzie te maken, en de enige reden waarom hij zo boos had gereageerd was, zo wist Sadie, omdat zij hem in een hoek had gedreven. Nou, dat zou ze niet meer doen. Ze zou lief en aardig zijn en hem zonder verdere confrontaties zachtjes om haar vinger winden. Daarom stuurde ze de meisjes voor het weekend naar Alice. Ze wilde een tijdje alleen zijn met Kyle.

Hij reageerde vooral zo vanwege het geld, dat wist ze wel. Ze konden nu maar net rondkomen, en met een kind erbij zou het lastig voor haar worden om te blijven werken, in elk geval voor een tijdje, en dan zouden ze nog dieper in de schuld raken. Sadie wilde er liever niet aan denken wat ze aan drie of vier creditcardmaatschappijen schuldig waren, maar ze hadden beiden hun kaarten doorgeknipt en waren nu aan het terugbetalen, elke maand een beetje, hoewel het amper genoeg was om de rente te dekken.

Er was een alternatief. We kunnen gewoon in gebreke blijven, dacht ze. We kunnen stoppen met betalen en ons failliet laten verklaren, want dat zijn we toch. Wat maakte het nou uit als de creditcardmaatschappijen een paar duizend pond moesten afschrijven terwijl banken voor vele miljoenen het schip in gingen? Zij en Kyle waren gewoon slachtoffer van het financiële systeem. Je kon hun nauwelijks de schuld geven dat ze leningen met zo'n torenhoge rente niet terug konden betalen terwijl de creditcardbedrijven hun per se meer hadden willen lenen dan ze zich konden veroorloven.

Ze zouden nog altijd een dak boven het hoofd hebben, want de cottage hoorde bij Kyles baan en ze hadden geen bezittingen die in beslag konden worden genomen. En met de baby, hun baby, was de toekomst van het gezin veiliggesteld. Uiteindelijk zouden ze het geld wel bij elkaar weten te schrapen. Misschien kon ze zich net als Charlie tot leraar laten omscholen en les gaan geven op een leuke basisschool in een dorp waar ze hun eigen groenten verbouwden. Sadie zag de toekomst optimistisch in, ook al leek die momenteel ietwat hachelijk.

En ze bedacht nog iets. Ze konden geld lenen om hun schulden af te betalen. Ze kon Marina om een lening vragen. De flat die haar zus twee jaar geleden had gekocht had een half miljoen gekost, dus ze had vast wel een paar duizend over om hen uit de brand te helpen. Voor het gemak vergat Sadie dat ze destijds had geroepen dat bankbonussen een morele schande waren. Een eventuele lening zou natuurlijk op fatsoenlijke basis worden verstrekt en met rente worden terugbetaald. Anders zou ze het haar niet vragen.

Hoe dan ook, ze zouden het op de een of andere manier wel redden. Het enige wat ze hoefde te doen was Kyle overtuigen. Hij begreep niets van gezinnen, omdat hij zelf uit zo'n puinhoop kwam. Hij was op z'n zestiende het huis uit getrapt toen zijn moeder een minnaar nam met losse handjes. Hij had Sadie vaak genoeg verteld dat hij nooit het gevoel had gehad ergens bij te horen, totdat zij en de meisjes bij hem kwamen wonen, ze gordijnen had opgehangen, meubels uit de kringloopwinkel een lik verf had gegeven en er altijd een vaas bloemen op de keukentafel stond.

Als Sadie haar gedachten even had stopgezet, had ze zich misschien gerealiseerd dat ze in haar relaties met mannen – die tot nu toe allemaal rampzalig waren geweest – altijd de rol van een inschikkelijke moeder speelde, tot de man in kwestie zich uiteindelijk steeds meer als een kind ging gedragen.

Nu was ze ervan overtuigd dat als ze Kyle zover kreeg dat hij geloofde dat alles in orde kwam, hij wel zou bijdraaien en weer lief voor haar zou zijn. Ze zou een kusje geven op de zere plek en het beter maken. Waar ze niet over na wilde denken, was het onverteerbare feit dat Kyle al een kind van zeven had, een jongen die naar de naam Tyrone luisterde, van een zestienjarig vriendinnetje dat hij in een jeugdherberg had leren kennen en met wie hij geen contact meer had.

Sadie voelde zich akelig over Tyrone. Niet alleen was het arme joch naar een pitbullterriër genoemd, toen Kyle over hem vertelde, nadat ze een paar weken wat met elkaar hadden, voelde ze meer dan alleen maar een steek jaloezie. Ze wilde dat Kyle helemaal van haar was, en met een kind van een andere vrouw, en een zoon bovendien, had ze hem niet meer uitsluitend voor zichzelf. Ze was opgelucht toen ze hoorde dat Leanna, de moeder, een drugsverslaafde was en ergens in Newcastle woonde, dat Tyrone in een pleeggezin zat en dat Kyle hem nooit had gezien. Ze kon zijn bestaan gemakkelijk vergeten, wat Sadie dan ook prompt deed, maar toch niet helemaal.

Als ze Kyle soms met de meisjes zag spelen, hij ze op zijn schouders tilde of ze bij de hand hield als ze over het veld liepen om naar een nieuw kalf te kijken, had ze het verwarrende besef dat er aan het plaatje een jongetje ontbrak dat recht had op een plek naast zijn vader. Ze bracht dat een keer bij Kyle ter sprake, maar hij keek haar fel aan en zei: 'Laat zitten, wil je? Ga daar niet in zitten wroeten. Ik wil daar niets mee te maken hebben. Ik wist niet eens dat ze zwanger was en het is ook niet zeker of het wel mijn kind is. Leanna was een slet. Voor een joint ging ze met iedereen naar bed.'

'Ja, dan heb je het alleen over haar of hoe ze toen was, maar hoe zit het met dat joch? Hij kan er niets aan doen. Heeft hij dan geen vader nodig?'

'Zal best, maar die had ik ook nodig en ik heb het ook zonder ge-red. We kunnen niet alles hebben wat we willen. Ik heb met hem niets te maken. Nooit gehad, zo is het nu eenmaal.'

Sadie had dat als een vaststaand feit moeten aanvaarden, maar het knaagde aan haar, het idee dat Tyrone opgroeide zonder zijn vader te kennen. Hij was net zo oud als Georgie, die, toegegeven, niet bij haar eigen vader woonde, maar tenminste wist wie hij was, en die ze heel af en toe zag wanneer hij zich herinnerde dat ze bestond. Dat gedoe met Tyrone was iets akeligs, iets verwerpelijks, en Sadie voelde zich er slecht bij op haar gemak. Ze schaamde zich er zo erg over dat ze het niemand in haar familie wilde vertellen, want ze wist dat de man van wie ze hield dan geen beste indruk zou maken. Dit schimmige kind, nu zeven jaar oud, spookte juist door haar hoofd omdat het er niet was.

Als ons kind er eenmaal is, zo dacht ze, zal Kyle zich misschien tot het vaderschap bekeren en er wellicht mee instemmen Tyrone op te zoeken en hem bij hen te laten wonen. Dat betekende wel dat ze een extra mond moesten voeden, maar Sadie wist zeker dat ze dat wel aankonden, en het zou goed zijn, een nobele en onzelfzuchtige daad van haar kant. Ze mocht er graag aan denken dat Ty, zoals ze hem zou noemen, zou herstellen van zijn verschrikkelijke start en zou gedijen in een normaal gezinsleven met natuurlijk, biologisch voedsel. De baby zou hen allemaal bij elkaar brengen. De baby was voor hen allen een zegen.

Intussen zou ze met Kyle omgaan alsof er niets was gebeurd. Hoewel hij nors was en zwijgzaam, gedroeg zij zich heel normaal. Wanneer de kinderen tijdens het weekend weg waren, zou ze hem wel weer in het gareel krijgen en dan zou ze de familie vertellen dat ze weer een kind kreeg. Ze wilde het zo graag aan iemand kwijt dat ze haar dilemma op 'Mumsnet' postte en ze ging zo op in het lezen van alle steun die moeders haar vanuit het hele land betuigden, dat ze de tijd vergat en te laat was toen de schoolbus bij het begin van de vierhonderd meter lange oprit naar de boerderij arriveerde. Niet dat de meisjes inmiddels niet oud genoeg waren om op eigen houtje naar huis te kunnen komen.

'Heb je je moeder al gesproken over het feest?' vroeg Lisa aan Ollie tijdens het eten. 'Ze heeft vorige week gebeld, maar je was er niet, en al eerder had ze een e-mail gestuurd. Je moet haar terugbellen. Ik heb gezegd dat we uiteraard komen, maar ze wil het uit jouw mond horen, vermoed ik.'

Ollie, die twee operaties en een hele reeks huisbezoeken achter de rug had, en daarna nog een vergadering had gehad, keek met holle ogen van uitputting van zijn bord pasta op en schudde schuldig zijn hoofd. Twee van zijn collega's hadden zich ziek gemeld en hij had de hele week amper een moment voor zichzelf gehad.

'Praat me even bij, wil je? Om wat voor feest gaat het?'

'Ze organiseert in de lente een groot familiegedoe om van alles te vieren: zij wordt zestig en ze zijn zoveel jaar getrouwd. Jij zou dat moeten weten. Het is jóúw familie. Ze had het over een heus evenement: partytent, catering, fanfare, dat is wat ik ervan weet.'

'Zo te horen is dit helemaal niets voor hen. Heeft ze de loterij gewonnen of zo?'

'Ze zei dat je vader en zij nog nooit een fatsoenlijk feest hebben gegeven om wat dan ook te vieren, en ze vond dat het nu eens tijd werd.'

'Ik geloof nooit dat pa daarin meegaat. Hij houdt niet van feestjes.'

'Kennelijk heeft ze hem weten om te praten.' Wanneer Lisa het over Alice en David had, zat er een zekere vijandigheid en verontwaardiging in haar stem. Ze had het nooit helemaal geaccepteerd dat haar nieuwe echtgenoot zijn stam zo belangrijk vond en dat zijn loyaliteit en genegenheid jegens de familie boven alles ging. Wanneer ze eerlijk tegen zichzelf was, wist ze dat ze door haar ervaringen in Frankrijk zo achterdochtig was geworden. Ze had zo haar best gedaan, maar Jean-Louis' grote familie had haar als een betreurenswaardige buitenstaander behandeld en later, toen de zaken verkeerd liepen en ze ontdekte dat hij een relatie had met Jacqui, sloten ze de rijen en hadden ze voor haar geen greintje begrip of medeleven.

'Het klinkt geweldig, mam,' zei Sabine, die de onderstroom voelde en de toon in haar moeders stem herkende. 'Ik vind het een fantastisch idee. Ik mag je familie echt graag, Ollie, vooral je vader en moeder. Ze zijn cool.'

'Dat zei ze van de week ook al tegen me,' zei Lisa geamuseerd. 'Ik heb haar gezegd dat je ze amper cool kunt noemen. "Oud en ouderwets" lijkt me een beter benaming.'

'Ze zijn wél cool, mam! Ze zijn niet hip of zo, maar in bepaalde dingen zijn ze cool. Als we bij ze logeren hebben ze echt aandacht voor ons, toch, Agnes? We mogen van alles en nog wat doen.'

Agnes aarzelde, was zich ervan bewust dat ze met haar loyaliteit verschillende kanten op kon en ze wist niet welke ze moest kiezen. 'Ik ben dol op de hond. Roger is cool.'

Ollie lachte. 'Ik kan jullie wel vertellen dat ze niet cool waren toen we opgroeiden. We hadden allemaal taken in huis en in de tuin – en denk maar niet dat we daar zakgeld voor kregen – en we moesten eten wat de pot schafte, dat soort dingen.'

'Ja, en je werd het dak op gestuurd om de schoorsteen te vegen,' zei Agnes onbeschaamd. 'Je bent net papa. Hij vertelt ons ook altijd dat hij zo'n akelige jeugd heeft gehad, dat de leraar hem met een stok sloeg en dat hij twintig keer per dag of zo naar de mis moest!'

Lisa lachte en Sabine wist dat ze het heerlijk vond wanneer ze op deze manier over hun vader praatten. 'Allemaal geklets. Jean-Louis was tot op het bot verwend,' zei ze. 'Zijn moeder, grootmoeder en adorerende zussen hebben hem vanaf zijn geboorte verwend. Daarom is hij nooit volwassen geworden. In wezen is hij nog steeds een verwend kind.'

'Heb je die e-mail nog? Die kan ik dan maar beter beantwoorden.' Sabine was blij dat door Ollies vraag een discussie over haar vaders tekortkomingen werd afgekapt. Het leek niet eerlijk dat ze in

Engeland zo over hem praatten, waar hij nooit in een positief daglicht kon staan en niemand het voor hem kon opnemen. Zij en Agnes zouden voor hem in de bres kunnen springen, maar als ze dat deden, zou hun moeder over haar toeren raken.

'Ja. Sabine laat hem je na het eten wel zien. Hoe dan ook, er is maar één antwoord mogelijk: ja, we komen!'

'Dat is toch geen probleem? We weten het zo lang van tevoren dat we die dag vrij kunnen houden. Ik vraag me alleen af wat er te vieren valt. God, ze zijn natuurlijk veertig jaar getrouwd, dat zal het zijn! En mam wordt dit jaar zestig en pap is geloof ik tweeënzestig.'

Lisa neuriede 'When I'm Sixty-Four' terwijl ze de tafel afruimde.

'Als je zo blijft koken, kan ik nooit meer zonder je!' zei Ollie. 'Dat was heerlijk, lieveling.'

Sabine keek van de een naar de ander. Toen Ollie haar moeder 'lieveling' noemde, ontspande zich een strak plekje in haar borst. 'Lieveling' was het mooiste wat je tegen iemand kon zeggen, dacht ze, als het tenminste werd gezegd zoals Ollie het zei. Haar moeder moest glimlachen en streek met een hand over zijn hoofd terwijl ze langs hem heen naar een bord reikte. Word alsjeblieft gelukkig, dacht Sabine, want dit is toch wat je wilde? Ze moest terugdenken aan dat verschrikkelijke slaan met de deuren en het gekrijs, haar moeders gezicht vertrokken van woede en tranen. Dit was een betere plek, deze warme, rommelige keuken in een rijtjeshuis in Wiltshire.

Ollie was veiliger dan haar vader. Sabine keek naar hem. Hij was groot en lang, met bijna zwart, krullend haar en een verkreukeld soort gezicht dat rimpelde wanneer hij glimlachte. Hij bewoog zich traag en weloverwogen, en had grote, vierkante handen met schone, roze vingernagels. Hij had amper last van stemmingswisselingen, en hoewel hij soms wat stilletjes was wanneer hij van zijn werk thuiskwam – omdat hij moe was, vermoedde ze – was hij niet humeurig of nukkig of zo. Langzaam had ze geleerd zich bij hem te ontspannen en bovenal erop te vertrouwen dat hij haar moeder gelukkig maakte.

Agnes had zich vanaf het begin misdragen, had scènes getrapt en wilde in het middelpunt van de belangstelling staan, maar Ollie was fantastisch geweest. Hij had zich er gewoon niet mee bemoeid. Hij pakte een krant, liep naar de woonkamer en zette het nieuws aan. Soms zei hij iets als: 'Hé! In dit huis wordt niet geschreeuwd, oké?' Hij maakte er echter geen punt van en deed ook niet alsof hij, nou ja, de baas over hen was. Op de een of andere manier wist hij de boel te kalmeren en je liet het wel uit je hoofd om het op de spits te drijven. Uiteindelijk begreep Agnes ook dat je Ollie niet boos moest maken en ging ze zich in zijn aanwezigheid beter gedragen.

Papa was zo anders. Hij was altijd aan het lachen of roepen, bij hem was het leven dikke pret of verschrikkelijk. Hij overlaadde haar en Agnes met kussen en nam ze in zijn armen. Aan de andere kant kon hij hun ook als hij boos was een mep verkopen of op de tafel slaan. Hij gaf ze geen pak slaag of zo, maar haalde uit wanneer hij driftig werd. Het enige wat je dan moest doen was wegduiken. Er waren talloze momenten waarop je je niet bij hem in de buurt waagde, en ze hadden geleerd de signalen te herkennen en hem uit de weg te gaan totdat zijn stemming was opgeklaard.

Jacqui kon goed met hem omgaan. Ze negeerde hem als hij schreeuwde en hij maakte haar niet aan het huilen zoals dat bij mam het geval was geweest. Sterker nog, Jacqui was hem de baas en zorgde er altijd voor dat hij deed wat zij wilde. Wanneer ze boos op hem was, was ze echt angstaanjagend. Dan werd ze ijzig stil en stapte soms in haar auto en reed weg. Papa was dan de rest van de dag bezig haar op haar mobiel te bellen, smeekte en zei dat het 'm speet. Nu ze zwanger was, zei hij voortdurend dat ze geen spullen mocht optillen en zich niet mocht vermoeien, en hij streek over haar korte zwarte haar, dat leuk jongensachtig zat, en kuste haar in haar hals.

Sabine werd echt verdrietig bij het idee dat toen mam zo ongelukkig was en heel vaak moest huilen, papa niet over háár prachtige lange haar streek of háár hals kuste. Waarom had hij dat niet gedaan? Hoe kon het nou dat mensen die zo veel van elkaar hielden dat ze trouwden en kinderen kregen, uiteindelijk zo verschrikkelijk tegen elkaar deden?

Nu was het enige mooie dat ze beiden gelukkig leken te zijn, papa in elk geval, maar ze maakte zich nog altijd zorgen om haar moeder. Er klopte iets niet, wist Sabine, maar ze wist niet wat het was. Ollie was cool – ze dacht niet dat het iets met hem te maken had – maar er was iets anders waardoor haar moeder het grootste deel van de tijd niet lekker in haar vel zat. Er was een nieuwe, kleine frons tussen haar wenkbrauwen verschenen en wanneer ze niet glimlachte, trok ze haar mondhoeken omlaag alsof ze aan iets verdrietigs dacht.

Sabine had voortdurend angst om haar. Ze hield zo veel van haar moeder, maar haar liefde voelde als een nutteloze last, want die was niet genoeg om haar gelukkig te maken. Ze hing om haar heen, probeerde het haar naar de zin te maken en haar te laten lachen, en op school en 's avonds in bed piekerde ze veel over wat er mis was. Het ergste was nog dat ze in haar hart wist dat het haar schuld was, want een deel van de grote vakanties en elke korte vakantie gingen zij en Agnes naar hun vader, en daar werd hun moeder ongelukkig van.

Toen ze er met Agnes over praatte, was het enige wat die zei: 'Het komt door die heks van een Jacqui. Het is haar schuld. Wij kunnen er niets aan doen. Het komt niet door ons!' Maar Sabine wist dat Agnes Jacqui eigenlijk wel mocht en dat het bij papa veel beter was nu zij er was. Agnes leek zo gemakkelijk van kant te kunnen wisselen. Ze bewoog zich soepeltjes tussen haar ouders door, paste zich aan waar ze was en maakte zich geen zorgen over waar ze toch niets aan kon doen. Wanneer ze in Engeland was, leek ze niet vaak aan papa te denken, en in Frankrijk maakte ze zich kennelijk niet veel zorgen om hun moeder. Sabine had ervoor moeten zorgen dat ze contact hield met de ouder die er niet was, want ze wist zeker dat ze die moeite niet eens genomen zou hebben.

'Sabine! Laat Ollie de e-mail even zien. Hij kan vanaf jouw computer wel terugmailen,' zei Lisa. 'Toe maar. Agnes en ik maken het hier wel aan kant.'

Sabine ging voorop de trap op terwijl Ollie gehoorzaam achter haar aan sjokte en aan haar bureau ging zitten.

'Kijk,' zei ze, toen ze het bericht van Alice had gevonden en het opende zodat hij het kon lezen.

'Mijn hemel!' zei hij. 'Wat is er in haar gevaren? Maar toch, een feestje zou leuk zijn, vind je niet? Kunnen jij en Agnes het aan om die krankzinnige familieleden van me allemaal tegelijk te ontmoeten? Hoewel, jullie zullen wel aan grote families gewend zijn, met die menigte van je vader. Hoe gaat het trouwens met hem?'

Sabine bloosde. ''t Gaat goed, hoor,' zei ze, terwijl ze haar haren om haar vinger draaide en haar gezicht van dat van Ollie afwendde.

'Je houdt toch wel contact met hem, hè? Ik bedoel, dat is belangrijk.'

'Ja, nou ja, min of meer. Ik stuur hem e-mails en zo. Hij heeft het meestal heel druk. Of hij is weg. Jacqui geeft soms voor hem antwoord.' Ze bloosde opnieuw. Alleen al door het noemen van Jacquis naam in de kleine ruimte tussen haar en Ollie voelde ze zich ongemakkelijk. Haar moeder zou haar naam nooit uitspreken. Jacqui was altijd 'zij' of 'haar', en dat spuugde ze er met een bittere gezichtsuitdrukking uit.

'Maar deze ouwe computer is bagger, hè? Heeft-ie een webcam? Volgens mij niet. Gebruik je Skype? Als we voor een webcam zorgen, kunnen jullie elkaar zien. Weet je wat, ik geef je een nieuwe laptop voor je verjaardag. Deze komt uit de oudheid. En hij is zo traag. Je doet je huiswerk erop, hè? Oké, kiddo, je krijgt een nieuwe. We gaan er zaterdag een uitzoeken, als je wilt.'

Sabine aarzelde. 'Mam vindt het niet echt prettig…' zei ze. 'Ik bedoel, ze wil eigenlijk niet dat we…' Ze wist niet hoe ze moest eindigen.

Ollie keek haar aan, tastte met zijn blik haar gezicht af en opnieuw wendde ze zich af, terwijl ze ongerust met een hand over haar neus wreef.

'Wat bedoel je? Wat vindt mam niet prettig? Bedoel je dat ze zich zorgen maakt over wat je online zoal tegenkomt? Dat is zo opgelost. We kunnen er een kinderslot op zetten.'

'Nee, ze raakt eerder van streek als we… je weet wel, Agnes en ik, en papa,' zei ze zwakjes.

'Wat! Bedoel je contact hebben? Nee toch zeker?' Ollie leek oprecht geschokt. Hij leunde naar achteren in Sabines wankele bureaustoel waar op de rug al die oude, gênante roze Barbiestickers geplakt zaten, en ze was bang dat hij hem kapot zou maken.

'Ze ziet graag… nou ja, wat we schrijven, vermoed ik. Ik geloof niet dat ze het fijn vindt als we…'

'Nou, dat is belachelijk. Natuurlijk moet je gemakkelijk en persoonlijk contact met je vader kunnen hebben. Luister, Sabine, dit laat je aan mij over, oké? Je kent je moeder, hoezeer ze van streek kan raken. Compleet overdreven. Momenteel vindt ze alles gewoon een beetje moeilijk.' Hij keek Sabine even aan en ze voelde dat ze bloosde. Ten slotte zei hij: 'Heeft ze iets over het kind gezegd?'

'Welk kind?' Sabine had het gevoel dat ze van een veilige kust naar een heel gladde ijsvlakte werd weggesleurd, waar ze elk moment doorheen kon zakken, het ijskoude, zwarte water in.

'Nou, dat heeft ze je duidelijk niet verteld.' Ollie stak zijn hand uit en pakte Sabines pols vast. 'Dan vertel ik het je nu, want ik denk dat je oud genoeg bent om ermee om te kunnen gaan. Je moeder en ik proberen samen een kind te krijgen. We zijn er al een tijdje mee bezig, maar tot nu toe is het niet gelukt.'

Sabine wilde dat ze haar pols kon wegrukken. Een kind! Wat gênant, zeg. Seks, neuken, bonken. Dat was het enige waar volwassenen aan schenen te denken.

'Ze is er eerlijk gezegd nogal gespannen onder. Weet je, ze wil het zo graag en wanneer het dan niet lukt, raakt ze ervan in de put. Het feit dat je vader en Jacqui een kind krijgen, maakt het allemaal nog erger. Daardoor wordt het moeilijker voor haar, zie je.'

Sabine haalde haar schouders op en beet op haar duimnagel. Ze wist niet waar ze kijken moest.

'Het is niet zo dat ze niet genoeg heeft aan jou en Agnes, natuurlijk niet. We hebben alleen het gevoel dat we samen ook nog een kind willen. Op de een of andere manier klopt dat en dan worden we een echt gezin. Je zou zo'n geweldige grote zus zijn. Er zit een behoorlijk leeftijdsverschil tussen, dat weet ik wel, maar een paar jaar maak je er nog wel van mee voordat je naar de universiteit gaat of zo.'

'Ja. Cool,' zei Sabine op effen toon. Ze raakte in de war van het vooruitzicht van dit hypothetische kind.

'Hé! Vind je het wel oké? Het is inderdaad wel iets waarvan je hoofd gaat tollen. Maar in sommige opzichten verandert er niets. Niet voor ons, of voor wat we voor elkaar voelen, of hoeveel mam van je houdt. Ik bedoel, in zekere zin is een kind ook een verdomde lastpak, maar daar raken we wel aan gewend, neem ik aan; al dat gejank en gekots en zo. Maar desondanks schijnen mensen van ze te houden. Althans, ze houden van hun eigen kinderen en verdragen die van anderen.'

Sabine haalde nogmaals haar schouders op. 'Ja. Cool. Ik vind 't cool, hoor.' Eigenlijk wist ze niet wat ze aan moest met de wetenschap dat haar moeder en stiefvader het met elkaar deden om zich voort te planten. Ze kon er niet bij waarom Ollie haar dit had verteld. Waarom had hij niet gewacht totdat dit kind er al was, of in elk geval tot het onderweg was? Haar vader had het er pas tijdens hun verblijf afgelopen Kerstmis over gehad, en toen was het overduidelijk dat Jacqui zwanger was. Hij maakte er ook niet zo'n ophef van, en daardoor was het allemaal gemakkelijker. Hij had het er niet over wat het allemaal zou betekenen.

Hoe dan ook, ze geloofde niets van die hype over kinderen die de boel bij elkaar zouden houden. Als dat zo was, waarom was hun vader dan niet tevreden geweest met haar, Agnes en hun moeder? Ze waren toch zeker een gezin geweest? Een echt gezin, maar uiteindelijk had dat niets betekend. Sommige dingen waren blijkbaar belangrijker.

'Zie je,' vervolgde Ollie, 'de laatste tijd is alles nogal stressvol voor je moeder geweest en daarom, Sabine, denk ik dat ze onredelijk is over jullie contact met je vader. Dat klinkt onlogisch, dat weet ik wel, maar ik denk dat ze er echt mee zit dat Jacqui zwanger is, en dat ze daardoor wat jaloers is op jullie relatie met je vader. Als hij een kind krijgt, waarom zou zij er dan niet ook een krijgen? Op die manier.'

'Oké,' zei Sabine, die wenste dat hier een eind aan kwam. 'Het is oké, hoor. Echt, prima.'

'Nee, dat is het niet. Het ís niet prima. Ik zorg dat je een nieuwe laptop krijgt, dat beloof ik je, met een webcam, zodat je met iedereen in Pompignac fatsoenlijk contact kunt houden. Ik zal er met je moeder over praten en ik beloof je dat ze zich erbij neer zal leggen. Wanneer is ze trouwens uitgerekend?'

'Ergens in juni, en het is een jongen. Dat weten ze nu al.'

Er trok een gepijnigde uitdrukking over Ollies goedhartige gezicht alvorens hij een glimlach tevoorschijn wist te toveren. 'Ik begrijp 't. Leuk voor ze. Leuk voor je vader. En ook leuk voor jou en Agnes om een broertje te krijgen. Een halfbroertje.'

'Ja. Dat is cool. Maar we zien hem pas in de zomervakantie.'

'Dat zal wel, ja. Het is een beetje ver om er een weekendje naartoe te gaan.'

Sabine keek Ollie even in de ogen en ze wisselden een blik die veelzeggender was dan alles wat ze tot nu hadden gezegd. Ollie zag hoe ongemakkelijk Sabine zich voelde en zij zag het pijnlijke verlangen op zijn gezicht.

'Je bent een geweldige meid, Sabine, weet je dat? Het is voor jou en Agnes niet gemakkelijk geweest, maar jullie hebben het goed gedaan en jullie geven echt om je moeder, dat waardeer ik heel, heel erg.'

Sabine voelde plotseling hete tranen opkomen. Ze wilde niet bedankt worden of antwoorden op de vraag wat ze van dingen vond waar ze niet eens iets van wilde weten. Ze wilde dat haar leven sim-

pel was, oninteressant, gewoon een thuis, een saaie school, vriendinnen en zo, en niet heen weer worden geslingerd en in de war gebracht door volwassenen en hun angsten, waarvan ze het gevoel
had dat sommige daarvan haar schuld waren, maar waar ze niets
aan kon veranderen.

'Dus,' zei Ollie terwijl hij zich weer naar het scherm draaide.
'Hoe zit 't met dat feest? Kun jij mijn moeder namens ons allemaal
antwoorden? Zeg haar maar dat we heel graag komen.'

5

Soms wenste Alice dat ze een poosje uit haar leven kon stappen, alsof het een bus was die een tijdje zonder haar doorreed en waar ze bij een latere halte weer op kon stappen. Ze wilde dat ze op een kalm, rustig plekje kon zitten waar niemand haar kende en waar ze niet hoefde te glimlachen. Ze zou willen dat ze haar gezichtsspieren tot een natuurlijke uitdrukking kon ontspannen en haar schouders vermoeid kon laten zakken.

Toegegeven, het leven was bij lange na niet zo vermoeiend als toen de kinderen klein waren, maar destijds was er ook geen tijd om je zorgen te maken, afgezien van het voortdurende geldgebrek of het feit dat het regenwoud werd gekapt. Tegenwoordig leek ze in de luxeomstandigheden te verkeren dat ze zo veel tijd had dat ze zich overal zorgen om maakte, en als er niets was om zich zorgen om te maken, dan maakte ze zich zorgen dat deze voortkabbelende dagen niet konden voortduren en zich aan de horizon vast een allesomvattende storm samenpakte.

Alice wist bijvoorbeeld dat er iets mis was met Sadie. Toen die de meisjes in het weekend kwam brengen, zat ze ineengezakt aan de keukentafel, haar gezicht was bleek en haar ogen stonden vermoeid. Ze droeg een zwarte legging, waarvan in de rechterknie twee kleine gaatjes zaten, en het soort korte bontlaarsjes waardoor haar stevige benen eruitzagen als die van een paard met harige enkels. Ze had haar bovenlijf gehuld in een weinig flatteus fleece jasje met capuchon en ze had haar haar in een rommelige knot naar achteren gestoken.

Het duurde niet lang of Alice vroeg zich af of ze zwanger was.

Ze had dat bleke, naar binnen gekeerde voorkomen dat ze wel zag bij de vrouwen die op haar werk naar het zwangerschapsspreekuur kwamen, alsof het proces van een groeiende baby een soort innerlijke concentratie vergde. Nou, ze bad tot God dat het niet zo was. Wat Alice betrof zou nog een kind een ramp zijn. Natuurlijk vroeg ze het haar niet op de man af, maar zei alleen maar: 'Je ziet er een beetje uitgewrongen uit, Sadie. Gaat het wel met je?'

'Ja, het gaat wel, mam, bedankt. Gewoon afgepeigerd. Daarom is het zo fijn dat ik dit weekend mijn handen vrij heb.'

Georgie en Tamzin keken hun moeder vanaf de overkant van de tafel ernstig aan.

'Nou, wíj vinden het heerlijk!' zei Alice met opgewekte stem en een glimlach op haar gezicht. 'Ik ga morgen met ze naar zee.'

'Geweldig. Dat is geweldig, hè, meiden? Nou, ik moest maar eens gaan. Nee, dank je wel, ik hoef echt geen koffie.' Sadie stond op en liep om de tafel heen om haar dochters een kus te geven. 'Braaf zijn, hè? Geen gekibbel. Doen wat oma zegt.' Ze wendde zich weer tot Alice. 'Georgies eczeemcrème zit in haar toilettas. Ze hoeven vanavond niet in bad. Dat is gisteren al gebeurd, we hebben hun haar toen ook gewassen, klaar voor inspectie! Bedankt, mam. Is het echt oké dat je ze zondag terugbrengt?'

'Natuurlijk. Dat doe ik met plezier.'

'Hoe gaat het met 't feest? De plannen, bedoel ik.'

'Goed. Margaret van m'n werk helpt me met de menu's en zo. Ze heeft vroeger in een hotel gewerkt.'

Sadie trok een gezicht. 'Jak! Hotelvoedsel!'

'Hou je mond voordat je daarover begint!' zei Alice terwijl ze haar handen opstak. 'Zelfs jij, Sadie, zal mijn keus prima vinden.'

'Sorry. Ben ik dan zo'n lastpak? Zeg maar niets. Het zijn mijn principes, zie je. Ik moet leven naar mijn overtuigingen.'

'Ja, liefje,' zei Alice luchtig. 'Heel prijzenswaardig, maar dit is mijn feest, niet het jouwe.'

'Nou, mam, ik zei dat ik zou helpen, dus je hoeft het alleen maar te vragen. Ik doe alles: boodschappen, sjouwen, schoonmaken, bloemen. Als het dichterbij komt, moeten we maar eens om de tafel gaan zitten en erover nadenken. Lijsten maken en zo. Tenslotte hoef je geen hulp van de anderen te verwachten. Zei je dat pap het allemaal prima vond? Weet hij hoeveel het allemaal gaat kosten?'

'Ja, hij vindt het prima, en nee, dat weet hij niet, en ik trouwens ook niet, maar deze keer kan het me nu eens niets schelen. Het geld is goed besteed. En dank je wel dat je me wilt helpen. Ik zal je absoluut nodig hebben, maar ik wil niet dat het een heel gedoe wordt. Je moet daar ook als gast kunnen zijn, mooi aangekleed en met een glas champagne in de hand, geen geploeter op de achtergrond.'

'Mooi aangekleed, hè?' Sadie trok een gezicht. 'Dat kon nog wel een probleem worden, tenzij het een kunstig in elkaar gezette, biologische-aardappelzak wordt. Tegenwoordig kom ik nooit meer in winkelcentra.'

'In dat geval gaan we samen winkelen en koop ik iets voor je, en ook voor de meisjes.'

Sadie sloeg een arm om haar moeders middel en zoende haar op de wang. 'Je bent geweldig, mam! Toch, meiden?' Ze knikten gehoorzaam.

'Zo, wat ga je dit weekend doen?' vroeg Alice, die nog steeds niet wist waarom haar zo plotseling was gevraagd op de kinderen te passen, alsof er sprake was van een noodgeval.

'Kyle heeft zondag vrij en dat gebeurt niet vaak. Ik wilde vanavond graag een keer uit, naar de film of de pub. Het maakt nogal wat uit als je weet dat je de volgende ochtend niet om half vijf op hoeft om te melken.'

'Ja, natuurlijk. Nou, geniet ervan. Hoe gaat het trouwens met Kyle?'

'Goed hoor.' Sadie keek haar moeder niet aan. 'Sterker nog, het gaat prima met hem,' zei ze terwijl ze haar dochters een kus op het hoofd drukte en haar mobieltje en sleutels van de tafel pakte. 'Nou, dan ga ik maar.'

Alice keek haar dochter uit het raam na, die in Kyles pick-uptruck achteruit de afrit af reed, en ze wist dat het helemaal niet goed zat. Ze draaide zich om naar Georgie en Tamzin. Het was verleidelijk om het hun te vragen, maar in plaats daarvan zei ze: 'Wat zullen we gaan doen, liefjes? Laten we eerst jullie tassen maar naar boven brengen, en wat dachten jullie er dan van om cupcakes te maken voor bij de thee? We kunnen er roze vanilleglazuur op doen.'

Het weekend verliep goed, ondanks de verschrikkelijke wind en regen op zaterdagmiddag, toen Alice het haardvuur aanmaakte en al de oude videobanden tevoorschijn haalde waar haar eigen kinderen zo dol op waren geweest. David hielp hen met een puzzel van de Grand National en daarna gingen ze op de vloer naar *Black Beauty* zitten kijken, terwijl hij de krant las, wat doezelde en zo nu en dan dringende vragen beantwoordde over hoe het zou aflopen.

Hij was een mooie opa, dacht Alice terwijl ze de keuken opruimde en een kopje thee zette; lief, geduldig en toegeeflijk, helemaal niet zoals de opa's die zij als kind had gehad, die meestal afstandelijk, streng en ouderwets leken. Als de film afgelopen was zou ze hun jassen pakken en met Roger de hele laan uit lopen naar waar een paar ruige pony's in een veld stonden. David zou ook meegaan, op de heenweg zou hij Tamzins hand vasthouden en op de terugweg die van Georgie. Hij was een belangrijke figuur in hun leven, de enige man op wie ze konden vertrouwen.

Wat vond Alice het toch spijtig dat Sadie uitgerekend die vader voor haar kinderen had uitgekozen. Ze wist nu zeker dat er iets mis was, zodat ze er nu over piekerde hoe Kyle het als vader zou doen. Hoe ze het ook bekeek, en hoe aardig ze hem ook vond, ze zag hem bepaald niet als een geschikte kandidaat. Om te beginnen was hij veel te jong. O jeetje! Haar hart liep zo over van angst en ongerustheid dat ze amper de ketel kon optillen om het hete water in de koppen te schenken.

Wat hield ze veel van hen, die twee stevige meiden die ze door de open kamerdeur kon zien, zoals ze daar in hun bontgekleurde kleren op kussens op de vloer lagen. Ze wilde zo graag een veilige en zekere omgeving voor hen creëren. Ze keek verdrietig naar het theeblad met de met hagelslag versierde, vlekkerig geglazuurde cupcakes die ze die ochtend hadden gemaakt. Wat kregen die kinderen allemaal mee, wat pikten ze op en in hoeverre absorbeerden ze de angsten van volwassenen? Of konden ze een gelukkige dag beleven met cakejes bakken en een aai over de neus van een pony?

Ze voelde naast zich iets bewegen en een klein handje glipte in die van haar. Het was Georgie. 'Oma,' fluisterde ze, 'kun jij de film samen met ons kijken? Ik wil graag bij je op schoot zitten. Dit stuk is zo verdrietig.'

'Natuurlijk, liefje. Ik kom er zo aan. Kijk, jij mag het blad met de cakejes dragen.'

Later dacht Alice, met Georgies hoofd vertroostend op haar borst terwijl ze over het heel fijne, met goud doorstreepte, donkere haar van haar kleindochter streek: dit is het enige wat ik kan doen. David leunde naar voren om Tamzin iets uit te leggen, die haar ronde gezichtje met de grote ogen naar hem had toegekeerd. Er gewoon zijn, dacht ze. Meer kunnen we niet doen.

Het werd er niet beter op toen zij en David de kinderen op zondagmiddag terugbrachten. Het was een heldere ochtend geweest en ze hadden het leuk gehad op het strand. Ze hadden stokken gegooid voor Roger, die gehoorzaam wegsjokte, ze terugbracht en aan de voeten van de meisjes legde, om vervolgens het hele spelletje nog eens te herhalen. De golven ruisten over het zilverachtige kiezelstrand, de lucht was weids en blauw, en de zon was zo sterk dat Alice tegen een omgekeerd bootje leunde, haar gezicht ernaartoe wendde en zich met gesloten ogen in de warmte koesterde.

Een paar andere gezinnen voegden zich bij hen op het strand, ze waren helemaal ingepakt en hadden honden, vliegers, voetballen en frisbees bij zich. Boven het geluid van de golven uit hoorde Alice het koor van blije kreten en geroep terwijl de kinderen heen en weer renden en een opgewonden collie ze probeerde bij te houden.

Ze keek naar een zo te zien volmaakt gezin, de vader lang en knap met een wollen muts op en een baby in een rugzak, en de moeder bijna even lang, slank en blond, in een roze jas. Ze droegen beiden een soort rubberlaarzen, die bedoeld waren om over ruig heidelandschap te wandelen, en riepen met ver dragende stemmen naar hun kroost. De twee oudere kinderen, twee meisjes van ongeveer dezelfde leeftijd als Georgie en Tamzin, speelden met een soort tol en hun vader probeerde ze uit te leggen hoe die werkte. Het duurde niet lang voor ze wist dat ze Flora en Flavia heetten. Ze sloeg ze gade terwijl ze ronddartelden, aan hun vaders armen trokken, het uitgilden van de lach. En hoe hij met wijd open armen achter ze aan rende en toen hij ze te pakken had ze beiden in een berenomhelzing optilde, ondanks de hobbelende baby op zijn rug, terwijl zijn Peruaans ogende, wollen muts over zijn ogen viel.

Ze straalden een soort opvallende aantrekkelijkheid uit en Alice zag dat Georgie en Tamzin, die met David en Roger ravotten, ook waren blijven staan om te kijken. David liep onbewogen door, maar het raakte Alice toen ze zag dat haar twee kleindochtertjes met verrukte gezichtjes bleven staan kijken, alsof ze wisten dat ze getuige waren van iets bijzonders. Plotseling, en onredelijk, had Alice een hekel aan het aandacht trekkende gezin, dat zo te koop liep met hun succesvolle leven, hun geluk, goede genen, verstandige keuzen en goede smaak. Toe maar, wrijf het ons maar onder de neus, dacht ze boos. Wat zegt dat over ons, de eeuwige verliezers, de onvolmaakten? Wat zegt dat over Tamzin en Georgie en alles waarmee ze worden opgezadeld?

Later, toen de glimlachende vrouw op de parkeerplaats bij het strand haar kinderen vastsjorde op de zitjes achter in een reusachtige fourwheeldrive met trekhaak – voor de ponytrailer, dacht Alice, nog altijd geërgerd – en naar haar keek, opgewekt zwaaide en 'Fijne dag nog!' zei, voelde ze zich terechtgewezen. Alice kon niet anders dan teruglachen. Ze is aardig, dacht ze, en heeft een gelukkig gezin. Ik ben gewoon jaloers, dat is alles. Niet voor mij – voor hen – en ze keek naar het gezicht van haar kleindochters. Maar die zagen er goed uit, renden met blozende wangen van de frisse lucht rond, lachten en waren blij, keken uit naar de beloofde fish-and-chips. Kinderen namen het leven zoals het komt, dacht ze. Ze weten niet beter. Maar daardoor maakte ze zich niet minder ongerust om ze, en nog meer toen zij en David ze op zondagavond terugbrachten.

De boerencottage zag er verwelkomend uit en in de woonkamer brandde de open haard, waar Sadie op de bank een video lag te kijken. Ze zag er beter uit. Ze had haar haar los, dat mooi over haar schouders viel, en droeg wat oogmake-up en lipgloss. Haar dochters wierpen zich in haar open armen en innige omhelzingen terwijl Alice op het keukenaanrecht de mand met spullen die ze had meegenomen uitpakte. Bessensap, appelsap, yoghurt en restjes waarvan ze nog een maaltijd kon maken.

David ging in een leunstoel zitten en werd door de film in beslag genomen, terwijl Alice aan Sadie vroeg hoe haar avondje uit was geweest. Ze wist onmiddellijk dat er iets mis was, eenvoudigweg door de stem van haar dochter en het feit dat ze haar niet wilde aankijken. Ze kon niet doorvragen als ze er zelf niet mee kwam, en sowieso niet in het bijzijn van de meisjes. Maar later, toen ze afscheid namen voordat zij en David naar hun auto op het donkere erf terugliepen, kreeg ze de kans om Sadie bij de arm te pakken en te zeggen: 'Sadie, is alles in orde? Je zou het me toch zeggen, hè?'

Gehuld in duisternis verraadde Sadies gezicht niets, maar ze omklemde even haar moeders hand en zei met gebroken stem: 'O, mam… ik kan er nu niet over praten.'

'Sadie zat naar een verschrikkelijke film te kijken,' zei David later terwijl hij instapte en zijn gordel omdeed. 'Historisch onjuist en belachelijk bizar… Feitelijk was de bezetting van Frankrijk niet…' Maar Alice luisterde niet.

'David, er is iets aan de hand met Sadie. Toen we weggingen zei ze zoiets.'

'Wat bedoel je? Wat is er dan?'

'Dat weet ik niet. Ze heeft 't me niet verteld. Maar ik weet 't zeker. Ik dacht het al toen ze zaterdagochtend de meisjes kwam brengen. Heb je vanavond niets gemerkt?'

David zuchtte. Hij had het helemaal gehad met dat gedoe over Sadie. Hij had zich jarenlang zorgen om haar gemaakt. Als ze in een vochtig huisje met een neanderthalerachtig vriendje als Kyle wilde wonen, dan moest ze dat eerlijk gezegd zelf maar weten. Sadie was een volwassen vrouw.

'Nee,' zei hij. 'Volgens mij was alles in orde. Dat is het probleem met jou, Alice. Je zoekt de zorgen altijd op.'

Toen Annie thuis haar computer aanzette, zag ze een e-mail die meldde dat haar contract met de doe-het-zelfketen werd beëindigd. Het filiaal werd opgeheven. Het beantwoordde niet aan het verbeterde bedrijfsmanagement en kon de stijl van het gemoderniseerde bedrijfsprofiel niet uitdragen. Ze werd bedankt voor haar diensten en dat was dat.

In eerste instantie was ze verbijsterd. Het was een waardeloos baantje waar ze een bloedhekel aan had, maar het was tenminste werk. Wanneer mensen ernaar vroegen, kon ze in elk geval zeggen dat ze iets dééd, alsof ze zich daardoor kon profileren en haar bestaan gerechtvaardigd was. Ze had zich aan het baantje vastgeklampt, hoewel ze er onmiddellijk de brui aan zou geven zodra zich wat beters voordeed. Ze beschouwde het als een ankerpunt vanwaar ze uiteindelijk naar haar oude leven zou terugkeren. Nu werd haar zelfs dat uit handen geslagen.

Vroeger zou Charlie de eerste zijn geweest aan wie ze het zou vertellen, maar nu, en ze wist best dat dat oneerlijk was, gaf ze hem er de schuld van. Ze had het gevoel dat het aan hem lag dat ze aan een afschuwelijk baantje vastzat waar ze zo'n pesthekel aan had, terwijl ze toch van streek was dat ze het nu kwijt was. Ze wilde hem niet horen zeggen dat het niets om het lijf had. Ze was er diep verontwaardigd over dat hij, die zo gelukkig was en zo veel voldoening uit z'n werk haalde, maar al te gemakkelijk tegen haar kon zeggen dat ze positief moest blijven, en haar erop te wijzen dat ze nu meer tijd voor de jongens zou hebben.

Doordat ze haar werk kwijt was, had ze geen excuus meer om zich op de zolder terug te trekken, en kon ze ook niet meer doen alsof ze iets anders te doen had. Nu was ze compleet overgeleverd aan de genade van het gezin. Er was geen ontsnappen meer mogelijk.

Ze typte snel een afscheidsberichtje aan Jennifer, die ze nooit had ontmoet maar die voor haar meer betekende dan wie ook van de moeders bij het schoolhek. Daarna zette ze de computer uit en bleef naar het zwarte scherm zitten kijken. Dus dat was dat. Ze keek op haar horloge. Voordat ze Archie moest ophalen, had ze nog tijd om een lang bad met lekkere badolie te nemen. Hoewel het pas half twaalf was, zou ze een groot glas witte wijn voor zichzelf inschenken en dat meenemen. Ze had nu geen zin om met Charlie te praten, ze zou wachten tot hij 's avonds thuiskwam en het hem dan vertellen. Ze kon hem op school trouwens toch niet bereiken omdat hij zijn mobiele telefoon uit had. Ze had geen behoefte om er met iemand anders over te praten, maar ze nam toch de telefoon mee de badkamer in en toen die overging, nam ze op.

Het was Alice.

'Hoi, Alice.'

'Sorry dat ik je stoor als je aan het werk bent, maar ik wilde graag even een menu aan je voorleggen, met het oog op de jongens, bedoel ik. Voor het feest.'

Dat verdomde feest, dacht Annie. 'O, oké,' zei ze.

'Denk je dat Rory en Archie een heel speciale pizza lekker vinden met ijs toe? Ik moet namelijk de aantallen aan de catering doorgeven, snap je. Tomaat, kaas en peperoni? Daarna aardbeien, vanille of chocola. Wat denk je?'

'Klinkt prima. Ze houden eigenlijk niet van tomaat, maar die kunnen ze eraf halen. Echt, Alice, je weet toch hoe kinderen zijn. De ene dag eten ze iets wel en de volgende dag moeten ze het niet.'

'Ja, natuurlijk, je hebt gelijk. Maar pizza's zijn in principe een goed idee, vind je niet? Voor alle kinderen?'

'Perfect.'

'Gaat het wel, Annie? Ik heb je inderdaad gestoord, hè? Nou, dat vind ik echt vervelend.'

'Nee hoor, dat heb je niet. Eerlijk gezegd lig ik in bad.'

'In bad? O, oké. Nou, ik hoop dat je er niet uit hoefde om de telefoon op te nemen. Ben je naar de sportschool geweest of zo?'

'Nee. Ik zit gewoon midden op de dag in bad omdat ik het helemaal heb gehad. Ik ben net op staande voet ontslagen uit mijn ellendige baantje en heb niet eens een aardige ontslagpremie meegekregen.'

'O, Annie. Wat erg voor je. Dat vind ik echt.' Annie merkte dat Alice naar woorden zocht. Ongetwijfeld naar iets opbeurends, om haar moed in te spreken. 'Ik weet dat je iets omhanden moet hebben, en ook al was het werk niet zo opwindend en veeleisend als je gewend was, ik begrijp toch waarom je terneergeslagen bent.'

Nou, nou, dacht Annie. Dat was nog eens een verrassing.

'Denk je dat je gemakkelijk iets anders kunt vinden? Wat je met de jongens kunt combineren en zo?'

'Nee, dat lijkt me niet.'

'Nou, Archie gaat toch volgend jaar naar de grote school? Waarom denk je er niet over om hulp te regelen zodat je weer normaal aan het werk kunt? Fulltime, bedoel ik. Als je dat tenminste wilt.'

Annie was verbaasd. 'Van uitgerekend een schoonmoeder had ik dit niet verwacht,' zei ze. 'Het is net alsof ik mijn kinderen dan in de steek laat.'

'Maar je laat ze toch niet in de steek? Misschien kun je gedeeltelijk thuis werken. Dat doen journalisten toch? Al die vrouwen die eindeloze columns schrijven over hun leven thuis moeten toch een soort regeling hebben; alsof we zelf al niet genoeg problemen hebben, denk ik altijd maar. En voor de rest van de tijd kun je een au pair of een soort kindermeisje inhuren.'

'Zou kunnen. Maar het zal niet gemakkelijk gaan, nu Charlie de handen vol heeft aan die school van hem.'

'Maar hij heeft heel lange vakanties en dan kan hij het thuis overnemen.'

'Nou, dank je wel, Alice. Wat positief denken al niet teweegbrengt!' En Annie meende het ook nog. Eigenlijk geloofde ze geen moment dat ze ooit aan een fulltime baan zou kunnen komen, maar het was lief van haar schoonmoeder dat ze geen zedenpreek afstak over dat haar plaats bij de haard of aan het aanrecht was, of dat ze het haardrooster in de kachelpoets moest zetten of het straatje schrobben, of tegen haar zei dat ze blij moest zijn dat ze haar baantje kwijt was zodat ze meer tijd bij de kinderen kon zijn. Daar was ze dankbaar voor.

'Wat zegt Charlie ervan?'

'Ik heb 't hem nog niet verteld. Ik heb het nog aan niemand verteld. Jij bent de eerste.'

'Denk je dat hij met je meevoelt? Ik bedoel, begrijpt hij hoe belangrijk je werk voor je is?'

'Hm. Nou, ik vermoed dat hij het klusje dat ik onlangs nog heb gedaan als zonde van mijn tijd beschouwde. Hij is nogal belerend als het gaat om onderwijs, begrijp je. Als nieuwe bekeerling vindt hij dat het vooral belangrijk is dat je iets doet wat de moeite waard is, wat een verschil maakt, zoals hij het uitdrukt.'

'O jeetje! Is hij zo hoogdravend?'

Annie lachte. 'Nee, niet echt. Hij is alleen ongelooflijk toegewijd aan lesgeven op met name die school. De rector is zo'n angstaanjagende, messiaanse man die met niets minder genoegen neemt.'

'Ik begrijp het.' Er viel een stilte en toen zei Alice: 'Ik moet ophangen. Ik zit in m'n koffiepauze. Sorry dat ik je tijdens je bad heb gestoord, Annie, en ik vind het echt erg van je baan. Geef de hoop niet op dat er iets beters langskomt. Groeten aan de jongens, en ook aan Charlie. Kom ons gauw eens opzoeken!'

'Ja, doen we. Dank je wel, Alice. Pizza's zijn prima. Dag.'

Nadat ze had opgehangen, ging Annie achterover in het afkoelende water liggen en dacht na over het gesprek dat ze zojuist met haar schoonmoeder had gevoerd. Ondanks zichzelf voelde ze zich iets opgewekter. Ze had nog twintig minuten voor ze Archie moest ophalen. Ze moest opschieten.

Toen ze later met nog natte haren bij het hek van de kleuterschool stond, en deze keer met make-up op, knikte en glimlachte Annie naar de andere moeders en dacht: dit is het dan. Ik ben nu precies hetzelfde als die thuiszittende types. Ik kan er maar beter aan wennen. Ze ving de blik op van een lange, slonzige vrouw die met een grote, modderige, langharige hond buiten het hek stond. Ze droeg een bontgekleurde jas in de stijl van de Navajo-indianen. Annie wist vaag wie ze was: de moeder van een 'lastig' kind, hoewel ze voor zijn oma had kunnen doorgaan. De jongen, Damon, zat in dezelfde klas als Archie en Annie had vermoed dat hij in een soort speciale categorie viel. Soms leek hij volkomen buiten zinnen, dan schopte en schreeuwde hij op straat of rende wild met zwaaiende armen en benen door het park, terwijl hij zijn moeders kreten om terug te komen negeerde.

Op school had hij ook gedragsproblemen. Tijdens het vorige semester had het hoofd van de school Annie opgebeld om te zeggen dat Archie zijn hoofd had gestoten, maar toen ze hem ernaar had gevraagd, ontdekte ze dat Damon hem uit het speelhuis had geduwd. Daarna werd ze gebeld om hem op te halen omdat hij een blauw oog had, en opnieuw had Damon het gedaan. Tijdens het buitenspelen, zo zei Archies leidster, was hij een beetje ruw geweest. Hij had Archie over het speelterrein gegooid en die was tegen de houten picknicktafel geklapt. Archie klaagde er niet over. Hij zei dat Damon soms stout was, maar hij was zijn vriend. Hij zei dat hij hem aan het lachen maakte.

Sindsdien had Annie gemerkt dat Damons moeder een soort paria was. Ze stond altijd in haar eentje naar een punt in de verte te staren. Ze had een groot gezicht met een knokige neus, sterke, bijna mannelijke gelaatstrekken en een vormeloze bos met henna geverfd haar dat qua kleur en textuur wel wat leek op de wollige vacht van haar hond.

Impulsief liep Annie naar haar toe en zei: 'Hoi! Ik ben Annie Baxter, Archies moeder.'

'O, god!' zei de vrouw met een grimas. 'Wat heeft hij nou weer gedaan?'

'Wie? Damon? Niets. Nee! Geen zorgen!'

'Goddank. Dat is meestal de reden waarom moeders tegen me praten. Om te klagen.'

'Ik snap 't. O jeetje. Eigenlijk wilde ik me alleen maar even voorstellen en gedag zeggen.'

'Nou, in dat geval: hoi!' De vrouw sprak op afgemeten toon en met een merkwaardig ouderwets, beschaafd accent. Ze klonk als miss Fox, die twintig jaar geleden op Annies oude meisjesschool Latijn gedoceerd had. Er kon geen glimlachje vanaf, maar er klonk opluchting in haar stem door. 'Ik ben Fiona. Fiona Thompson.'

'Woon je in het dorp?'

'Ja. Aan de andere kant van het park. Hampton Road. Ik woon daar nu vier jaar. Toen Damon werd geboren ben ik vanuit Oxford hierheen verhuisd. Ik vond dat een kind een tuin nodig had. En jij?'

'Ja. We hebben een huis in The Lees. We zijn ongeveer in dezelfde periode uit London verhuisd.'

'Hoe vind je 't hier?'

'Het dorp? Nou, enig, natuurlijk. Mooi landschap en geweldig voor de kinderen. Goede scholen en zo.'

'O ja? Ik vind het afschuwelijk. Maar Pat heeft 't er erg naar z'n zin.' Ze wees naar de hond.

Annie lachte nerveus en vroeg zich af of ze het verkeerd had begrepen, maar een blik op Fiona's gezicht vertelde haar dat dat niet het geval was.

'Nee toch zeker? Waarom is het zo erg?'

'Je hebt vast wel gemerkt dat Damon wat problemen heeft. Hij is autistisch en heeft borderline, en vraagt heel veel aandacht. Ik vraag me nu af of ik niet beter in Oxford had kunnen blijven en het in de flat had moeten proberen. Daar had ik tenminste steun gehad en waren de mensen minder kliekerig.'

'Ja. dat begrijp ik wel.' Ze is alleen, dacht Annie, geen woord over een partner of echtgenoot.

'Eerlijk gezegd is het op een kleine dorpsschool veel beter voor Damon. De peuterklassen in Oxford zijn behoorlijk genadeloos en ik denk niet dat hij het daar zo goed had gered. Ik zit alleen maar vanwege mezelf te klagen. Door zijn gedrag is hij bij andere ouders bepaald niet populair, dus over het algemeen ben ik een persona non grata, en los daarvan mis ik zoiets als een fatsoenlijk, volwassen leven, zo zie ik het, althans.'

'Ik weet precies wat je bedoelt!'

'O ja? Je lijkt me anders aardig aangepast. Je maakt deel uit van het tafereel. Als overduidelijke buitenstaander heb ik geleerd te observeren.'

'Nu we het daar toch over hebben, ik ben helemaal niet zo "aangepast" zoals jij het noemt. Vandaag ben ik ontslagen uit een heel minderwaardig redacteursbaantje dat ik de afgelopen drie jaar heb gedaan. Eerlijk gezegd ben ik daar behoorlijk van in de put.'

Fiona dacht even over deze informatie na. 'Het is altijd waardeloos om ontslagen te worden,' zei ze, 'maar soms leidt dat weer tot iets anders. Vond je je werk leuk?'

'Nee.'

'Dan zou ik er maar blij mee zijn, als ik jou was.'

Hun gesprek werd afgebroken toen de moeders plotseling naar de schooldeuren liepen. Fiona bond Pat aan het hek vast en zij en Annie voegden zich bij de andere moeders. Tegen de tijd dat Annie Archie en zijn schooltas had opgepikt, waren Fiona en Damon verdwenen. Archie en zij liepen langzaam hand in hand naar huis. Zijn klas was met de lente bezig en hij wilde een liedje voor haar zingen dat ze aan het leren waren, over konijnen en lammetjes. Dat hij de woorden nauwelijks begreep, deerde hem niet en hij deed geen moeite wijs te houden. Er was iets heel vertederends aan zijn enthousiasme en zijn opgeheven, gretige gezicht. Om de een of andere reden voelde Annie zich niet zo akelig als eerder.

Het was een lichte lentedag en een helder zonnetje scheen door de grijze winterbomen naast het wandelpad, en opeens ontdekte ze groene loten aan de struiken aan weerskanten. Vogels zongen en waren druk in de weer in de hopen dode bladeren. Vroeger betekende de lente voor Annie een extra dik tijdschriftnummer met op de cover in koeienletters: WAT DRAGEN WE DEZE ZOMER? TWINTIG PAGINA'S MODE-IDEEËN! TIEN ESSENTIËLE ACCESSOIRES VOOR EEN HEEL NIEUWE LOOK! Ze had nooit veel belangstelling gehad voor wat de lente met de natuur deed. Archie wist daar kennelijk meer van dan zij.

Tijdens hun wandeling dacht ze aan Fiona Thompson. Ze probeerde zich voor te stellen hoe het was om haar te zijn. Over welk verloren volwassen leven had ze het toen ze haar ontevredenheid uitte over het dorp? Annie kon zich niet voorstellen dat ze naar een sociale omgeving verlangde. Ze wekte niet de indruk van een vrouw die van koffieochtendjes hield of lunches of dat soort dingen. Als ze thuis was zou ze haar googelen en eens kijken wat dat opleverde.

'Ik vind je maar dapper,' merkte Margaret op toen Alice het telefoongesprek had beëindigd. 'Dat je je schoondochter zo'n advies geeft.'

'Dat was geen advies!' wierp Alice tegen. 'Niet echt. Ik vertelde haar heus niet wat ze moest doen, hoor. Ik stelde alleen maar voor dat ze er misschien over kon denken om weer aan het werk te gaan als Archie naar de basisschool gaat.'

'Is ze dan niet graag thuis?'

'Ik geloof van niet. Ze is niet zoals Sadie, die dolgelukkig is als ze met haar kinderen in de weer kan zijn. Maar die is ook nooit zo honkvast geweest om daar serieus werk van te kunnen maken. David wordt er wanhopig van als hij denkt aan al die opleidingen waar we haar doorheen hebben geloodst terwijl ze in zijn ogen nog nooit een fatsoenlijke baan heeft gehad.'

'Ouders zijn nooit tevreden. Die van mij tenminste niet. Mijn moeder vond het fijn toen ik in de hotelbusiness werkte, maar ze had liever gehad dat ik een rijke man had getrouwd en helemaal niet had hoeven werken. Toen ze zich vervolgens realiseerde dat ze van mij geen kleinkind kon verwachten, begon ze te vertellen hoe teleurgesteld ze was. En als klap op de vuurpijl liet ze nooit een gelegenheid voorbijgaan om mij en mijn broer te vertellen dat ze ons als kind eigenlijk niet wilde.'

'O! Maar, Margaret! Ik bekritiseerde Annie helemaal niet. Ik zei alleen maar…'

Margaret lachte snuivend. 'Je hoeft niet naar me te luisteren. Ik ben de laatste om wie dan ook advies te geven. Kijk maar eens naar de puinhoop die ik van sommige dingen heb gemaakt. Hier zit ik dan, tweeënvijftig jaar oud, geen kinderen, geen contact met mijn enige broer en geen man te bekennen!'

Maar toen ze hun koffiekoppen afwasten en weer aan het werk gingen, vroeg Alice zich af wat Margaret nou eigenlijk had gezegd. Ze wist zeker dat Annie blij was met haar idee, maar misschien had ze haar mond moeten houden en alleen maar met haar moeten meevoelen. En eigenlijk zou ze als het erop aankwam het verschrikkelijk vinden als ze haar raad opvolgde. Ze zou zich grote zorgen maken bij het idee dat haar twee kleinzoontjes zouden worden verzorgd door een of andere gedesillusioneerde Oost-Europese achttienjarige, maar het was niet goed om zo te denken. Helemaal niet goed.

Ze vroeg zich af wat David ervan zou zeggen. Ze zijn volwassen, moeten hun eigen beslissingen nemen, stelde ze zich zo voor, terwijl ze terugdacht aan hun gesprek over Sadie. Hij leek het gemakkelijker te vinden om op veilige afstand te blijven van het leven van hun kinderen en hun gezinnen. Hij trok zich er lang niet zo veel van aan als zij, wat wel zo verstandig was. Voor hem was het gemakkelijker geweest om ze zodra ze waren opgegroeid los te laten en ze hun eigen zaakjes te laten opknappen.

Vandaag was hij naar Salisbury om te gaan lunchen met een ex-collega die een moeilijke periode doormaakte. Dat was ook typisch iets voor hem. Als iemand hem rechtstreeks om hulp vroeg, dan was hij er ook, deed hij alles wat hij kon. Hij was een man op wie je kon rekenen, die in een crisis verstandige, praktische hulp kon bieden. Ze stelde zich David voor zoals hij met zijn nieuwe kapsel in zijn oude auto in het lentezonnetje toerde. Het was een mooie rit door de achtertuin van Salisbury, die zich door een open heuvelland-schap slingerde, en door dorpen met uitnodigende pubs. Ze zou graag met hem zijn meegegaan en er een dagje van hebben ge-maakt. Het zou leuk zijn om als zij met pensioen ging samen dingen te kunnen doen.

Maar David was helemaal niet aan het toeren. Hij reed snel en slor-dig, voelde dan weer angst en dan weer een gretige verwachting. Hij merkte het langs hem trekkende landschap niet op, en evenmin de zon die zich voortbewoog boven de heuvels, waarvan de ruggen nog altijd vlekkerig waren van zilverachtig bruin wintergras. Hij tan-denknarste ongeduldig toen hij werd opgehouden door een lang-zaam rijdend vehikel met een oud dametje aan het stuur wier hoofd amper boven het stuur uit kwam. Hij racete verder toen ze aangaf dat ze linksaf ging en voerde de inhaalmanoeuvre uit alsof hij in een Shermantank reed. Vervolgens had hij vertraging in Wilton, trom-melde ongeduldig met zijn vingers op het stuur, ook al had hij meer dan genoeg tijd.

Hij had precies uitgezocht waar hij moest parkeren, maar was vergeten dat het marktdag was en dat het centrum van de stad ver-geven was van de auto's. Dus moest hij zijn plannen wijzigen en parkeren in een parkeergarage met verdiepingen waardoor hij in een hem onbekend winkelcentrum belandde. Toen hij op de begane grond kwam, dacht hij dat hij zijn mobieltje was vergeten en begon driftig op zijn zakken te kloppen, terwijl om hem heen hordes heel jonge vrouwen winkelwagentjes voor zich uit duwden. Hij vond zijn telefoon veilig weggeborgen in een binnenzak, haalde hem eruit en keek of er een bericht was. Hij dacht half en half dat Julia misschien bang was geworden en zou terugkrabbelen, maar er was niets. Hij had nog steeds meer dan genoeg tijd, maar kuieren was er niet bij. Hij beende door het winkelcentrum alsof hij haast had, langs de coffeeshops en warenhuizen, waarvan de etalages waren omlijst door plastic madeliefjes en in piramides gerangschikte paaseieren, en waarin de etalagepoppen schaarse, felgekleurde zomerkleren droegen.

In de schaduw voelde de wind koud aan, die ronddwarrelend afval in de hoeken van het centrum waaide, maar de meisjes die met hun baby's en peuters op de rij banken zaten, droegen krappe tops met blote armen en benen. Ze leken allemaal dik, zag David. Ze deden hem denken aan een kolonie moddervette zeezoogdieren met hun jongen, die op een rotsachtige kust rondhingen. Waarom zaten deze kindmoeders niet op school, vroeg hij zich af toen hij hen passeerde. Waren ze werkelijk klaar met hun opleiding en spoorloos verdwenen in een zee van kinderwagens?

Toen hij bij de wijnbar kwam waar ze hadden afgesproken, bleef hij buiten even aarzelend staan en las het menu dat met krijt op een bord was geschreven dat tegen de muur was gezet. Hij was twintig minuten te vroeg en door het raam kon hij zien dat er slechts een paar tafels bezet waren, maar hij ging toch naar binnen. Er stond een rek met kranten voor de klanten en hij kon een glas wijn nemen terwijl hij op Julia wachtte. Als ze nog steeds zo was als vroeger, zou ze wel te laat zijn.

Natuurlijk kende hij daar niemand, maar hij was blij dat de serveerster hem naar een tafeltje bracht dat achter een soort scherm was weggestopt waarop verschillende posters en berichten geprikt waren. Hij ging met bonzend hart zitten en voelde zich absurd slecht op z'n gemak. Het was ergerlijk dat hij als man van in de zestig zo reageerde. Hij had het gevoel dat hij zichzelf in de steek liet. Hij haalde zijn mobieltje uit zijn zak, legde dat op tafel en controleerde zijn zakken om te kijken of hij zijn bril en portefeuille nog had.

De serveerster was verdwenen zonder hem te vragen wat hij wilde drinken en hij zag dat het krantenrek zich vlak naast de deur bevond, wat betekende dat hij van achter het scherm vandaan moest komen om er een te halen. Nee, hij zou blijven waar hij was en de berichten lezen die boven zijn hoofd hingen. Kunstcursussen, wijnclubs, voor het publiek opengestelde tuinen, abonnementen op biologische groenten, een workshop creatief schrijven, een uitvoering van de *Messiah*; het was er allemaal, de belangrijkste bezigheden in een domstad van de middenklasse, mijlenver weg van het leven van de tienermoeders in het winkelcentrum.

Vijf minuten later ving hij de blik op van de serveerster en vroeg om een glas rode wijn. 'Wilt u al eten bestellen, meneer?' vroeg ze. 'De specialiteit van de dag staat op het schoolbord naast de bar.' Het lange meisje met het donkere haar was zo mager dat haar heupen door haar zwarte broek heen staken, een paar centimeter bij Davids gezicht vandaan. Ze leek veel te jong om al te werken. Vandaag scheen het David toe dat ieder meisje piepjong was. Dat komt omdat ik oud ben, dacht hij. Een teken van mijn eigen leeftijd.

'Nee, nee. Ik wacht op iemand. We bestellen tegelijk, als ze er is.'

Vijfentwintig minuten later had hij zijn glas leeg, was het restaurant volgelopen en was er nog geen spoor van Julia te bekennen. Waar was ze, verdomme! Hij probeerde haar mobiele telefoon, die kennelijk uit stond. De serveerster keek nu steeds nadrukkelijk zijn kant op wanneer ze langs zijn tafeltje liep. Na veertig minuten besloot hij dat het welletjes was en stond op. Hij wilde niet in zijn eentje eten en het was duidelijk dat Julia niet meer kwam.

Hij was bozig – op zichzelf en op haar – en door die irritatie kwam hij weer tot zichzelf. 'Sorry, maar ik heb me duidelijk vergist,' zei hij tegen de serveerster. 'Ik heb mijn tafel niet meer nodig.' Hij betaalde zijn wijn, worstelde zich in zijn jas en vertrok. Als dit een of andere idiote film was geweest, dacht hij, zou Julia op het laatste moment aan komen rennen en zou alles goed komen, maar ze was nergens te bekennen en hij liep door de drukke straten waar bijna iedereen leek te eten of aan een fles lurkte. Pasteitjes, worstenbroodjes en baguettes werden in open monden gepropt, en dat alles onder het toeziend oog van de prachtige middeleeuwse spits van de kathedraal die boven de daken uit torende en zijn vinger in de bleke lenteteluch omhoogstak.

Dus dat was dat. Eigenlijk was hij enorm opgelucht. Hij sloeg ergens een verkeerde hoek om en merkte dat hij tussen de marktkramen was beland. Hij bleef staan om een paar lekker uitziende worstjes te kopen van een stevige vrouw met rode wangen die haar kraam had versierd met foto's van varkens. Het waren heel grote varkens met witte en zwarte vlekken, en ze stonden met hun snuit in het gras onder appelbomen te wroeten. Impulsief bleef hij nogmaals staan en kocht een plastic pot met witte hyacinten.

Met beide cadeautjes reed hij bedaard naar huis en naar Alice. Niet ver buiten Salisbury passeerde hij zonder het te weten Julia, die snel vanuit tegengestelde richting kwam aanrijden.

Sadie was ontmoedigd, maar niet verslagen. Het hielp bepaald niet dat ze elke ochtend misselijk was en zich nauwelijks uit bed kon slepen om de meisjes naar school te helpen. Tegen tien uur ging het beter, dan kon ze wat toast eten, de cottage opruimen en later over het erf naar de pakschuur lopen. Het werk moest gedaan worden, hoe ze zich ook voelde, en er was geen sprake van dat Kyle haar uit de brand zou helpen.

Het weekend was anders verlopen dan ze had gepland. Kyle bleef zich ertegen verzetten dat ze het kind hield en nu wist ze niet wat ze moest doen. Wat haar betrof viel er niet te praten over een abortus en dus had ze haar hoop erop gevestigd dat Kyle van gedachten zou veranderen. In elk geval praatten ze weer met elkaar en zaterdagavond hadden ze lekkere en heftige seks gehad, maar toen ze klaar waren en naast elkaar in bed lagen, had Kyle opgemerkt: 'Ik draai heus niet bij, hoor. Je kunt me toch niet op andere gedachten brengen. Het is jouw keus, babe. Als je bij me wilt blijven, moet je het weg laten halen. Zo simpel is 't.'

Sadie was gaan huilen en hij had zijn armen om haar heen geslagen, maar hij trok zijn dreigement niet in en ze was wel zo verstandig om op dat moment niet te zeggen dat zij ook onder geen beding van gedachten zou veranderen.

Het probleem was dat ze er niet langer zo zeker van was dat alles goed zou komen als ze de zaken een tijdje op hun beloop liet, en dat Kyle uiteindelijk overgehaald kon worden om het kind te accepteren. Hij vertoonde een soort hardheid die haar beangstigde. Stel dat? Ze kon niet anders dan zich dat afvragen. Wat gebeurde er dan met hen? Dat doet hij ons niet aan, zei ze tegen zichzelf. Dat doet hij de meisjes niet aan. Hij houdt van Georgie en Tamzin, en hij houdt van mij. Hij kan ons er niet uit zetten. Hij heeft altijd gezegd dat het feit dat wij hier zijn het beste is wat hem ooit is overkomen.

Zondagavond was het zo moeilijk geweest om het niet aan haar moeder te vertellen, maar ze was blij dat ze het niet had gedaan. Ze had er niet veel aan als haar ouders begonnen te verkondigen wat zij ervan vonden. Het had met hen niets te maken en ze konden toch niets aan de uitkomst veranderen. Maar ze had er wel naar verlangd om haar moeders armen om zich heen te voelen en haar onvoorwaardelijke sympathie en steun te krijgen. Er ging niets boven je moeder. Haar vader was heel iets anders. Op dit moment zat ze er bepaald niet op te wachten om te horen wat híj over haar toestand te zeggen had.

Het was koud in de pakschuur, veel kouder dan buiten op deze zonnige dag. Ze liet de deur openstaan en de felle zonnestralen schenen over de drempel op de betonnen vloer. Kleine stofdeeltjes dansten in de brede lichtstraal. Buiten waren de kippen druk op het erf, ze scharrelden tussen het onkruid en wentelden zich in de aarde. Na hun winterrust waren ze weer aan de leg.

Het was therapeutisch, gedachteloos werk, paddenstoelen tellen en in bruine zakken stoppen, lentebonen en regenboogsnijbiet afwegen, koude, ronde koolraap uit hun netten pakken. Ze hield ervan om met groenten te werken, zo koel en glad en met hun aardse geuren. Ze was er heel voorzichtig mee, bijna respectvol, rangschikte ze in elke doos als een stilleven, deed af en toe een stapje achteruit om het effect in zich op te nemen.

Toen ze klaar was, had ze nog tijd om naar de cottage terug te gaan en op de computer op Mumsnet te kijken. Ze had een enorme respons gekregen op haar dilemma, ze stonden bijna allemaal achter haar en haar mening. Slechts een paar waren kritisch, die zeiden dat ieder kind twee ouders nodig had of dat conceptie niet zomaar iets willekeurigs was wat God had bedacht. Maar dat is het nou juist wel, dacht Sadie. Daarom is het zo prachtig.

Ze toetste een nieuw bericht in, gaf de laatste update en eindigde met: 'Dus wat moet ik nu doen? Ik voel me behoorlijk wanhopig.' Toen ze klaar was, ging ze naar de website van de basisschool van de meisjes. Ze bekeek de wekelijkse nieuwsbrief en realiseerde zich dat ze was vergeten om Georgie rubberlaarzen en een lunchpakket mee te geven voor een uitstapje naar een plantenkwekerij. Verdomme. Door al dat gedoe had ze niet genoeg aandacht voor haar dochters en ze voelde zich schuldig en beschaamd.

Ze haalde de mengkom tevoorschijn en maakte deeg voor havermoutkoekjes naar een recept van Alice, en terwijl die in de oven stonden, e-mailde ze het hoofd van de school met een aanbod om op school over biologisch voedsel te komen praten. De vorige week was Tamzins klas toegesproken door een vader die voor Western Water werkte, die volgens Sadie een soort gelegaliseerde terrorist was. Bezig blijven hielp haar om wat positiever te worden en toen ze

Kyle op het erf hoorde fluiten terwijl de koeien in de melkschuur groepten om te worden gemolken, had ze zichzelf er min of meer van overtuigd dat alles in orde zou komen.

Maar die avond, nadat de meisjes naar bed waren, ze de laatste hand legde aan het opruimen van de keuken en extra lekkere lunchpakketten voor de volgende dag had klaargemaakt, draaide Kyle zich van zijn computer om en zei: 'Hier staat dat het binnen vierentwintig weken moet gebeuren, en geen uitvluchten. Dus je zorgt er maar voor, babe. Je maakt morgen een afspraak, oké? Laat het niet langer sloffen.'

Sadie bleef met open mond en de theedoek in de hand staan.

'Ik doe het niet, Kyle,' zei ze ten slotte. 'Ik ga niet ons kind vermoorden, wat je ook zegt.'

'In dat geval wil ik dat je vertrekt. Ik wil je dit niet aandoen, en de meisjes ook niet, maar het is je eigen beslissing. Ga je moeder maar vertellen dat je binnenkort bij haar komt wonen, tenzij je andere plannen hebt.'

'Kyle! Doe me dit niet aan. Doe dit Tamzin en Georgie niet aan!'

'Ik ben niet degene die dit doet. Dat doe je zelf. Jij bent zwanger geworden. Jij zou verdomme aan de pil moeten zijn, wist je nog? Het is jouw keus, precies zoals ik zei.'

'Je mag je eigen kind niet vermoorden, Kyle.'

'Kom daar niet mee aanzetten! Het is niet mijn kínd. Het is een kwakje kikkerdril. Het is een vlokje. Het is niets. Ze geven je alleen maar een injectie, dat is alles. Dan is het klaar. Als je het snel laat doen, is het niet eens een abortus.'

'Kyle, het is nu al een leven! Een kostbaar leven.'

'Het is geen kostbaar leven als je het niet wilt. Ik ben er nog niet klaar voor om vader te zijn. Ik wil de verantwoordelijkheid niet.'

'Als je het ziet, wil je dat wel, dan wil je het in je armen nemen. Ik weet zeker dat het een jongen is, want bij de meisjes was ik niet misselijk. Dan wil je hem wel, Kyle.'

'Ja, en wat voor soort vader ben ik dan? We hebben schulden,

Sade. We wonen in een piepklein huis. Ik kan deze baan zomaar kwijt zijn. Lees je de kranten dan niet? Melkveehouderijen gaan aan de lopende band op de fles, vooral kleine bedrijven als dit.'

'Dan vind je wel weer een andere baan. Er zijn andere boerderijen.'

'Luister, ik blijf erbij. Je laat het volgende week doen en daarmee basta. We kunnen ons niet nog een kind veroorloven, discussie gesloten. Als je ermee door wilt gaan, moet je 't in je eentje doen. Duidelijker kan ik het niet zeggen.'

6

'Ik heb besloten om echte uitnodigingen te laten drukken,' zei Alice tijdens het avondeten, 'en ik heb bedacht dat jij misschien een paar oude foto's voor me kunt opzoeken. Ze zitten allemaal in die dozen met familiefoto's, in de woonkamerkast. Ik wil foto's met bijzondere gebeurtenissen, zoals die in Cornwall waar we met z'n allen op staan. Het was iemands verjaardag, volgens mij van Marina, want het moet in augustus zijn geweest. Dat soort dingen wil ik – speciale gebeurtenissen door de jaren heen – dan maak ik er een soort collage van en zet die op de voorkant van de uitnodiging met het bedrukte gedeelte aan de achterkant, zoals van die kerstkaarten die mensen sturen waarop ze laten zien wat er in het afgelopen jaar met hun gezin is gebeurd.'

'Zo'n afschuwelijk vertoon van periodieke opschepperij, bedoel je?' zei David. 'Die zo zijn gemaakt dat de ontvanger zich als een jaloerse mislukkeling gaat voelen, met lelijke, talentloze kinderen en een saai leven?'

Alice lachte. 'Nee! Helemaal niet!'

'Kun je je die kaart nog herinneren die we een keer kregen met een foto van iemands húís op de voorkant en binnenin een lijst van alles wat ze er in het afgelopen jaar mee hadden gedaan? Nieuwe badkamers en vloerverwarming, geloof ik. Totaal niet in de geest van Kerstmis, daar was geen sprake van een nederige stal.' Zijn stem droop van het sarcasme.

'David! Hou daarmee op! Kom niet met een van je stokpaardjes op de proppen terwijl ik je iets probeer te vertellen.'

'Ik wil geen foto's van mij op welke voorkant dan ook.'

'Doe niet zo raar. Jij staat er niet alleen op, hoewel ik erover heb zitten denken of we die foto van ons samen tijdens het universiteits-bal konden gebruiken, toen we net verloofd waren.' David gromde. 'Volgens mij zijn twaalf foto's genoeg. Wij, de kinderen, de klein-kinderen...'

'Hebben we wel foto's van de kleinkinderen? Van allemaal, be-doel ik? Ook van de nieuwste? Van Mo staan er wel honderden op de computer. Marina heeft haar hele dossier vanaf de baarmoeder en daarna opgestuurd. O, hemel! Hebben we Sabine en Agnes wel? Want Ollie en Lisa zijn getrouwd zonder dat zij erbij waren, en we hebben geen trouwfoto's toen de meisjes bruidsmeisjes waren. We moeten er een paar van de vorige zomer hebben, maar ik weet niet of die wel geschikt zijn. Wil jij daarnaar kijken? Als ze niet goed zijn, moet ik Lisa vragen of ze me een paar wil sturen.'

David luisterde maar half, want elke paar seconden keerden zijn gedachten terug naar Julia en hij ging verschillende scenario's langs van wat er met haar gebeurd kon zijn. Een misverstand kon hij uit-sluiten, want uit de e-mails bleek duidelijk wat de afspraak was. Het kon zijn dat ze van gedachten was veranderd, maar dan was het grof en onvergeeflijk dat ze hem niet had gebeld om de lunch af te zeggen. Misschien had ze wel een verschrikkelijk ongeluk gehad, maar dat was niet waarschijnlijk. David herinnerde zich dat Julia altijd te laat kwam op faculteitsvergaderingen, de zenuwachtige excuses, de extra aandacht die dat altijd vergde. Ze gedroeg zich niet volgens de regels en verplichtingen die het leven van andere mensen bepaalden.

Het was een opluchting om thuis te zijn, in de keuken de worstjes te eten met de pot hyacinten op tafel. Alice was aandoenlijk blij ge-weest met zijn gebaar en had niet veel gevraagd over zijn lunch. Het was te ingewikkeld om uit te leggen dat zijn ex-collega niet was ko-men opdagen en dat het hele gedoe tijdverspilling was geweest. Het was gemakkelijker om te doen alsof het gewoon was doorgegaan maar dat er weinig te melden viel.

Alice was er trouwens toch met haar hoofd niet bij. Ze had een half uur met Marina aan de telefoon gezeten om te bespreken of en hoe ze baby Mo naar Syrië moest meenemen om met Ahmeds familie kennis te maken. Hij vermoedde dat Marina zenuwachtig was voor de vlucht en de risico's als ze eenmaal in Syrië waren. Ze was altijd al een dramakoningin geweest. Het was typisch iets voor haar om voor een partner als Ahmed te kiezen, een dissidente journalist die in eigen land uit de gratie was geraakt. Een normale, alledaagse Engelsman zou voor haar bij lange na niet controversieel genoeg zijn geweest. Ahmed kwam kennelijk uit een rijke familie met een groot huis in de buitenwijken van Damascus, in dezelfde buurt als de Britse ambassade, zo was hem verteld, wat wel handig was als Ahmed gearresteerd en in de gevangenis gegooid zou worden, iets wat Marina scheen te verwachten.

Alice was zo verstandig geweest om haar gerust te stellen. Ze waren het er beiden over eens dat Ahmed haar niet in gevaar mocht brengen of Mo aan risico's mocht blootstellen, en ze beloofde dat ze op haar werk aan de kinderarts zou vragen hoe het zat met baby's en vliegen.

Wat maakten ouders tegenwoordig toch een toestand om kleine kinderen, dacht David. Toen Charlie een paar maanden oud was hadden Alice en hij twee maanden in een gammele eend door Frankrijk en Spanje getoerd, gekampeerd waar dat maar kon terwijl Charlie in een rieten mandje sliep. De laatste keer dat Marina en Ahmed uit Londen waren gekomen, waren ze gearriveerd in iets wat ze een *people carrier* noemden, alsof ze op militaire oefening waren, terwijl de achterbak van het tankachtige voertuig was volgeladen met spullen.

'Arme Annie,' zuchtte Alice plotseling. En toen, op een heel andere toon: 'Dit zijn heerlijke worstjes. Ik vraag me af of je die ergens anders dan op de markt kunt krijgen. Ik dacht erover om worstjes op het feest te doen.'

'Waarom "arme" Annie?' David kon niet bedenken of hij iets

moest weten waardoor Annie in aanmerking kwam voor Alice' meegevoel.

'Dat heb ik je verteld! Ze is haar baan kwijt. Dat online redactie-gedoe. Ze klonk vandaag heel erg in de put. Ik heb haar gezegd dat ze altijd weer een fatsoenlijke baan kan nemen als Archie volgend jaar naar school gaat.'

'O ja? Hoe dan?'

'Nou, dat weet ik niet. Maar mensen doen dat toch? Ze moeten natuurlijk wel kinderoppas regelen, maar het kán in elk geval.'

'Ik dacht dat ze liever voor de kinderen wilde zorgen nu ze nog zo klein zijn.'

'David! Dat soort dingen kun je niet zeggen! Moeders hebben het recht om al dan niet voor werk te kiezen.'

'Ik zou denken dat je om te beginnen de keus hebt om kinderen te krijgen, niet of je voor ze wilt zorgen.'

'Jíj zou denken!' riep Alice uit. 'Je staat zo snel met je oordeel klaar en je bent zo conservatief! Waag het niet dat tegen haar te zeggen.'

'Vrouwen met kleine kinderen die weer aan het werk gaan zijn een nachtmerrie, dat heb ik zelf meegemaakt. Ze willen altijd vrij, vroeg naar huis en borstvoeding kunnen geven, het grootste deel van de tijd lopen ze te klagen over hoe moe ze wel niet zijn en ze willen minder doen dan de anderen.'

'Dat is toch logisch! Hoewel je zonder meer oneerlijk bent. Hoe kun je anders een baan met kleine kinderen combineren? De verantwoordelijkheid voor huis en haard komt nog altijd op de vrouw neer, waar of niet? Je kunt je toch zeker niet voorstellen dat Charlie tegen zijn rector zegt dat hij 's middags geen les kan geven omdat Archie ziek thuis is? Dat gebeurt gewoon niet.'

'Ik zou denken dat als Archie ziek thuis was, Annie juist bij hem thuis wíl blijven. Jíj zou bij onze kinderen thuis willen blijven, toch?'

'Ja, natuurlijk, en Annie ook. Ze is een heel toegewijde moeder, maar dat betekent toch niet dat ze niet meer mag werken? Het systeem zou zo flexibel moeten zijn dat het dat soort noodgevallen kan opvangen.'

'Is kinderen opvoeden niet een aaneenschakeling van noodgevallen, grote of kleine, waar óf de ene óf de andere ouder bij moet zijn?'

'Met jou valt niet te praten,' zei Alice, behoorlijk kwaad, maar terwijl ze opstond om de borden op te stapelen, dacht ze aan Sadie, Marina en Annie, en ze vroeg zich af waarom geen van hen een bevredigende oplossing had kunnen vinden. Echt, in haar tijd was het gemakkelijker geweest, toen ze bij de kinderen thuis was gebleven totdat Sadie naar de middelbare school ging en niemand meer van haar verwachtte dat ze fulltime moeder was.

Maar ik heb dan ook eigenlijk niets bereikt, dacht ze. Ik heb geen carrière gemaakt. Niet in de ogen van welke moderne jonge vrouw dan ook. Ik heb een aantal aan het gezin aangepaste baantjes gehad. Ik heb van m'n werk genoten en genoeg verdiend om me onafhankelijk te voelen, maar dat is het dan ook. Als je bedenkt dat ik een mooie Engelse graad heb, had je meer kunnen verwachten. Maar eerlijk gezegd was echtgenote en moeder zijn het enige wat ik wilde. Voor mij is dat altijd het belangrijkste geweest. Alice probeerde zich in een andere rol voor te stellen: als echtscheidingsadvocaat of een vrouwelijke predikant in toga, die na de zondagochtenddienst bij de kerkdeur de handen van haar parochianen schudt. Dat had ik niet gekund, dacht ze. Buiten mijn gezin had ik me nergens anders aan kunnen wijden.

David ontsnapte van tafel en ging naar boven om zijn computer aan te zetten. Hij was niet echt verbaasd toen hij drie berichten van Julia zag, elk bericht vergezeld van een klein uitroepteken in de marge.

lieve david,
het spijt me zo ik was bij mijn zus zoals ik je al heb verteld en ik
had geen idee dat salisbury zo ver was ik dacht dat ik er maar
twintig min of zo over zou doen en dat bleek ruim een uur en ik

ging al aan de late kant weg omdat mijn zus vroeg of ik mee wilde om een cottage te bekijken die ze misschien wil kopen en ik merkte dat ik mijn mobieltje had laten liggen en toen ik daarachter kwam was het al te laat om terug te gaan en het op te halen en ik had je telefoonnummer niet want dat zat in mijn telefoon wat zul je wel niet van me denken het spijt me zo.

Het tweede was precies hetzelfde, per ongeluk verstuurd, vermoedde hij, maar in het derde stond: *ik moet je nog steeds spreken maar ik neem aan dat je daar nu geen zin meer in hebt.*

Dat wist David eigenlijk niet precies, maar hij besteedde niettemin een aantal minuten aan een antwoord.

Lieve Julia,

Natuurlijk vroeg ik me af wat er met je was gebeurd en ik ben blij dat je geen ongeluk hebt gehad. Ik heb ongeveer een uur op je gewacht en toen maar aangenomen dat je niet meer kwam. Als je echt nog een volgende afspraak wilt, laat ik tijd en plaats aan jou over.

Groeten,
David

Wat wilde ze trouwens van hem? Voor iemand van haar leeftijd was hij een oude man. Hij had het gehad, waarbij met 'het' iets nuttigs werd bedoeld. Zoals Alice hem daarstraks al had gezegd, was hij behoudend en stond hij snel met zijn oordeel klaar, hoewel hij eigenlijk niet inzag wat daar nou mis mee was.

Hij dacht liefdevol aan Alice. Hij had haar zo gemakkelijk kunnen afleiden. Er waren slechts twee pond biologische worstjes en wat gekissebis over de rol van de vrouw voor nodig geweest om haar af te leiden van wat hij had uitgespookt. Hij was in de verleiding gekomen om eerlijk te zijn over de misgelopen afspraak met Julia, maar het was een stuk minder ingewikkeld geweest om zomaar een verhaal op te hangen. Hij beschouwde het niet als een leugen. Het was eerder eigenbelang.

Plotseling ging achter hem de deur open en hij schrok schuldig op.

'Wat ben je hierboven aan het doen?' vroeg Alice. 'Waarom kom je niet beneden om me gezelschap te houden?'

David probeerde haastig het computerscherm weg te switchen. 'Ik check alleen maar even iets,' mompelde hij terwijl hij haar het zicht probeerde te belemmeren. 'Ik kom zo beneden.'

Alice kwam naast hem staan. 'Weet je,' zei ze op bedachtzame toon, 'door al dat gedoe met de meisjes – Sadie, Annie en vanavond Marina – begin ik te denken dat we veel geluk hebben gehad, David.'

'Hoe bedoel je, "geluk"?' Het verdomde ding wilde niet uit en Alice moest de inbox van zijn e-mail nu duidelijk zien, maar ze leek het niet te merken. Ze was te druk bezig met haar aankondiging.

'Toen we zo oud waren als zij was het leven eenvoudiger voor ons. Er waren minder keuzes, dat weet ik wel, en de verwachtingen waren misschien niet zo hooggespannen, maar echt, als jonge vrouw had ik alles wat ik wilde: jou en vier gelukkige, gezonde kinderen. Ik heb nergens spijt van.'

Eindelijk, en gekmakend traag, ging Davids computerscherm op zwart en kon hij opgelucht op Alice' hand kloppen die ze op zijn schouder had gelegd.

'Blij dat te horen!' Hij stond op het punt om er 'ouwetje' aan toe te voegen, maar wist dat in te slikken.

'En dat is de belangrijkste reden voor dit feest,' vervolgde ze. 'Omdat we nooit iets hebben gevierd. We hebben nooit stilgestaan bij ons gezinsleven. We mogen dan fouten hebben gemaakt, achteraf gezien sommige dingen verkeerd hebben gedaan en ons misschien over de verkeerde dingen zorgen hebben gemaakt, maar ik vind dat we ons best hebben gedaan, David, echt. En kijk nou eens, we zijn nog altijd een gelukkige, hechte familie. Dat vind ik een prestatie, echt waar!'

David keek naar zijn vrouw op. Haar gezicht was nogal roze en hij zag dat ze het heel ernstig meende. Hij wist niet waar deze uitbarsting van gevoelens vandaan kwam. Voor zover hij kon beoordelen was hun gezinsleven nog even chaotisch en problematisch als altijd, maar Alice leek door deze vreemde fase heen te gaan, met om te beginnen het feit dat ze per se dit feest wilde geven. Hij vroeg zich af of het toe te schrijven was aan een postmenopauze of een andere mysterieuze vrouwenkwaal.

'Dat komt door jou, Alice,' zei hij en hij meende het. 'Jij bent het middelpunt.' Hij stond op. 'Kom. We maken een fles wijn open. We kunnen allebei wel een glaasje gebruiken.'

Terwijl hij haar voorging en de trap af liep, dankbaar dat hij de dans maar net was ontsprongen, legde Alice haar arm om zijn middel. 'Je haar zit echt leuk!' zei ze op speelse toon. 'Je bent nog steeds een sexy man, weet je.' David dacht aan hoe het was geweest toen ze jong waren en hij het heerlijk vond wanneer Alice het initiatief nam om te vrijen. Nu wist hij zo net nog niet of hij dat wel aankon, en zeker vanavond niet, nu hij zich behoorlijk gebroken voelde.

Na twee glazen wijn viel Alice met open mond in slaap op de bank. David liet het voor wat het was, dronk gedurende de rest van de avond de fles leeg en keek naar een misdaadfilm op tv waarin een wanhopige echtgenoot op hun trouwdag zijn vrouw vermoordde om er met haar zus vandoor te kunnen gaan.

Vanuit het oogpunt van de man was het allemaal een hopeloze verspilling van tijd en moeite. Om te beginnen was het een tactische fout dat hij het lijk in Windermere had verstopt. David probeerde zich voor te stellen hoe hij Alice in haar geheel in zwart plastic wikkelde en dat met tape dichtmaakte. Het zou nu een hele klus zijn om haar in de kofferbak van een auto te stouwen en vervolgens in een klein, wankel bootje dat eruitzag alsof het zo zou kunnen kapseizen. Hij was blij dat hij nooit de neiging had gehad om haar te vermoorden, en hij zou er zeker niet met haar zus Rachel vandoor willen gaan. Hij was altijd maar wat blij geweest dat Alice en Rachel zo totaal verschillend waren, dat hij voor de lieve en ontspannen zus had gekozen en niet voor het bazige exemplaar dat met het ouder worden dik en meer carrièregericht was geworden. Als Alice niet had geslapen, dan had hij haar dat verteld. Misschien had hij zelfs wel gezegd dat hij van haar hield, wat de waarheid was, want dat deed hij. Alice was het fundament onder zijn leven.

Maar toen ze wakker werd en een kop decaf-thee zette, was de film afgelopen en begon er een voetbalwedstrijd. David vergat wat hij wilde zeggen en Alice leek over haar romantische neigingen heen te zijn. In plaats daarvan maakte ze een kruik klaar, at een paar koekjes uit het blik en ging gapend en alleen naar bed.

Annie wachtte met opzet tot de jongens in bed lagen en Charlie met een stapel opstellen van de zesdeklassers was gaan zitten om die na te kijken, voordat ze hem vertelde dat ze overbodig was geworden. 'Trouwens,' zei ze met bedachtzame stem, terwijl ze voor de tafel stond en een schaduw over de stapel papieren wierp, 'ik ben mijn baan kwijt. Dat hoorde ik vandaag.'

Charlie legde zijn pen neer en keek haar bezorgd aan. 'O, liefje. Waarom? Waarom in hemelsnaam?'

'Ze heffen het filiaal op. Economische redenen, denk ik, en ik pas kennelijk niet langer in het bedrijfsprofiel. Ik kan niet zeggen dat het me verbaast. Volgens Jennifer worden filiaalmanagers schriftelijk afgeserveerd, zonder waarschuwing vooraf, dus werknemers zijn amper geïnteresseerd in mijn informatieve artikeltjes over het gebruik van een ladder. Ze zijn niet achterlijk, ze weten wat de echte boodschap van het management is: "Je mag verdomme blij zijn als je nog een baan hebt en we zullen er wel voor zorgen dat je daar pas op het laatste moment achter komt."'

'De klootzakken! Nou, eerlijk gezegd ben ik blij dat je er niets meer mee te maken hebt.'

'O, ja?' Annie schoot onmiddellijk in de verdediging. 'Het was tenminste werk.'

'We hebben het hier toch al over gehad,' zei Charlie, met moeite zijn geduld bewarend, alsof hij het tegen een van zijn vierdeklassers had. 'Je hoeft niet te werken, en zeker niet in zo'n baan. We kunnen het wel stellen zonder dat schamele loontje dat je ervoor kreeg.'

Annie sloeg haar armen over elkaar en keek hem nijdig aan. 'O, is dat zo? Het was tenminste míjn geld.'

'Dat zeg je altijd, maar wat maakt het uit wiens geld het is? Waarom vind je altijd dat dat er iets toe doet? Ik vind toch ook niet dat mijn salaris alleen van mij is?'

'Oké, dat is waar, maar zo voelt het voor mij wel. Zo komt het op me over. Moet je horen, sinds ik van school kwam ben ik min of meer onafhankelijk geweest en mijn "schamele" baantje betekende wel dat ik een eigen inkomen had, hoe klein ook.'

'Dus het gaat allemaal om geld, hè?'

'Je weet dat dat niet zo is. Het gaat erom wat dat rotbaantje vertegenwoordigde.'

Charlie stond op en liep naar de keuken voor een biertje. 'Ik begrijp het niet,' zei hij terwijl hij de la opende voor de flesopener. 'Wat vertegenwoordigde het dan? Het vertegenwoordigt niet je werkelijke waarde als professioneel journalist, absoluut niet!'

Annie liep achter hem aan, leunde tegen het aanrecht en zei: 'Dat is zo, dat weet ik. Het was een verschrikkelijke baan, maar daarmee had ik wel iets buitenshúís, los van de jongens. Het was een verbinding met de volwassen wereld.'

Charlie zuchtte. Hij was zich als een docent gaan kleden, in corduroy broek, geruit overhemd en wollen trui. Hij woelde met zijn handen door zijn haar. Zijn gezicht stond vermoeid. Hij werkt te hard, dacht Annie. Ze stelde zich voor dat de paar vrouwen binnen het team hem wel aantrekkelijk zouden vinden. Ze stelde zich voor dat hij een verhouding had en aan de een of andere in zijn bed liggende vrouw uitlegde dat zijn vrouw een ontevreden kreng was.

'Je bent gewoon nooit gelukkig, hè?' zei hij. 'Na de geboorte van Rory vond je het verschrikkelijk in Londen. Je vond het verschrikkelijk om weer aan het werk te gaan en hem bij die oppas achter te laten. Je had een bloedhekel aan je baan, de redacteur, de buitenlandse opdrachten, je was altijd boos en uitgeput. Toen we het erover hadden om te verhuizen en een nieuw leven te beginnen, wilde je dat net zo graag als ik. Bedoel je soms te zeggen dat je er nu spijt van hebt?'

'Ik heb van sómmige dingen spijt!' riep Annie uit en ze gooide haar armen in de lucht. 'Natuurlijk heb ik dat. Waarom doe je alsof het een misdaad is als ik dat toegeef? Jij zegt dat ik altijd klaag over werk, maar dat is zó oneerlijk. Ik had genoeg van sommige aspecten ervan, maar ik had net een kind gekregen, in godsnaam, jij werkte de hele dag buiten de deur en voor ons beiden was het geen goede tijd.'

'Ik ga echt niet terug, hoor,' zei Charlie rustig. 'Ik ga voor geen goud weer in de City werken.'

'Dit gaat niet om jóú! Het is duidelijk dat het met jou wel goed gaat. Het is duidelijk dat jij dol bent op je baan en die afschuwelijke rector aan wiens voeten jullie allemaal liggen, en die hele verdomde school!' Ze liep achter Charlie aan naar de zitkamer terug. Hij draaide zich om en keek haar verward en gekwetst aan.

'Waarom doe je zo naar? Ben je mij soms zat, want zo klink je wel. Je lijkt dit in een persoonlijke aanval op mij af te willen reageren.'

'Het gáát niet om jou, dat vertel ik je de hele tijd al. En als dat al zo is, dan is het omdat je niet kunt invoelen wat er in me omgaat. Je begrijpt niet dat dit allemaal om míj gaat.' Annie hoorde haar stem trillend van zelfmedelijden overslaan en ze kon er niets aan doen.

'Dit allemaal?' zei Charlie. Hij keek met een verwarde gezichtsuitdrukking om zich heen, alsof het antwoord te vinden was in de comfortabele woonkamer waar ze stonden. 'Leuk huis – twee keer zo groot als onze flat in Londen – tuin, platteland, twee gelukkige, gezonde kinderen, genoeg geld! Wat wil je nog meer, Annie? Weet je, soms maak ik me zorgen om je. Ik ben bang dat er iets aan je ontbreekt, dat je niet in staat bent om dankbaar te zijn voor wat we hebben, of dat je niet kunt inzien hoeveel geluk we hebben. Je wilt alles maar de grond in boren, hè? Het dorp, de school, mijn baan, alles. Maar ik kan je wel vertellen dat ik er genoeg van heb, en ik maak me zorgen over wat al dat negatieve gedoe met de kinderen doet. Vroeger was je nooit zo.'

Annie stond te trillen op haar benen toen haar woede op hem zich plotseling tegen haarzelf keerde. Hij had natuurlijk gelijk. Alles wat hij over haar zei, dacht ze zelf bijna dagelijks. Ze kromp wanhopig op de bank ineen.

'Nou, wat kan ik dan doen?' riep ze uit. 'Wat moet ik dan? Ik kan er toch niets aan doen dat ik dit voel!'

'Als je nou eens om te beginnen jezelf in de hand probeert te houden,' raadde Charlie haar resoluut aan. 'Verman je.'

Door die opmerking laaide haar woede weer op. 'Hoe durf je zo tegen me te praten, alsof ik een van je verdomde leerlingen ben die een driftbui krijgt?'

Charlie zuchtte, ging naast haar zitten en pakte haar hand. 'Oké. Sorry. Laten we dit stap voor stap doornemen. Als we nou eens beginnen met het feit dat je verontwaardigd bent omdat ik lesgeven heerlijk vind.' Toen ze hem wilde onderbreken, stak hij een hand op om haar het zwijgen op te leggen. 'Ontken het maar niet, Annie, want je weet dat het zo is.'

'Daar gaan we weer, elk gesprek dat we voeren begint en eindigt altijd met jóú! Wat mij stoort is dat je elke ochtend vertrekt om iets te gaan doen waar je van houdt, met mensen die je graag mag in een stimulerende en voldoening gevende omgeving, terwijl ik hier elke dag vastzit. Jij wilt misschien graag dat ik er genoeg aan heb om huisvrouw te spelen, cupcakes te bakken en alles spic en span te houden, maar dat is dan verdomd jammer. Dat is niet zo. Ik word er gek van. Ik ben eenzaam en depressief, en als je minder zou opgaan in je eigen cocon van schijnheilig geluk zou je de moeite hebben genomen om te zien wat er met me gebeurt.'

'Denk je dat ik dat niet heb gemerkt? Daar gaat dit hele gesprek over. Ik weet gewoon niet wat ik moet doen om daar verbetering in aan te brengen. Ik dacht dat we alles hadden wat we wilden. Jij verlangde meer naar kinderen dan ik. Jij zorgde beide keren dat je zwanger werd. Ik weet nog hoe gelukkig je was, bijna zelfvoldaan, omdat je zo gemakkelijk zwanger werd terwijl een aantal van je vriendinnen het met ivf moesten doen. Het gevolg van kinderen krijgen is dat je je leven moet veranderen. En dat is voor ons beiden veranderd. Kijk nou eens hoe het nu met ons gaat in vergelijking met vijf jaar geleden.'

'Praat niet tegen me alsof ik achterlijk ben!' Annie rukte haar hand los. 'Jij hoeft me er heus niet aan te helpen herinneren dat ik kinderen wilde of de veranderingen die ze met zich meebrengen. Zoals jij het zegt, lijkt het alsof ik niet van ze hou.'

'Je zit er altijd over te klagen dat je voor ze moet zorgen, alsof het een soort straf is.'

'Hoe durf je! Hoe durf je zoiets te zeggen!' Annie sprong op. Hoewel ze woedend op hem was, was dat enerzijds omdat ze wist dat wat hij zei waar was, en anderzijds omdat ze dat niet wilde toegeven. Als het eenmaal was gezegd, was het gezegd. En wat dan? Ze was doodsbang om zelfs maar over de rand van die afgrond te kijken. Als ze toegaf dat ze het grootste deel van de tijd niet van haar kinderen of hun gezelschap genoot, zou haar leven uit elkaar vallen. Alle zorgvuldig gestrikte knopen die dat bijeenhielden zouden losglippen, waarna ze naar een plek zou glijden waar ze niet eens aan wilde denken.

'Moet je horen,' zei Charlie met die begripvolle stem van hem, 'vind je dat je hulp nodig hebt? Moet je niet naar de dokter? Als je vindt dat je depressief bent, althans.' Het scheen Annie toe dat hij het woord 'depressief' deed klinken alsof ze persoonlijk verschrikkelijk tekortgeschoten was.

'Dat weet ik niet. Ik heb tijd nodig om na te denken, maar ik voel me beledigd als je zegt dat ik zit te klagen omdat ik voor de jongens moet zorgen. Ik heb ze elke dag, terwijl jij gewoon thuiskomt en...'

'Nu doe je het weer. Je moest jezelf eens horen.'

'Ik leg alleen maar uit dat ik het leeuwendeel van de kinderen op m'n bordje heb, en dus...'

'Omdat ik een baan heb, Annie. Ik werk!'

'Precies!'

'En ik wil je er wel op wijzen dat als ik op tijd thuis ben, ik wanneer ik maar kan mijn portie bijdraag, ook in de schoolvakanties.'

'Ja, maar waarom moet het op die manier? Waarom kan ik niet buitenshuis werken? Waarom niet, nu Archie vier ochtenden per week op de peuterschool zit en in september naar school gaat?'

'Hoe zie je dat voor je? Er moet iemand thuis zijn. Hij gaat een half semester alleen de ochtenden en zelfs daarna, als hij fulltime naar school gaat, zijn hij en Rory om half vier klaar. In welke baan kun je dat nou regelen? En hoe moet het dan met de grote vakantie, voor- en najaarsvakanties, vrije dagen en wanneer een van hen ziek is? We waren het erover eens, Annie, dat de kwaliteit van hun jeugd het zwaarst weegt. We waren het erover eens dat we ze niet over wilden laten aan een of andere ontgoochelde au pair. Bedoel je soms te zeggen dat we daar helemaal van afstappen?'

'Alsjeblieft, Charlie, drijf me niet zo in het nauw! Ik bedoel helemaal niets te zeggen. Ik zeg alleen dat ik graag alternatieven wil overwegen zonder dat jij me zegt dat ik naar de dokter moet. Misschien doe ik dat wel, maar dan is het mijn beslissing. Kijk, ik baal er echt van dat ik mijn baan kwijt ben. Oké? Kun je dat accepteren? Ik weet dat je het een verachtelijk baantje vond dat niets waard was, maar voor mij was het belangrijk. Nu ik het niet meer heb, is het misschien tijd om eens wat verder te kijken, en dat ben ik ook van plan.'

Charlie slaakte een diepe zucht. 'Daar ga je zelf over, denk ik zo. Maar laten we wel wezen, je begrijpt toch wel dat ik in mijn baan geen enkele concessie kan doen, hè? Daar is geen sprake van. Ik weet zeker dat ik tegen het eind van het jaar een betere functie krijg en waarschijnlijk afdelingshoofd word als Geoff Rivers met pensioen gaat.'

'Daar zijn we weer,' zei Annie ijzig. 'Terug bij jou.' Ze stond op, haatte hem. Ze had het gevoel dat het hem slecht uitkwam dat ze zich zo ongelukkig voelde, maar meer ook niet. 'Ik ga weg,' zei ze. 'Ik heb even rust nodig.'

Charlie haalde zijn schouders op en ging aan tafel zitten. Hij pakte het eerste opstel van de stapel. 'Wat je wilt,' zei hij. 'Iemand van ons moet het werk doen. En niet zo'n beetje ook.'

In de keuken griste ze haar leren designjack van de stoelleuning – een heel, heel duur designjack van tien jaar oud – en stak boos haar armen in de mouwen. Ze pakte haar tas en sleutels en sloeg de voordeur achter zich dicht. Buiten was de nachtlucht helder en fris, en fel schijnende sterren boorden zich door de duisternis. Een dramatisch ogende maan zeilde er hoog boven langs.

Ze vertrok zonder te weten waar ze naartoe ging. Onder het lopen dacht ze na over hun ruzie. Het was hopeloos en kinderachtig om zo te kibbelen. Waarom konden ze er niet rationeel over praten en naar elkaars standpunten luisteren? Het was niet eerlijk van haar dat ze Charlie zo aanviel, dat wist ze wel, maar ze was zo boos op hem. Wat is er met ons aan de hand, dacht ze, dat we niet eens meer kunnen praten? Het lijkt wel alsof er een enorme wrok komt bovendrijven zodra we het over iets echt belangrijks hebben. Geen wonder dat ik het gevoel heb dat ik stik. Volgens mij komt het uiteindelijk omdat Charlie me geen ruimte geeft. Mijn taak ligt hier, voor de jongens zorgen, en daarmee basta.

Ze stak de hoofdstraat over en liep het verlaten park in, waar de lege schommels heel zachtjes heen en weer bewogen en griezelige, zwaaiende schaduwen op de grond wierpen. Hoe vaak had ze hier wel niet gestaan om de jongens op de schommel te duwen totdat ze oud genoeg waren zelf te schommelen? Archie had de slag nog maar onlangs te pakken gekregen. Ze gaf een ruk aan de houten draaimolen, die piepend in beweging kwam alvorens ze doorliep naar Hampton Road. Ze had al op de website van de school gekeken op welk nummer Fiona woonde en even later opende ze een gammel tuinhek en stond ze voor een rood bakstenen rijtjeshuis. De gordijnen van de kamer beneden hingen open en ze zag Fiona op een bank in een doorgebroken woonkamer een krant zitten lezen, waarvan het grootste deel aan haar voeten lag. Ze zag er groot en solide uit, en droeg een soort geruite houthakkershemd met spijkerbroek. Zonder aarzelen klopte Annie aan.

Uren later, toen Annie de sleutel in het slot van de voordeur stak, was het huis in duisternis gehuld. Charlie had er niet aan gedacht om het buitenlicht aan te laten of zelfs het ganglicht maar. Het was laat – over tweeën – maar ze was klaarwakker en ging liever niet naar boven om te gaan slapen. Ze wilde het liefst in de woonkamer muziek luisteren of tv-kijken, maar ze waagde het niet de kinderen te storen, dus in plaats daarvan tastte ze in het donker naar het lichtknopje in de keuken en zette water op om iets warms te drinken.

Ze had een buitengewone avond gehad. Fiona bleek grappig, slim en onderhoudend, en voor het eerst in tijden was Annie meer geïnteresseerd in het leven van een ander dan in dat van haarzelf.

Onder een glas sterke cider was ze te weten gekomen dat Damon door middel van donorsperma was verwekt, dat Fiona nooit een serieuze relatie met een man had gehad, zelfs niet zeker was van haar seksuele voorkeur, maar wel wist dat ze moeder wilde worden en dat ook had geregeld. Tot ontzetting van iedereen die haar kende, met name van haar naaste familie. Destijds had ze een begerenswaardige docentenbaan aan de universiteit van Oxford, bij de faculteit theologie en oosterse studies. Na zijn geboorte huilde Damon echter min of meer twee jaar aaneen en werd hij geplaagd door krampen, slapeloosheid en oorontstekingen. Naarmate hij ouder werd, verergerde zijn narigheid en daarna begonnen zijn gedragsproblemen. De peuterschool kon zijn manische hyperactiviteit en onvoorspelbare woedeaanvallen niet aan. En Fiona, uitgeput en doodsbang voor zijn toekomst, was aan het eind van haar Latijn. Ze onderzocht grondig de diagnose die haar huisarts had gesteld, borderline ADD – hij had Ritalin willen voorschrijven om Damon rustig te maken – en besloot haar baan op te geven. Op eigen houtje ontdekte ze dat haar zoon gevoelig was voor een hele reeks voedselproducten en een laag bloedsuikergehalte had. Door zijn dieet aan te passen werden veel van zijn gedragsproblemen verholpen en het was goed voor hem dat ze hem van de peuterspeelzaal in de stad weghaalde en naar het dorp met zijn rustiger levensritme verhuisde. Fiona werkte nu parttime als onlinedocent voor de universiteit.

Annie had daar allemaal naar zitten luisteren en schaamde zich omdat ze zich zo wanhopig voelde. Zij had tenslotte niet te klagen. Vergeleken hiermee was haar leven volmaakt, een perk vol rozen. Ze was vooral onder de indruk van Fiona's toewijding en onbaatzuchtigheid. Ze kon bovendien goed luisteren en toen Annie haar de reden vertelde waarom ze 's avonds bij haar had aangeklopt en nadat Fiona haar binnen had gevraagd, had ze zonder onderbreking haar haperende verhaal aangehoord.

'Ik weet hoe je je voelt,' zei ze. 'Mijn onlinewerk is mijn levenslijn, ook al is het meestal doodsaai en knabbelt het aan het kleine beetje tijd dat ik iets voor mezelf kan doen.'

'Punt is dat Charlie wel gelijk had toen hij zei dat ik genoeg had van mijn eigen echte redactiebaan; en dat had ik ook, maar alleen omdat ik het goed wilde doen en met een baby ernaast was het gewoon te veel. Ik wilde zo graag een goede moeder zijn – veel beter dan mijn eigen moeder was geweest – en ik vond het allemaal zo stressvol. Tot op dat moment was ik ervan overtuigd dat ik de meeste situaties wel aankon, en plotseling lukte dat niet meer. En toen werd ik weer zwanger, wat samenviel met het feit dat Charlie met zijn carrière een andere richting in wilde slaan, en hier zitten we dan.'

'Ja. Terwijl jij je geïsoleerd, ontoereikend en onbegrepen voelt!'

'Jij snapt 't,' zei Annie. 'Maar hoe moet ik nu verder? Ik heb het gevoel dat ik tegen een stenen muur aan loop.' Ze was nu al heel zeker van Fiona. Ze was niet alleen fysiek groot, ze voelde ook dat deze vrouw ertoe deed. Ze was duidelijk heel intelligent.

'Ik ben niet de juiste persoon om je advies te geven. De meeste beslissingen in mijn leven werden door mijn familie als bizar ervaren, of verkeerd. Jij zult je eigen oplossing moeten zoeken.'

'Ja, dat besef ik wel. Maar door met jou te praten krijg ik het gevoel dat ik niet meer moet klagen en de jongens voorop moet stellen, eigenlijk precies wat Charlie zegt.'

'Waarom is het meteen klagen als je je eigen behoeften uitspreekt? Als ze tenminste redelijk zijn. Wat mij opvalt is dat je je echte gevoelens ontkent. Waarom zou elke vrouw geschikt moeten zijn voor het moederschap en voor jonge kinderen moeten zorgen? Dat heb je nu een jaar of vijf gedaan. Misschien wordt het tijd om een andere regeling te verzinnen. Ik geloof niet dat fulltime moeders moreel superieur zijn, jij wel?'

Annie dacht daarover na. 'Nou, ja, in zekere zin wel. Ik heb zonder meer het gevoel dat ik dat moet zijn en dat iedereen die er in mijn leven toe doet dat ook van me verwacht. Ik heb er alleen schoon genoeg van.'

Fiona trok een gezicht en vulde hun glas bij. 'Dan moet je je behoorlijk schuldig voelen.'

'Ja. Wat nog eens door Charlie wordt bevestigd.'

'Weet hij hoe ongelukkig je bent?'

'Hij denkt dat ik afschrikwekkend moeilijk tevreden te stellen ben. Hij vindt dat ik me moet vermannen en moet inzien hoeveel geluk ik heb. En daar ben ik het mee eens. Ik wilde alleen dat ik het kon. Vooral nadat ik jouw verhaal heb gehoord, waar ik trouwens behoorlijk nederig van word.'

'Ik heb er niet voor gekozen en het was allemaal niet gemakkelijk. Ik heb behoorlijk wat tegen m'n zin in gedaan. Ik wil gewoon dat

Damon de beste kansen krijgt die er in het leven zijn, wat in zekere zin egoïstisch is, want hij is tenslotte een verlengstuk van mij. Voor een kind van een ander zou ik het niet hebben gedaan.'

'Ja, dat snap ik wel. Alle ouders zijn hetzelfde. Ze kunnen in het belang van hun eigen kinderen volkomen meedogenloos zijn. Bedenk maar eens hoe ver volkomen eerlijke ouders bereid zijn te gaan om te liegen zodat ze hun kroost op een goede school kunnen krijgen. Ik zou hetzelfde doen. In dat opzicht heb ik geen gebrek aan toewijding. Ik vind het alleen verschrikkelijk om met ze thuis te zitten. Zo, nu heb ik 't gezegd. IK VIND HET VERSCHRIKKELIJK OM MET MIJN KINDEREN THUIS TE ZITTEN!'

'Wat zou een man in zulke omstandigheden doen? Ik heb vaak gemerkt dat het helpt om die vraag te stellen. Dat hielp me toen ik vocht om in het universitaire docentenkorps te blijven en moest opboksen tegen een hiërarchie van blanke, kleinburgerlijke, vrouwen hatende mannen. Daardoor hield ik voet bij stuk en bleef ik gefocust.'

'Nou, in mijn geval zou mijn man de jongens uitbesteden. Hij zou een regeling zien te vinden waardoor hij zijn handen vrij had om te doen wat hij wilde of moest doen, en hij zou zichzelf ervan overtuigen dat het ook in hun belang was.'

'Precies. Dus wat houdt je tegen?'

'Charlie zou het verschrikkelijk vinden, ik zou bang zijn dat iedereen me veroordeelde en zal me wanhopig zorgen maken dat er niet goed voor de jongens gezorgd zou worden.'

'Zou een man dat ook hebben?'

'Nee, Charlie niet. Het zou hem niets kunnen schelen wat wie dan ook er van zou denken. Maar als ik eerlijk ben, zou hij wel heel bezorgd zijn over de kwaliteit van de kinderverzorging en de invloed die ze op de jongens heeft.'

'Benader het dan vanuit die hoek, maar laat je niet weerhouden van wat je echt wilt. Regel de kinderoppas. Dat is zonder meer te doen. Dan kijk je hoe het gaat, zoals ik ook heb moeten doen. Niemand kon

Damon geven wat hij nodig heeft, en daarom heb ik mijn baan op-gegeven. Bij jouw kinderen ligt het lang niet zo gecompliceerd.'

'O god! Ik word alleen al beroerd bij de gedachte! Ik weet om te beginnen niet in wat voor baan ik terechtkom. Ik ben er momenteel helemaal uit. In mijn tak van journalistiek moet je voor de trends uit lopen en ik loop vijf jaar achter.'

'Richt je dan op een ander soort journalistiek, zoals ik dat met lesgeven ook heb moeten doen. Je hebt een rustpauze gehad en nu heb je kinderen, misschien kun je niet meer zo schrijven als vroeger. Je moet nu eenmaal offers brengen, maar onthoud goed dat een man alleen maar een compromis sluit als hij zijn doel kan bereiken.'

Annie zweeg even. Ze was absoluut tipsy door de cider die Fiona had ingeschonken. Morgen zou ze een kater hebben, maar nu dacht ze koortsachtig na en voelde een optimisme dat haar jaren geleden al in de steek had gelaten.

'Heel erg bedankt, Fiona,' zei ze terwijl ze op haar horloge keek. 'Echt, het was geweldig om met je te praten. Ik wist dat je anders was dan de moedermaffia bij de peuterspeelzaal, maar je stelde je altijd zo afstandelijk op dat ik je niet durfde aan te spreken. Ik ben zo blij dat ik vanavond naar je toe ben gegaan. Als ik iets kan doen waar-mee ik jóú kan helpen, moet je het echt zeggen.'

'Ik zou het heel fijn vinden als je het kunt opbrengen om Damon een keer na school te vragen om te komen spelen. Niemand doet dat, weet je, want hij kan heel erg uit z'n bol gaan en dat maakt de kinderen bang, of ze krijgen genoeg van 'm. Als je het niet erg vindt, moet ik ook mee. In elk geval in het begin.'

'Natuurlijk wil ik dat. Trouwens, Archie vindt Damon echt aar-dig. Hij beschouwt hem als een vriend. Wanneer kun je komen?'

En nu, terwijl ze in haar eigen keuken wachtte tot het water kook-te, voelde Annie de naglans van zusterlijke camaraderie. Bij Fiona had ze zichzelf kunnen zijn en haar bekentenis had een enorm ge-wicht van haar schouders weggenomen. Denk als een man! bracht ze zichzelf in herinnering. Schud het schuldgevoel af. Zeg tegen

Charlie dat je er genoeg van hebt en dat er van nu af aan ook met jouw behoeften rekening moet worden gehouden.

Boven draaide Charlie zich om en bewoog in zijn slaap. Toen hij wakker werd, realiseerde hij zich dat Annie niet naast hem lag. Hij spitste zijn oren of hij beneden geluid hoorde en ving een heel licht ruisen op van kokend water en licht getinkel van porselein. Hij werd onmiddellijk herinnerd aan zijn verontwaardiging eerder die avond. Hoe durfde ze zo kinderachtig de nacht in te stuiven en hem in zijn slaap te storen terwijl hij morgen een hele dag moest lesgeven en na schooltijd ook nog een hockeywedstrijd had? God, wat was ze egoïstisch en onnadenkend. Zij kon gemakkelijk tot half twee 's nachts opblijven. Zij had de hele dag geen moer te doen terwijl de jongens op school zaten, en nog minder nu ze dat zogenaamde baantje niet meer had. Ze was vast expres wakker om hem duidelijk te maken hoe verdrietig ze was vanwege hun ruzie. Ze werd al net als haar moeder, een neurotische, bittere vrouw die haar man had weggejaagd en nu haatdragend geloofde dat het leven haar oneerlijk had bejegend. Eerlijk gezegd had hij er genoeg van. Zijn geduld raakte op. Zo konden ze niet doorgaan.

Sadie bedacht dat haar volgende stap een bezoek aan de dokter moest zijn. Dat gaf haar tenminste wat tijd en dan liet Kyle haar met rust. Ze maakte een afspraak met de vrouwelijke arts van de huisartsenpraktijk, een aantrekkelijke vrouw bij wie ze met Georgie was geweest toen die een oorontsteking had. Terwijl ze op een soort Scandinavische, lichtkleurige, houten stoel tegenover dr. Sangsters bureau zat, schatte ze in dat ze ongeveer even oud waren. Ze zag een dunne, gouden ring om de ringvinger van de arts, maar op haar bureau stonden geen gezinsfoto's die daar iets over verraadden. Ze was gekleed in een eenvoudige, korte grijze rok en een duur ogende kasjmier sweater. Ze was lang en slank, met kort blond haar tot achter haar oren. Ze droeg een lange maillot en had haar benen als die van een tiener om elkaar heen gestrengeld. Sadie voelde zich in vergelijking met haar groot en slonzig. Ze trok haar mouwen over haar gekloofde rode handen en de rouwranden van haar nagels.

Als ik andere keuzen had gemaakt, dacht ze, had ik daar aan dat gestroomlijnde bureau kunnen zitten en in mooie kleren recepten kunnen uitschrijven. Als ik maar naar pap had geluisterd. Maar uiteindelijk was ze blij dat ze dat niet had gedaan. Door het raam was de lucht glazuurblauw met voortjagende, wollige, witte wolken. Een behoorlijk warme maartzon scheen naar binnen. Ik zou het verschrikkelijk vinden om hier opgesloten te zitten, dacht ze, en om te moeten gaan met zieke en ongelukkige mensen, en mensen zoals ik, die de boel hebben verprutst. De een na de ander komt de spreekkamer binnen en de aardige, mooie dr. Sangster staat ons te woord met een speciale meelevende glimlach, en gaat vervolgens naar huis om ons allemaal uit haar hoofd te zetten. Professionele afstand, noemden ze dat, dacht Sadie, en ze zou er niets van bakken.

'Wat kan ik voor je doen?' vroeg de dokter, terwijl ze op haar computerscherm keek en zich met een glimlach tot Sadie wendde. 'Sadie, is het toch, hè?'

'Ja,' zei Sadie. Plotseling was ze moe en wist niet zo goed waar ze moest beginnen. 'Om met de deur in huis te vallen, ik denk dat ik zwanger ben. Nou ja, dat weet ik wel zeker. Ik heb de test twee keer gedaan.'

'Wanneer was je voor het laatst ongesteld?' vroeg dr. Sangster met een wel heel stralende glimlach, hoewel Sadie zag dat ze steels naar Sadies hand keek, op zoek naar een ring aan haar vinger.

'Nee, ik ben niet getrouwd. Ik leef met mijn partner samen. Ik heb nog twee kinderen. Niet van hem. Ik ben eerder getrouwd geweest.'

'Hebben we je gegevens hier?'

'Waarschijnlijk niet. Ik ben nog maar kort ingeschreven.'

'Je wilt deze baby toch wel, hè? Ik bedoel, is de zwangerschap gepland?'

'Niet gepland, en ja, ik wil hem houden. Natuurlijk wil ik dat!'

'Mooi zo. Dus dan moeten we je onderzoeken, data bespreken en je inschrijven bij de prenatale kliniek. Je moet een paar formulieren invullen over je gezondheid en zo, en daarna maak ik een afspraak voor je bij het vroedvrouwenteam.'

'Mijn partner wil het niet,' zei Sadie. 'Hij wil het kind niet.' Ze keek naar een reactie op dr. Sangsters knappe gezicht. Die was er niet.

'Heb je al lang een stabiele relatie?'

'We zijn nu bijna twee jaar samen. Ik dacht dat dat lang was. Kyle is wat jonger dan ik. Hij vindt het moeilijk om zichzelf als vader te zien.'

'Zijn er andere spanningen? Werkloosheid? Geld?'

'Nou ja, we zijn blut, maar dat is niets nieuws.'

'Dus hoe ga je dat aanpakken?'

'Nou, ik laat het kind komen.'

'Hm. Ik begrijp het. Wat ga je doen als hij het oneens blijft met deze zwangerschap?'

'Dan moet ik een andere plek zien te vinden. We wonen in een kleine cottage, zie je.' Sadie stelde zich het huis voor waar dr. Sangster elke avond naartoe ging, waarschijnlijk een landhuis, met een Cath Kidston-strijkplankovertrek en misschien een groot houtfornuis in de keuken; een echtgenoot die een fles wijn opentrekt terwijl hij zijn colbertjasje over de rugleuning van een stoel hangt.

'Dan zal ik wel een gemeentewoning moeten aanvragen. Ik heb geen alternatief.'

'Ik begrijp 't. Nou, laat me eens even kijken. Kun je even hier gaan staan?'

Tien minuten later zat Sadie weer in de lichthouten stoel.

'Dus je partner denkt dat je vandaag hier bent om abortus te laten plegen?'

'Ja.'

Dr. Sangster zuchtte, draaide zich naar de computer en typte een notitie. Sadie keek haar wantrouwig aan. Ze wist dat artsen en sociaal werkers twee handen op één buik waren en ze wilde geen enkele bemoeienis van buitenaf, behalve dan voor financiële steun.

'Wat schrijf je op?'

'Ik maak alleen een afspraak voor je met het prenatale team,' zei dr. Sangster, opnieuw glimlachend. 'Je bent een gezonde jonge vrouw en en ik verwacht geen complicaties tijdens de zwangerschap. Je krijgt bij je eerste afspraak ons zwangerschapspakket en je kunt verschillende voorkeuren voor de geboorte bespreken. Heb je nog vragen?'

'Nee, ik geloof het niet. Je zei dat ik één oktober ben uitgerekend? Dat is een mooie dag voor een verjaardag. Dat klinkt als het begin van iets, een nieuw seizoen.'

'Ja! Een prachtige dag,' zei dr. Sangster glimlachend. Ze stond op en begeleidde Sadie naar de deur van de spreekkamer.

Toen Sadie in Kyles truck naar huis reed, was ze zowel opgewonden bij het vooruitzicht van de geboorte van de baby als bezorgd over de toekomst. 'Ik wil je en ik hou van je,' zei ze tegen haar buik. 'Maak jij je maar nergens zorgen over, wurmpje.' Ze kon nog steeds niet geloven dat Kyle echt meende wat hij zei. Ze moest beslissen wat ze hem ging vertellen. Ze werd verscheurd tussen liegen en hem vertellen dat ze een afspraak had voor een abortus om wat tijd te rekken, en zich erdoorheen slaan tot de waarheid boven tafel kwam. Als hij werkelijk meende wat hij zei, dan moest ze nadenken over wat ze nu moest doen. Haar eerste prioriteit moest liggen bij de meisjes, bij hun veiligheid en geluk. Ze had geen geld, dus de mogelijkheden waren beperkt. Ze zou bij de sociale dienst moeten aankloppen voor huisvesting en een uitkering, en misschien kon ze in de tussentijd bij haar moeder wonen. Maar dat was een laatste toevluchtsoord.

Ze kon werkelijk niet geloven dat Kyle haar het huis uit zou zetten, niet na al die tijd dat ze samen waren geweest. Ze hadden zulke fantastische seks gehad en nadat hij haar en de meisjes had gered toen het moeilijk werd, had hij haar gesteund en was hij heel meelevend geweest. Ze had het gevoel gehad dat ze veilig was in zijn sterke, bruine armen. Betekende dat alles dan helemaal niets? Ze wist zeker dat ze macht over hem had, want ze had hem evenveel gegeven als hij haar. Toen ze bij hem introk, was het huis vies, vochtig en akelig geweest en zij had het omgetoverd tot een thuis waarnaar hij 's winters na het melken kon terugkeren; waar warm brood in de oven stond, de houtkachel gloeide, de bedden waren opgemaakt, de keuken was opgeruimd en de tekeningen van de meisjes op de kastdeuren geprikt waren. Ze had hem gegeven wat hij als jongen nooit had gehad: een echt thuis waar van hem werd gehouden. Hij had haar ooit verteld dat er nog nooit een verjaardagstaart voor hem was gebakken, tot het jaar waarin Tamzin, Georgie en zij een chocoladecake met boterroomglazuur hadden gemaakt, met zijn naam erop.

Kon ze hem nou niet laten inzien dat ze met dit kind een nog hechtere eenheid werden? Een gezin was de beste plek waar vanuit je de buitenwereld tegemoet kon treden en 's avonds weer naar kon terugkeren. Ze wilde Georgie en Tamzin zielsgraag het gevoel geven dat ze ergens bij hoorden, zoals haar ouders dat met haar hadden gedaan. Het was voor hen vast niet altijd gemakkelijk geweest, maar ze kon zich niet herinneren zich thuis ooit onveilig te hebben gevoeld of angstig te zijn geweest. Er waren ruzies en impasses geweest – met name tussen haar en haar vader – maar haar ouders waren haar hele leven een rots in de branding geweest, sterk, voorspelbaar, loyaal en samen. Haar vader was wanhopig geweest over de keuzes die ze had gemaakt, maar hij had haar haar fouten nooit voor de voeten geworpen.

Het was niet zo dat ze net als zij wilde worden. Ze hadden een goed huwelijk omdat haar moeder zo onbaatzuchtig was en haar vader in veel opzichten een ouwe sul, en zo'n relatie wilde Sadie niet. Maar ze geloofde nog altijd dat zij en Kyle goed genoeg samenwerkten om dit kind en haar meisjes een geborgen jeugd te kunnen geven.

En ze wilde niet meer alleen zijn. Echt niet. Sterker nog, die gedachte kon ze niet verdragen. Ze moest echter rekening houden met die mogelijkheid als ze Kyle niet op andere gedachten kon brengen. Als ze van hem weg moest, dan had ze geen huis en geen werk. Jezus, wat had ze er een puinhoop van gemaakt. Ze dacht aan de koele, evenwichtige dr. Sangster, die haar zaakjes duidelijk wel voor elkaar had.

Maar nu gaat het om de meisjes, dacht ze tijdens het rijden, en wat er ook gebeurt, ik moet ervoor zorgen dat het voor hen allemaal in orde komt. Door deze baby wordt het heel moeilijk, maar daar kan ik niets aan veranderen. Ik kan de klok niet terugdraaien. Ze stelde zich voor dat ze weer in een huurflat in Yeovil moest wonen, waar ze op een hobbelige bedbank in de woonkamer moest slapen en de meisjeskamer niet veel meer was dan een gangetje met een stapelbed. Daar was geen tuin en was na schooltijd niets te doen, behalve op haar bed naar de tv zitten kijken. Dat kan ik ze niet nog een keer aandoen, dacht ze. Ik moet er iets anders op zien te verzinnen. Ik moet een manier zien te vinden om dat op te lossen.

Ze had nog altijd niet besloten wat ze tegen Kyle zou zeggen toen ze het erf op reed en hem tussen de koeien zag lopen, terwijl hij hier en daar een hand op een schonkige, zwart-met-witte romp legde. Hij hoorde de motor van de truck, keek haar kant op en stak een begroetende hand op terwijl zijn gezicht in een glimlach openbrak. Sadie zwaaide terug, maar haar stemming versomberde. Ook al was ze nog zo optimistisch, hier was ze niet gerust op. Ze stapte uit de truck en liep naar hem toe om met hem te praten. Ze had besloten dat ze hem de waarheid zou vertellen. Ze had geen zin in spelletjes.

Ollie hield woord en had Sabine op een zaterdagochtend meegenomen om een mooie kleine, suikerspinroze laptop te kopen met ingebouwde webcam. Hij was heel lang bezig geweest om verschillende programma's te downloaden, inclusief MSN en Skype, en had hem toen aan haar overgedragen. En los van het feit dat haar moeder had gezegd dat ze erop vertrouwde dat ze verantwoordelijk met internet zou omgaan en dat ze te jong was voor Facebook – terwijl iedereen wist dat al haar leeftijdsgenoten daar al op zaten – was er geen sprake meer van dat ze toezicht hield op het contact met haar vader. Sterker nog, Ollie had in het bijzijn van Lisa verteld dat de reden waarom hij de oude gezinscomputer had vervangen was dat Sabine op die manier beter contact kon onderhouden met Frankrijk.

'En ik dan?' jammerde Agnes.

'Nou, jij natuurlijk ook.'

Sabine had ongerust naar haar moeder gekeken, maar die zat met een kop koffie aan de keukentafel en het leek haar niets te deren. Het was lastig om te bepalen wat ze dacht en Sabine vroeg zich af wat Ollie nou precies over het onderwerp tegen haar had gezegd. Ze hoopte dat hij het tactisch had aangepakt en het niet had laten klinken alsof ze achter haar moeders rug om had geroddeld.

Dus daar zat ze dan, in haar kamer boven, terwijl ze deed alsof ze voor het eten haar huiswerk maakte, maar in werkelijkheid haar e-mails op haar geheime hotmailaccount nogmaals controleerde. Zoals gebruikelijk was er geen bericht van haar vader of Jacqui, ondanks het feit dat ze verschillende e-mails had gestuurd, evenals een paar foto's die ze van de voor haar verjaardag gekregen camera had gedownload. Ze wist dat hij heel wat uurtjes op internet doorbracht, dus het was niet waarschijnlijk dat hij die over het hoofd had gezien. Maar misschien was hij op zakenreis of had hij het gewoon te druk om te antwoorden. Ze had zijn naam op haar nieuwe Skypecontactlijst ingetoetst, maar hij was nooit online en dus kreeg ze ook niet de kans om haar webcam te gebruiken. Sterker nog, ze was nog geen stap dichter dan vroeger bij contact met Frankrijk gekomen.

Ze maakte zich nu zorgen over het feit dat over twee weken de paasvakantie begon en dat er met geen woord gerept was van vliegen naar Bordeaux en wanneer zij en Agnes erheen zouden gaan. Ze had ook uitgevogeld dat Jacqui dan zeven maanden zwanger zou zijn en misschien in bed moest blijven of zo, en dat ze tegen papa had gezegd: 'Deze keer kan ik je meisjes niet hebben, nu niet. Ze moeten wachten tot de baby geboren is.' En dan zou ze na de geboorte te moe zijn of het zou niet goed uitkomen, en dan zouden zij en Agnes langzaam de familie uit gewerkt worden.

Bij die gedachte kreeg ze pijn in haar borst van verdriet, want ze wist dat papa ze eerst een beetje zou gaan missen, er daarna langzaam aan zou wennen dat ze er niet waren en hen uiteindelijk zou vergeten, en dat kon ze niet verdragen omdat ze zo veel van hem hield. Ze wist dat haar moeder graag zag dat ze Ollie als haar vader beschouwde, maar dat was hij niet en ze dacht ook niet dat hij dat wilde. Ze mocht hem graag en zo, maar ze kon nooit zo van hem houden als van haar vader, want bij hem hoorde ze thuis. Ze had net als hij donker, glanzend haar en een olijfkleurige huid; ze was zijn vlees en bloed.

Dus die middag had ze besloten wat ze ging doen. Ze had online al een goedkope vlucht gevonden op de dag na de laatste schooldag. Ze kon alleen niet beslissen of ze haar vader mobiel zou bellen en hem zou vertellen wanneer ze kwam nadat alles was geregeld, en haar moeder daarmee voor een fait accompli te stellen, of omgekeerd. Aan beide kleefden nadelen. Misschien zou papa zeggen dat hij het met Jacqui moest bespreken of dat het op die dag niet goed uitkwam, en erover beginnen wie aan de beurt was om het ticket te betalen. Haar moeder zou geërgerd zijn dat papa op de zaken vooruitliep en een vlucht had geregeld, en zij zou misschien met een reden komen waarom ze dan niet kon – vanwege een afspraak bij de tandarts, bijvoorbeeld – hoewel er op de kalender in de keuken niets stond.

Als haar ouders nou maar gewoon met elkaar praatten en het onderling regelden, maar sinds ze ruzie over geld hadden gekregen, was de communicatie er alleen nog maar slechter op geworden. Dat noemden ze 'alimentatie' en Sabine wist dat het betekende dat papa voor haar en Agnes moest betalen, en dat hij dat volgens hun moeder niet wilde. Dat vond ze verschrikkelijk, alsof er een prijskaartje op haar voorhoofd zat en papa niet de moeite waard vond wat dat vermeldde.

Ze pakte haar mobieltje en deed haar slaapkamerdeur dicht. Agnes was bij een vriendin, dus ze kon haar niet om raad vragen. Maar haar zus leek sowieso anders over haar vader te denken. Ze leek niet te begrijpen dat ze, ook al woonden ze nu in Engeland, hem toch moesten laten zien dat ze nog altijd aan hun vader dachten en dat hij nog net zo belangrijk voor ze was als vroeger. Agnes wilde bijvoorbeeld geen Frans meer spreken, en ze wilde haar naam veranderen omdat ze die met een harde 'g' in het Engels niet mooi vond klinken. Toen Sabine het er met haar over had om met Pasen naar Frankrijk te gaan, had ze een gezicht getrokken en gezegd dat ze dat niet wilde, omdat ze een nieuwe vriendin had, Ruby, wier ouders hadden gevraagd of ze de eerste week van de vakantie met hen meeging naar Ibiza. Mama hoefde alleen maar het vliegticket te betalen en wat zakgeld mee te geven. Sabine had ertegen ingebracht dat ze hun vader moesten opzoeken, dat dat hun plicht was, waarna Agnes tegen haar had geschreeuwd en had gezegd dat ze in haar eentje naar Frankrijk mocht als ze dan zo nodig moest.

Sabine vond het niet erg om alleen te gaan. Ze was gewend aan vliegen en de regionale luchthavens waren in beide landen zo klein dat ze haar weg gemakkelijk wist te vinden. Dus ze moest het zelf regelen, en hoewel ze er niet zeker van was hoe het zou uitpakken, vond ze haar vaders nummer en drukte op de groene knop. Hij antwoordde bijna meteen.

'Sabine, chérie. Hoe gaat het met je, liefje? Ik hoop dat je je best doet.'

'Ja, ja, maar papa, je beantwoordt mijn e-mails nooit.'

'Liefje, het is hier een gekkenhuis. Je weet hoe het kan zijn. Ik heb geen moment tijd voor de dingen die ik wil doen, maar ik vind het heerlijk dat je belt. Je bent een brave meid dat je aan je vader denkt, helemaal niet zoals die ondeugende Agnes. Van haar hoor ik nooit iets!'

'Papa! Hoe zit het met de paasvakantie? Je weet dat we twee weken vrij van school hebben. Kan ik aan mama vertellen dat ik naar jou toe kom? Ik geloof niet dat Agnes meegaat, want zij is gevraagd om mee te gaan naar Ibiza, maar ik wil wel komen. Ik heb een goedkope vlucht naar Bordeaux gevonden. Ik kan je de bijzonderheden mailen.'

'Wacht even, liefje. Jacqui en ik gaan weg, een kleine vakantie voordat de baby wordt geboren. Het is het enige moment dat we nog weg kunnen voordat het te laat is en Jacqui niet meer mag vliegen.'

'Nou, ik kan toch ook mee? Ik zal je niet tot last zijn.'

'Liefje, we gaan naar West-Indië. Dat is onmogelijk.'

Sabines moed zonk haar in de schoenen. Haar stem trilde toen er tranen dreigden. 'Maar, papa, wanneer zie ik je dan? De laatste keer was met Kerstmis. Ik wil je echt heel graag zien. Ik mis je, papa.'

'Lieveling van me! Ik mis jou ook.'

'Wanneer ben je precies weg? Kan ik dan niet een weekend of een paar dagen komen?'

'Luister, ik zal er met Jacqui over praten. Dan mail ik je. Ik heb mijn agenda niet bij me.'

'Alsjeblieft, papa!'

'Wat is er aan de hand, Sabine? Is er iets mis? Ben je niet gelukkig in Engeland? Is je moeder…?'

'Nee! Nee! Ik ben niet ongelukkig, papa. Alles is prima. Ik wil je alleen maar zien.'

'Oké, liefje. Ik bespreek het met Jacqui en dan hoor je van me. We gaan wel kijken wat we eraan kunnen doen.'

Zelfs nadat ze lief afscheid van elkaar hadden genomen en het gesprek beëindigden, wist Sabine dat er niet veel hoop was. Ze vertrouwde er niet meer op dat haar vader deed wat hij beloofde. En niet alleen hij, dat gold voor alle volwassenen. Als er één ding was dat ze van de scheiding had geleerd, was het wel dat volwassenen het vaak mis hadden en dat ze heel vaak mensen in de steek lieten, ook al was dat niet hun bedoeling.

Ze ging achterover in haar stoel zitten en dacht na. Als Agnes wegging, dan wilde mam haar misschien ook wel uit de buurt hebben, zodat zij en Ollie hun neukprogramma konden voortzetten. Hoe vaker je het deed, hoe groter de kans dat het dikkopje zich aan het eitje hechtte, dat was wel duidelijk – ze hadden het bij biologie over de menselijke voortplanting gehad – en hoe groter de kans was dat er een baby kwam. Sinds Ollie er met haar over had gepraat, was het haar opgevallen dat er een thermometer op de badkamerplank lag en die hoorde bij het proces, om het juiste tijdstip in mams menstruatiecyclus te bepalen. Ze wilde over dit gedoe niet nadenken maar ze kon er niets aan doen. Ze had zich zelfs afgevraagd hoe het zou zijn om Ollie op de mond te zoenen, met tongen en al, en het met hem te doen. Ze vond het afschuwelijk dat ze zo vulgair was.

Ze zou dus zelf een vlucht via internet moeten boeken zodra haar vader de datums had doorgegeven. En ze zou Jacqui moeten bellen als hij niet opschoot en die niet per e-mail zou sturen. Ze kon de creditcard van haar moeder gebruiken en het geld later van haar vader terugkrijgen. Daarna zou ze gewoon in Pompignac opduiken, ze zou behulpzaam en niet tot last zijn, pap zou zich herinneren hoe het was om haar als dochter te hebben en dan zouden ze met z'n allen gelukkig zijn.

Dan zouden ze later kunnen zeggen: 'Weet je nog die keer vlak voordat Etienne' – of Luc, Alexander, of hoe hij ook ging heten – 'werd geboren en we dat en dat hebben gedaan?' Ze zou weer deel gaan uitmaken van papa's leven en niet alleen een herinnering uit het verleden zijn. Ze wist nog die ellendige tijd toen ze zich schreeuwend aan haar moeder had vastgeklampt omdat haar ouders zo'n ruzie hadden. Papa had een stoel gegrepen en die boven zijn hoofd gehouden alsof hij die naar haar toe wilde gooien. 'Stop!' had ze ge-gild. 'Niet doen, papa! Niet doen!' Haar moeder had hem opge-stookt en geschreeuwd: 'Toe dan! Gooi 'm dan, klootzak!'

Ze wist dat haar ouders nooit meer bij elkaar zouden komen en echt, dat wilde ze ook niet. Ollie was een betere man voor haar moe-der, dat zag ze zo, bij hem was ze gelukkiger en veiliger. En Jacqui had haar vader weten te temmen zodat hij nu een minder lastige en rustiger man was geworden. Ze zag wel dat alles beter was dan vroe-ger, los van het gevecht om geld en de bitterheid die was gebleven. Het was zo moeilijk te geloven dat haar vader geen geld wilde beta-len voor haar en Agnes. Hij was altijd zo vrijgevig jegens hen; hij kocht stapels spullen, waar haar moeder dan over zanikte als ze weer thuis waren. Waarom probeerde hij eronderuit te komen om hun eten, busgeld en schooluniformen te betalen? Waarom weiger-de hij te betalen voor Sabines klarinetlessen terwijl hij haar nota bene de liefde voor Mozarts klarinetconcert had bijgebracht door dat voortdurend in de auto te laten horen? Haar moeder had hem door de telefoon daarover de huid vol gescholden, terwijl Sabine op de trap stond en smeekte: 'Niet doen! Het maakt niet uit! Doe nou niet!' Uiteindelijk had Ollie aangeboden om haar lessen te betalen, maar toen wilde ze eigenlijk al niet meer en was er na een semester mee opgehouden.

Nu ze een plan had, voelde ze zich beter. Als ze morgen na school-tijd nog niets van papa had gehoord, zou ze Jacqui bellen om de da-tums van hun vakantie te achterhalen en dan zou ze haar vlucht boeken en tegen haar moeder zeggen dat haar vader had geregeld dat ze naar Pompignac kon, en dat was dan dat. Ze zou in haar een-tje de shuttle vanaf het vliegveld nemen, dan een bus vanuit de stad en vanaf de hoofdweg gaan lopen. Het maakte haar niet uit dat Jac-qui haar slaapkamer tot babykamer had omgetoverd, want dat ver-wachtte ze toch wel. Ze kon in Agnes' kamertje slapen; ze zou waar dan ook slapen.

Ze wist niet wat ze de rest van de vakantie zou gaan doen. Het zou leuk zijn om Ollies ouders te zien. Ze mocht Alice en David graag en ze vond het heerlijk bij hen thuis. Ze had Alice' e-mailadres. Misschien kon ze haar een berichtje sturen, vragen hoe het met ze was, en met Roger, en zeggen dat ze uitkeek naar het feest, haar vertellen dat ze tijdens de paasvakantie haar vader zou zien. David was altijd geïnteresseerd in haar leven in Frankrijk en zei dat het een prachtig land was. Op een dag, zei hij, zou hij graag willen dat Sabine hem meenam naar haar huis en hem Bordeaux zou laten zien, een mooie stad, zo had hij gehoord. Ze mocht graag denken dat dat kon. Ze stelde zich hem in Pompignac voor, terwijl hij met papa over wijn praatte. Het was alsof ze dan twee kanten van haar leven bij elkaar bracht.

7

*A*lice had zo naar haar vrije dag uitgekeken dat ze zich afvroeg of het niet tijd werd om haar baan maar helemaal aan de wilgen te hangen. Ze genoot ervan in de keuken rond te scharrelen, het ontbijt klaar te maken zonder dat ze op de klok hoefde te kijken en zich te moeten haasten, en ze genoot van het vooruitzicht dat ze een hele dag voor zich had waarop ze kon doen en laten wat ze wilde. Sinds David met pensioen was, wilde ze graag iets samen met hem doen: een wandeling over de laagvlakten van Dorset en een lunch in een pub, een ritje naar zee of anders een hele dag klusjes doen in de tuin of in huis en een hele lading spullen naar de kringloopwinkel brengen.

Op zo'n moment voelde ze zich het dichtst bij hem, wanneer ze konden praten als het maar in hen opkwam, tijdens de lunch een fles wijn soldaat maken, herinneringen uit het verleden ophalen, het over de kinderen of kleinkinderen hebben, zich afvragen wat de toekomst zou brengen, zoals bijvoorbeeld of ze in dit veel te grote huis zouden blijven wonen. Moesten ze met hun leeftijd niet naar een geschikter oord verhuizen, en wat voor oude dag stond hun trouwens te wachten? Ze zouden het zeker niet breed hebben; Alice had door haar parttime baantjes niet veel pensioen, en hun spaargeld leek steeds minder zekerheid te bieden naarmate het land verder in de financiële crisis wegzakte. In ongewisse tijden was het huis hun zekerheid.

Het was lastig om met David over de toekomst te praten. Hij had een sombere angst voor een lange, oude dag en was bang dat zijn gezondheid steeds verder achteruit zou gaan. Hij betwijfelde of hij met de moderne geneeskunde even netjes en rustig, en zonder gedoe, zou sterven als zijn ouders, die een jaar na elkaar waren overleden. En Alice vroeg zich soms af, vooral wanneer ze door de financiële pagina's van de zondagskrant bladerde, of hij hun geldzaken wel goed op orde had. Ze had het altijd helemaal aan hem overgelaten om zo nodig met hun spaargeld te schuiven en nooit gevraagd of ze de financiële voorzorgsmaatregelen voor de toekomst mocht inzien, zelfs geen kosten-batenoverzicht van hun gezamenlijke financiën. Zij beheerde hun lopende rekening, en de kleine erfenis van haar vader zat vast in het bouwfonds waarin ze die had belegd. Ze was zich er vagelijk van bewust dat ze lui en zelfgenoegzaam was, maar een van de voordelen van het huwelijk was zekerheid op de langere termijn en het zich laten welgevallen dat haar man de zaken regelde die naar haar gevoel tot zijn domein behoorden. Ze pretendeerde niet eens iets te weten van verzekeringen, spaargeldregelingen of aandelenportefeuilles.

Vandaag, dacht ze, terwijl ze uit het keukenraam naar de tuin keek, waar de lentezonneschijn danste op het gras dat bezaaid lag met de resten van de winter, en naar de met matten afgedekte bloemperken, konden David en zij wel wat gaan opruimen. Ze konden het gras aanharken, de bloembedden omspitten en bedenken welke planten ze voor het feest zouden neerzetten. Misschien konden ze in het tuincentrum doen wat echtparen nu eenmaal deden: met een karretje rondrijden en samen de beplanting bespreken.

Ze zette een pot koffie, legde wat croissantjes in de oven en liep daarna de trap op om David te roepen. Ze hoorde een gedempt antwoord, de deur van zijn slaapkamer ging open en hij stak de overloop naar de badkamer over. Alice ging weer naar de keuken en ging zitten om een blik op de krant te werpen.

Een paar minuten later werd er op de voordeur geklopt, gevolgd door een druk op de bel, wat Alice verbaasde, omdat ze dacht dat die stuk was. Die stond op Davids klussenlijst en net als al het andere schoot die bepaald niet op. Roger begon te blaffen en liep achter haar aan de gang door.

Op de drempel stond een tengere, jonge vrouw met blond haar dat ergens achter op haar hoofd was opgestoken en waaruit losse slierten waren ontsnapt die om haar gladde, bleke gezicht hingen. Ze droeg een omslagcape met een loshangende, ongelijke zoom, een lange zwarte rok en het soort schapenvachtlaarzen dat Sadie wel droeg. Ze was behangen met armbanden, kralen en oorringen, en over haar schouder droeg ze een stevig uitziende tas met gespen en kettingen. Ze leek zelfs verbaasd om Alice te zien.

'Hallo,' zei Alice. 'Kan ik iets voor je doen?' Het meisje had zich vast in de deur vergist.

'Ik ben op zoek naar David, dr. David Baxter, maar misschien…' Roger kwam kwispelend naar voren om haar rok te besnuffelen.

'Nee, nee. Je bent hier goed, hoor. Dat is mijn man.' De twee vrouwen keken elkaar aan, Alice glimlachte beleefd en de jonge vrouw nam dat verbaasd in zich op.

'O, ik begrijp het. Nou, ik wilde alleen maar…'

Waar was het klembord? dacht Alice. Het meisje was vast een of andere marketingonderzoeker, hoewel ze er niet erg professioneel uitzag.

'Ik heb vroeger met hem gewerkt. We waren collega's op de universiteit. Hij heeft aangeboden me met een paar dingen te helpen…' Haar stem stierf weg en ze keek de straat door alsof ze naar iemand zocht of een ontsnappingsroute plande.

'O. Ik begrijp het. Nou, kom maar binnen. Ik heb net koffiegezet. Hij komt zo beneden. David!' riep Alice naar boven. 'David! Er is iemand voor je. Wist hij dat je zou komen? Hij heeft het er niet over gehad… maar hij is dan ook verschrikkelijk vergeetachtig. Momenteel lijkt hij het nogal druk te hebben met universiteitszaken. Hij heeft gisteren geluncht met een ex-collega van hem, ik weet niet precies wie het was.' Ze waren nu bij de keuken aangekomen en Alice draaide zich om en zei: 'Ik ben Alice, en jij bent?'

'Julia. Julia Fairfield. Twee jaar geleden heb ik met David samengewerkt. Sindsdien heb ik hem niet meer gezien. Eigenlijk had ik een behoorlijk traumatische tijd op de faculteit… seksuele discriminatie, dat soort dingen, en David was heel vriendelijk.' Ze praatte in nerveuze, korte zinnen en ze fladderde met haar handen om haar mond, die, zoals Alice opmerkte, glansde van de lipgloss. 'Ik heb liever geen koffie, dank je wel. Heb je toevallig groene thee? Zo niet, dan is warm water met een schijfje citroen ook goed.'

'Ja, hij was vast heel vriendelijk,' zei Alice terwijl ze in de kast naar wat alternatieve, door Sadie achtergelaten theezakjes zocht. 'Dat zeiden zijn studenten ook altijd over hem. Hij deed een hoop moeite voor ze. Dus wat doe je nu?'

'Ik logeer bij mijn zus. Ik…'

Op dat moment kwam David binnen. Alice had haar rug naar hem toegekeerd om nog een kop uit de kast te halen en ze zag niet de uitdrukking van afgrijzen op zijn gezicht.

'O!' zei hij, en hij slikte moeilijk terwijl hij nerveus kuchte. 'Hemeltje! Julia! Je hebt zeker je cv meegenomen.' Hij draaide zich naar Alice om. 'Ik heb beloofd Julia te helpen met… eh…'

Alice wendde zich af, vulde hun koppen en schonk melk in een kan, vond in een la theelepeltjes en in de keukenkast bruine suiker. 'Zo!' zij ze. 'Ik laat het theezakje zitten, dan kun je dat er zelf uit halen.' Op dat moment had de vloeistof in de kop de kleur van vijverwater.

'O, bedankt,' mompelde Julia.

'Zal ik jullie dan maar alleen laten?' zei Alice. 'Waarom nemen jullie je thee niet mee naar de zitkamer? De verwarming staat uit, maar het is er volgens mij wel lekker warm. Willen jullie een koekje?' en ze draaide zich weer naar de kast om een van de blikken te pakken.

David maakte van de gelegenheid gebruik om hevig in Julia's richting te gebaren: niets zeggen over gisteren! Julia staarde hem niet-begrijpend aan.

'Niet erg opwindend, vrees ik,' zei Alice, terwijl ze in het koekblik tuurde. Ze had besloten geen croissants aan te bieden, te veel gedoe met jam, boter, bordjes en al die kruimels. 'Hier, David, neem jij het theeblad maar. Julia, loop achter hem aan.'

Ze deden beiden wat hun gezegd werd, met Roger achter hen aan, die vooral geïnteresseerd was in de koekjes, en Alice hoorde dat de deur achter hen dichtging. Nou, dacht ze, terwijl ze achter haar koffie, een warme croissant en de krant ging zitten, dát was nog eens onverwacht. Ze zou David er later mee plagen dat hij helemaal was vergeten dat er een mooie jonge vrouw op bezoek kwam, aangenomen uiteraard, dat dit was afgesproken. Het meisje, Julia, of hoe ze ook mocht heten, leek een nerveus schepseltje, maar zag er kennelijk geen been in om mensen voor haar karretje te spannen. Al dat gedoe met die groene thee was daar wel een voorbeeld van. Ze kon zich niet herinneren dat David haar ooit als collega had genoemd. Hij leek slecht op zijn gemak in haar gezelschap en Alice vermoedde dat hij geen hoge pet ophad van haar professionaliteit. Typisch iets voor hem om haar nu te helpen. Hij was altijd extra aardig voor hopeloze gevallen, zoals de man met wie hij gisteren had geluncht.

David sloot de deur achter zich en zette het theeblad voorzichtig op de salontafel. Hij ging rechtop staan en keek naar Julia, terwijl hij probeerde te ontdekken waarom ze hier was, waar hij zich precies in had gewerkt. Hij zag haar weer voor het eerst sinds twee jaar en ze zag er nog precies hetzelfde uit, in elk geval niet ouder. Misschien zat haar haar een beetje anders, tot achter op haar hoofd opgestoken. Het leek wel of het meer was dan vroeger en hij stelde zich voor dat het los op haar rug hing. Hij zat vol vragen. Natuurlijk kon ze gemakkelijk achter zijn adres komen, maar wat bezielde haar in hemelsnaam om langs te komen? Wat dacht ze wel niet?

Julia had zich heel klein opgerold op een hoekje van de bank. Haar lange jas en rok zwierden op de vloer en haar armbanden rinkelden terwijl ze de stof over haar knieën gladstreek. 'Het spijt me zo,' zei ze met haar meisjesachtige stem. 'Het spijt me zo als dit slecht uitkomt. Ik dacht dat je vrouw werkte. Ik wist niet dat ze hier zou zijn. Ik kwam me alleen voor gisteren verontschuldigen. Ik ben op weg naar Cornwall, zie je. Ik kan een week of twee in de cottage van een vriendin logeren en ik zag op de kaart dat je op de route woonde, dus dacht ik even langs te wippen om mijn excuses aan te bieden, en je persoonlijk te zien...'

David was opgelucht, alsof de situatie, die hem bizar en onwelkom toescheen, nu weer wat hanteerbaarder was.

'O, laat maar zitten, hoor!' zei hij opgewekt. 'Maar ik had het Alice niet verteld en misschien had zij het vreemd gevonden... daarom trok ik van die malle gezichten naar je in de keuken.'

'O, vandaar,' zei Julia. 'Jeetje, heb ik je in verlegenheid gebracht?'

'Helemaal niet. Nou ja, dit is wel een mooie gelegenheid om even naar je cv te kijken.' Hij keek naar de tas die met het hengsel aan Julia's voet vastzat. 'Ik neem aan dat je dat bij je hebt?'

'Nee, nee. Ik heb er niet aan gedacht het mee te nemen.' Ze keek verschrikt bij het idee.

'Nou, misschien kunnen we grofweg iets opschrijven waarmee je verder kunt. Je kunt me toch een concept mailen? Helpt dat?' Hij stond op om pen en papier te pakken.

'Ja, maar het punt is dat ik nu eigenlijk niet goed kan nadenken – professioneel gesproken dan – omdat alles in mijn leven zo'n chaos is.'

David ging weer zitten. 'O jee,' zei hij slapjes. 'Je had het erover dat je huwelijk op de klippen is gelopen. Ben je nu gescheiden?'

'Nog niet. We liggen nog met elkaar overhoop met advocaten en zo. Ik heb het huis moeten verkopen. Het is een afschuwelijke toestand. Declan, mijn man, wil nergens voor betalen. Ik zit tot over m'n oren in de schulden. En als klap op de vuurpijl ben ik mijn baan kwijt. Ik gaf les aan een particuliere businessschool, die van de ene op de andere dag over de kop ging en niemand van ons heeft betaald gekregen.' Julia wachtte even, streek haar haar achter haar oren en slikte moeizaam terwijl ze haar vochtige ogen naar het plafond opsloeg.

'O jee,' zei David nogmaals en hij begon in paniek te raken. Als dit zo doorging, zou hij Alice erbij moeten roepen.

'Ik vind het echt verschrikkelijk dat ik hiernaartoe ben gekomen. Dat had ik niet moeten doen, maar weet je, wanneer je werkelijk in de puree zit, is het verbazingwekkend hoeveel mensen van wie je dacht dat ze je vrienden waren zomaar verdwijnen. En ik bleef er maar aan denken hoe aardig je voor me was en dat ik je gewoon moest zien. Zo, nou heb ik 't gezegd. Als je wilt, mag je me wegsturen. Ik was niet gekomen als ik had geweten dat je vrouw thuis was.'

'O, Alice vindt het niet erg,' zei David, die niet precies wist waar Julia op uit was.

'Weet je nog, die dag in het café?' vervolgde ze. 'Ik ben nooit vergeten dat er zo'n sterke band tussen ons was. Ik weet dat ik impulsief ben, maar als ik me ooit tot iemand aangetrokken voel – je zou het karma kunnen noemen – kan ik zo'n oprecht gevoel niet ontkennen. Ik moet me erdoor laten leiden.'

David was inmiddels compleet de weg kwijt. Wat bazelde ze nou?

'Ik wilde alleen…' begon hij, maar Julia onderbrak hem.

'Nee,' zei ze, 'Het was niet "alleen" maar iets, behalve dat jij de enige was die vond dat ik onheus werd bejegend. Toen ik daarna terugkeek op mijn periode op die faculteit zag ik pas hoezeer je me hebt gesteund en begon ik te beseffen wat je werkelijk voor me voelde. Ik heb mezelf tóégestaan om dat te accepteren voor wat het was toen ik me bewust werd van het positieve effect van energieoverdracht op afstand. Sterker nog, ik realiseerde me dat je sterke gevoelens voor me had.'

David stond op en keek haar verschrikt en verward aan, maar voordat hij er iets tegen in kon brengen, was ze opgesprongen en drukte ze zich zoals hij daar met zijn kop in de hand stond tegen hem aan, zo hard dat hij haar kleine borsten voelde en haar stevige dijen tegen zijn benen.

'Hé!' zei hij terwijl hij zijn hand uitstak op zoek naar een plek waar hij zijn kop kon neerzetten. 'Hé! Wat krijgen we nou?' Nu hij zijn handen vrij had probeerde hij zich los te wurmen, maar ze zoog zich als een slak aan hem vast en algauw klopte hij vertroostend op haar haar, terwijl hij zich uit haar greep probeerde los te werken.

Ze was echt heel knap, hij was vergeten hoe knap, en toen ze haar kleine zachte handen optilde om zijn gezicht omlaag te trekken zodat hij er niet meer omheen kon om haar in de ogen te kijken, gaf hij het op, duwde haar niet meer weg en liet zich door haar op de mond kussen. Hij merkte zelfs dat hij daarin meeging, maar zich herstelde en zei: 'Nee, nee, Julia, echt. Mijn vrouw...'

'Zeg niet dat dit verkeerd is. Dit is niet verkeerd. Dit is prachtig en zeldzaam. Voel nou de goede energie die tussen ons in stroomt.'

David bedacht dat Alice daar hoogstwaarschijnlijk anders tegenaan zou kijken en hij was zich er ongemakkelijk van bewust dat ze slechts een paar meter bij hen vandaan met haar kop koffie in de keuken zat. Elk moment kon de woonkamerdeur opengaan en kon ze tevoorschijn komen.

'Niet hier!' zei hij, terwijl hij zich bevrijdde en zich realiseerde dat zijn woorden suggereerden dat het ergens anders wel goed was, wat hij zo niet bedoelde. Hij kon geen jonge vrouwen zoenen die half zo oud waren als hij.

'Waar dan? Ga met me mee naar Cornwall. Ik heb twee weken een cottage geleend.'

'Onmogelijk. Ik ben een getrouwd man, Julia.'

'Maar niet gelukkig! Ik wist altijd al dat er iets van onderdrukking en incompleetheid om je heen hing. Later realiseerde ik me dat je fijne energiebanen geblokkeerd waren. Je chakra kan niet ademen.' Ze wierp een kritische blik door de kamer met al zijn sjofele huiselijkheid. 'David, ik bied je een gelegenheid om opnieuw liefde en passie te beleven, echt waar. Ik weet zeker dat Alice geweldig is, maar dit hoeft geen bedreiging te vormen. Het is gewoon een kleine, onverwachte kans om weer te leven. Wil je die niet aangrijpen?'

'Julia! Als je denkt dat ik met jou naar Cornwall kan vertrekken zonder mijn huwelijk in de waagschaal te stellen, dan ben je niet goed bij je hoofd!' Tegelijkertijd dacht David: waarschijnlijk zou het nog lukken ook. Ik zou tegen Alice kunnen zeggen dat ik een paar dagen langs de kust wil lopen. Daar heb ik het vaak genoeg over gehad. Maar geen haar op zijn hoofd die eraan dacht met Julia mee te gaan. Ze was duidelijk gek of ze had een zenuwinzinking. En al dat gedoe over dat hij verliefd op haar zou zijn... Hoe kwam ze daarbij? Aan de andere kant had hij wel medelijden met haar. Kennelijk had ze een verschrikkelijke tijd achter de rug, en dat verdiende ze niet.

'Maar,' vervolgde hij, 'ik vind het heel lief dat je het hebt aangeboden, en ik ben in zekere zin dankbaar dat je zelfs maar zo over me kunt denken.'

Julia ging weer zitten, pakte haar kop thee en staarde afwezig naar Roger, die heel dicht bij de koekjesschaal was gaan liggen, waar hij zijn onverdeelde aandacht op richtte.

'Maar ik moet wel contact met je houden,' smeekte ze en ze keek naar hem op. 'Ik mag je niet nog een keer verliezen. Er is zo veel positieve energie tussen ons.'

'Natuurlijk,' zei hij vriendelijk, 'en als ik iets voor je kan doen... dat meen ik echt.'

'Ik had niet moeten komen,' zei ze pathetisch. 'Ik had wel kunnen weten dat je de moed er niet voor had...'

David voelde zich beledigd. 'Het is geen kwestie van moed. Je mag niet verwachten...'

'Nee, nee. Sorry. Ik begrijp het, echt waar.' Ineens begon ze in haar handtas te rommelen en haalde een paar opgevouwen vellen papier tevoorschijn. 'Ik geef je mijn adres in Cornwall. Als je van gedachten verandert, kom dan. Ik ben daar twee weken. Ik heb de ruimte nodig om mijn gedachten te ordenen en ik wil schrijven. Ik ben er alleen. Kom gewoon.'

Ze vond een pen en schreef in een groot, rond, kinderlijk handschrift het adres op. Ze gaf hem het vel papier.

'Je hebt geen kinderen, hè?' vroeg hij, terwijl het plotseling bij hem opkwam dat dat inmiddels best eens het geval zou kunnen zijn.

'Nee. Goddank niet. Declan wilde ze wel, maar ik kon 't niet, onmogelijk…' Ze sloeg haar ogen neer, haar lip trilde en David wilde haar heel graag in zijn armen nemen. Het arme ding, dacht hij. Het lot is haar absoluut niet gunstig gezind geweest.

'Dus je bent je baan kwijt? Waar gaf je ook alweer les?'

'In Brighton. Ik heb een speciale cursus gevolgd, zodat ik op dit businesscollege Engels als tweede taal mocht geven… nou ja, zo noemden ze het zelf. Ik gaf les aan Russische tieners die ongelooflijk grof en onaangenaam waren. Het verlies van de baan vond ik dus niet zo erg, maar het was wel erg dat ik twee maanden lang geen salaris heb gekregen.'

'O jee. Nou, ik wilde dat ik je op de een of andere manier kon helpen, maar weet je, ik ben met pensioen, dus veel invloed heb ik niet meer.'

'David, dat is niet de reden dat ik hier ben. Ik bedoel, ik heb hulp nodig, maar niet op die manier. Ik heb een counselor die me door een zelfhelend proces heen helpt. Mijn aura is zo akelig beschadigd dat het tijd nodig heeft om zich te herstellen. Maar ik kom er wel. Dat kan ik je beloven!' Ze keek plotseling glimlachend naar hem op en zijn hart smolt weg. Ze had complete onzin uitgekraamd, vond hij, maar dat was niets nieuws. Ze was nog altijd even bekoorlijk.

'Ik kan maar beter gaan,' zei ze en ze stond op. En terwijl ze hem een tweede keer kuste, zag Roger zijn kans schoon en at de schaal leeg.

'Zo, waar ging dat allemaal over?' vroeg Alice toen David de keuken weer in kwam nadat hij Julia, na nog een omhelzing, naar de voordeur en haar auto had begeleid.

Waar moest hij met zijn uitleg beginnen? Hoe deed je zoiets? De hele toestand leek razendsnel uit de hand te lopen. Hij wist niet eens hoe zijn stem zou klinken als hij antwoord gaf. Hij ademde te snel en zijn handen trilden.

'Ze heeft niet de moeite genomen om me gedag te zeggen, heb ik gemerkt. Ze is duidelijk straalverliefd op je, David!' Alice zei het luchthartig, maar Davids hart bonsde en zijn keel was dichtgesnoerd.

'Doe niet zo mal. Ze was volkomen over haar toeren. Haar leven ligt helemaal overhhoop.' Hij zette de koppen in de gootsteen.

'In de vaatwasser ermee!' commandeerde Alice. De telefoon ging en ze nam op. David gehoorzaamde, zag de croissants op een bord liggen, nam er een en smeerde er boter op. Het was beter iets te doen te hebben dan Alice in de ogen te moeten kijken terwijl ze hem ondervroeg. Waar haalde ze het in hemelsnaam vandaan dat Julia verliefd op hem zou zijn?

'O nee! Sadie! Wacht even. Nog een keer. Wat is er precies gebeurd? Nee toch! Sinds wanneer weet je dat? O, Sadie, lieveling!'

O god! dacht David, en hij keek naar zijn vrouw. Haar gezicht was gerimpeld van bezorgdheid. Wat was er nu weer gebeurd?

8

'En?' vroeg David toen Alice ten slotte de telefoon ophing.
'O, David! Het is verschrikkelijk. Sadie is zwanger. Ik zei je
toch dat er iets aan haar mankeerde toen ze hier was. Kyle wil dat ze
abortus laat plegen, maar daar wil ze niet van horen. Hij zegt dat ze
moet kiezen tussen hem en het kind!'

'Wat bedoel je, kiezen tussen hem en het kind? Het is toch zeker
zíjn kind? Vaderschap is geen keus.'

'Nou, het is nu zover dat hij zegt dat als ze geen abortus wil en de
zwangerschap wil doorzetten, dat ze dan uit elkaar gaan. Hij wil er
niets mee te maken hebben. Hij zegt dat hij zijn baan en de cottage
opgeeft en weer wegen gaat asfalteren, of wat hij vroeger ook deed.
Ik neem aan dat hij wel alimentatie moet betalen, maar in wezen
staat het er zo voor. Sadie is absoluut in alle staten.'

'Godallemachtig!' zei David hartgrondig. 'Hoe heeft ze zich in
deze puinhoop weten te werken?' Hij sloeg met beide handen op de
tafel.

'Dat is nog niet eens het ergste! Denk eens aan ons, Sadie was zelf
ook een ongelukje, weet je nog.'

'Maar wij waren getrouwd! En ik nam de verantwoordelijkheid
voor mijn kind. Hoe kan Kyle nou gewoon de boel de boel laten?'

'Hij geeft Sadie de schuld, vermoed ik. Ik denk dat zij voor de anticonceptie zorgde. Hij zegt dat hij haar vanaf het begin heeft verteld dat hij geen kinderen wilde. Zij dacht kennelijk dat hij wel van
gedachten zou veranderen als het eenmaal gebeurd was.'

'Dus ze heeft het in haar eentje gepland?'

'Dat weet ik niet. Dat heb ik haar niet rechtstreeks gevraagd. Ze zei tegen mij dat ze blij was toen ze het ontdekte. Ze wilde Kyles kind. Ze dacht dat ze daardoor een gezin zouden vormen.'

David hief zijn handen wanhopig in de lucht. 'Hoe kunnen ze zich nog een kind veroorloven? Ik dacht dat ze het nu maar net konden rooien.'

'Je weet dat Sadie zich nog nooit door geld heeft laten weerhouden, maar Kyle denkt daar anders over. Zijn belangrijkste argument is dat ze het niet kunnen betalen. En bovendien is hij nog zo jong, nog maar voor in de twintig.'

'Dat zeg je nou wel, maar wij waren even oud toen we Charlie kregen. Wij vonden dat we meer dan volwassen waren. Toen was die moderne, uitgestelde jeugd nog niet uitgevonden.'

'Dávid! Schreeuw niet zo. Wij hoeven er toch geen ruzie om te maken!'

'Ik vind 't ongelooflijk dat ze zo onverantwoordelijk is. Wat is ze nu van plan?'

'Ze zegt dat ze tot de paasvakantie op de boerderij blijft. Ze vraagt of ze daarna met de meisjes hiernaartoe kan komen. Zoals ik al zei, ze denkt kennelijk dat Kyle de baan opgeeft en vertrekt. Hij wil klaarblijkelijk niet meer bij haar en de meisjes in de buurt zijn.'

'Overweegt ze geen abortus?'

'Je kent Sadie. Nog in geen miljoen jaar.'

'Jezus christus! Wat een bende. Ik ben het met haar eens dat je niet zomaar een leven kunt beëindigen omdat het niet goed uitkomt, maar waarom is ze om te beginnen zwanger geworden terwijl Kyle klip-en-klaar had gezegd dat hij geen kind wilde? Dat vind ik onvergeeflijk. Ik bedoel, ze is geen zestien meer, wel? Ze is toch zeker niet grootgebracht in een bouwval met een moeder die de straat op ging met een hele rits "ooms" en een pitbullterriër aan een ketting in de tuin?'

Alice woelde met een hand door haar haar. 'Wat heeft het voor zin om te kibbelen over het wat en waarom? Het is nu te laat. We moeten kijken hoe we haar kunnen steunen, of belangrijker nog, de meisjes.'

'Nou, het lost niets op als ze bij ons komen wonen.'

'Dat is maar tijdelijk tot ze met een oplossing komt. We hebben ruimte genoeg, dus natuurlijk mag ze komen. Dat heb ik ook tegen haar gezegd.'

'En hoe moet het dan met school?'

'Ze hebben twee weken paasvakantie.'

'En daarna? Wanneer die is afgelopen?'

'Sadie zei dat ze hen dan op de een of andere manier naar school moet zien te brengen.'

'Ze heeft geen auto en het is een rit van minstens drie kwartier.'

'Dan moeten we helpen, David! Maak het nou niet nog erger! Ik weet ook niet overal antwoord op.'

'Ik wijs je alleen maar op de voor de hand liggende problemen. Ik ben het met je eens dat we haar moeten helpen, maar we moeten wel realistisch zijn.'

Er viel een stilte terwijl ze elkaar wanhopig aankeken.

'Ik kan het niet verdragen dat Tamzin en Georgie met de zoveelste ellendige situatie opgezadeld worden. Ze zijn nog maar net aan de boerderij gewend of ze moeten alweer weg en weer helemaal opnieuw beginnen.' Alice veegde de over haar wangen rollende tranen weg. 'En weer een kerel die ze in de steek laat! Hoe kunnen ze nou zelf een stabiel en veilig leven leiden als hun jeugd door die mannen is getekend? Hoe kan Sadie ze dat aandoen? Ik weet dat ze dit niet met opzet heeft gedaan, maar hoe kan ze zo zórgeloos met hun leven omspringen? Ze houdt van ze, maar ze lijkt niet te begrijpen welke gevolgen en impact haar daden hebben.'

'Nou, we moeten gewoon zo goed mogelijk de rotzooi opruimen,' zei David resoluut. Hij stond op en legde een arm om Alice' schouders. 'Zoals je al zei, kennelijk is het te laat om er nog iets aan te veranderen. Maar om te beginnen kan ik haar mijn auto lenen, zodat ze de meisjes heen en weer kan rijden, of ik doe dat voor haar.

We kunnen haar helpen woonruimte te vinden. Misschien moeten de meisjes wel naar een andere school. In de omgeving van waar ze nu wonen zullen waarschijnlijk niet veel geschikte woningen te vinden zijn.'

'Als ze van de boerderij weggaat, raakt ze ook haar baan kwijt. Veel was het niet, maar ze was wel bezig. Ze verliest alles.'

'Ze werkte daar alleen maar vanwege hem.' David kreeg Kyles naam niet over zijn lippen. 'Ze heeft een universitaire graad, godbetert! Ze kan wel een betere baan krijgen dan groenten schoffelen. En nu dit!'

'Ze vindt het heerlijk en ze kan het met de zorg voor de meisjes combineren. Dit was haar keus en daar was ze gelukkig mee, David. Ik heb Sadie nog nooit zo gelukkig gezien, en nu dit!'

'Het is een ramp. En ze heeft zo'n goed stel hersens! Ik gooi het op die kloterige, stomme universiteit dat ze deze richting is ingeslagen. Die heeft haar hoofd volgestopt met allerlei onzin en haar opgezadeld met een enorme studieschuld zonder vooruitzichten op een carrière. En nu zitten we ermee.'

'Wat hadden we anders moeten doen? We moesten haar haar eigen keuzes laten maken.'

Ze vervielen weer in een akelig stilzwijgen, terwijl ze aan het verleden terugdachten. David herinnerde zich de heftige scènes toen hij op de een of andere manier invloed op zijn dochter probeerde uit te oefenen, en Alice dacht aan Sadie als een mollig meisje met kuiltjes in de wangen, lief en altijd met een lach op haar gezicht. Ze dacht ook aan Georgie en Tamzin. Misschien moet ik wel voor ze zorgen, dacht ze. Ik kan mijn baan opzeggen en ze onder mijn hoede nemen. Plotseling leek het de voor de hand liggende oplossing. Bovendien kon David helpen. Maar er zou ook een kind komen. Die gedachte ontstelde haar. Kon ze nog wel voor een baby zorgen, met die eindeloze voedingen, luiers verschonen en slapeloze nachten? En waar paste Sadie in dit geheel? Buitenshuis aan het werk in een of ander door David goedgekeurd baantje? Dat leek onwaarschijnlijk.

'Dus wat gebeurt er nu?' vroeg David. 'Je zei dat Sadie daar nu nog blijft? Moet Kyle zijn opzegtermijn niet uitzitten? Of laat hij zijn koeien soms net zo gemakkelijk in de steek als zijn ongeboren kind?'

'Dat weet ik niet. Naar hem heb ik niet gevraagd. Volgens Sadie is hij erg in de war. Zo te horen heeft ze medelijden met hem, geloof het of niet.' Nu ze erover nadacht, had Alice ook medelijden met hem, hoewel ze op dit moment niet precies wist hoe hoog de morele lat lag. Als hij doodsbenauwd was om vader te worden, dan had hij zelf iets moeten doen om een zwangerschap te voorkomen. Ze wist echter van haar werk in de dokterspraktijk dat een abortus vaak werd beschouwd als een vorm van anticonceptie. Met name jonge mannen leken die mening te zijn toegedaan.

'Hij wil dat ik het weg laat halen,' snikte een ellendig tienermeisje dan door de telefoon. Alice hoorde in haar stem het verlangen naar een in een doek gewikkeld bundeltje, waar ze helemaal zelf van kon houden en waarmee ze in een nieuwe kinderwagen rond kon rijden.

'Ik denk dat er niets gebeurt tot de meisjes instorten en dan komen ze allemaal hier. Goddank zijn we nooit verhuisd. Sadie kan in haar oude kamer en Georgie en Tamzin kunnen die van Marina krijgen.'

David kon zich maar al te gemakkelijk voorstellen hoe het huis werd overgenomen en zijn vredige, eenzame dagen werden verstoord. Zijn leven zou weer van hem worden weggerukt. Hoeveel hij ook van zijn kleindochters hield, hij vond de hele toestand rampzalig, voor iedereen.

'In dat geval,' hoorde hij zichzelf zeggen, 'ga ik voordat zij komen misschien wel een paar dagen weg. Ik heb zitten denken om naar Cornwall te gaan en langs de kust te wandelen.'

'Wat? Met Edwin?' Edwin was een oude wandelvriend, een ex-collega van de universiteit die in een naargeestige cottage op Bodmin Moor was gaan wonen. Alice wist zich nog te herinneren dat zijn vrouw uit Cornwall kwam.

'Ja,' zei David. Alice maakte het hem wel heel gemakkelijk. Als ze niet zo werd afgeleid door Sadie, had ze vast doorgevraagd. Maar nu glipte zijn leugen er in een oogwenk doorheen.

Na de lunch werd Alice' dag een stuk vrolijker toen ze over de springkastelen belde en ze hoorde dat haar reservering voor het feest in orde was. Toen ze 's avonds haar e-mails controleerde, vond ze een bericht van Sabine. Ze riep David om het hem te laten lezen. Ze had altijd moeite gedaan om Ollies stiefdochters hartelijk en gastvrij te bejegenen en het was een fijne beloning dat Sabine op haar beurt haar nieuwe familie aardig vond. 'Ze zegt dat ze graag in de vakantie bij ons wil komen logeren! Is dat niet geweldig? Dat is ook leuk voor Tamzin en Georgie. Ik schrijf haar dat ze altijd welkom is. Ze is zo'n grappig, ingetogen klein ding. Stel je eens voor: ze gaat in de paasvakantie in haar eentje naar Bordeaux. Volgens Lisa schenkt hun vader nauwelijks aandacht aan de kinderen, maar Sabine wil er altijd naartoe. Het zal wel iets met loyaliteit te maken hebben, denk je ook niet? Het moet knap lastig voor haar zijn dat Lisa hem steeds door het slijk haalt. Kennelijk heeft haar huwelijk met Ollie niet alle wonden geheeld en volgens mij is ze nog heel bitter. Ze is nog niet met haar leven "verdergegaan", zoals men dat wel noemt.'

Nadat ze het bericht nogmaals had gelezen, besloot ze dat ze Sabine tijdens de vakantie bij de feestplannen zou betrekken zodat ze het gevoel kreeg dat ze door haar nieuwe familie echt met open armen werd ontvangen. Ze kon helpen met de tafelschikking of kaartjes maken of zoiets, misschien wel een grote familiestamboom tekenen, met van ieder een fotootje erbij. Die konden ze dan op die dag ophangen om te laten zien dat de familie net een brede, stevige, diep wortelende eikenboom was.

David berustte er maar in. Na de lunch was hij met Roger gaan wandelen, had Julia ge-sms't en kon verder niets bedenken. Hij dacht terug aan hoe ze haar tengere lijf tegen het zijne had gedrukt, en aan haar bleke nek waarin haar haar in een warrige knot was vastgepind. Hij had voorgesteld dat hij de volgende week voor een paar dagen naar Bay Cottage zou rijden. Eerst had hij 'nachten' ingetypt, maar die tekst had hij snel veranderd. Wie weet kon hij Edwin evengoed bellen. Hij had geen idee hoe het reisje zou uitpakken, dacht hij bij zichzelf. Misschien was het wel volkomen onschuldig en eerlijk. Het enige probleem was dat Alice had gezegd dat het voor Roger wel leuk zou zijn, en dus zat hij met hem opgescheept, evenals met zijn hondenbakken, stinkende dekens en blikken vleesbrokken.

Toen Sadie het eenmaal aan haar ouders had verteld, was ze opgelucht en dankbaar, ook al had ze het gevoel dat ze weer veertien was. Als het nu toch misging, konden zij en de meisjes tenminste ergens heen, en ze voelde zich beter door alleen al op te biechten in wat voor ellende ze zat. Intussen was er een ernstige en verdrietige sfeer tussen Kyle en haar ontstaan, maar ze maakten geen ruzie meer en waren ook niet meer boos. Ze leken merkwaardig genoeg door elkaars gezelschap aangetrokken te worden. Toen de meisjes eenmaal naar school waren, trok Sadie haar rubberlaarzen aan en liep naar de melkweide om te helpen schoonmaken. Ze sloeg Kyle gade terwijl die aan het werk was, bewonderde zijn atletische bouw en sterke bruine onderarmen, en toen de laatste koeien het erf op dromden, liep hij naar haar toe, pakte de bezem van haar over en legde zijn handen op haar schouders.

'Waarom, babe? Waarom heb je dit nou gedaan?' zei hij verdrietig. 'Hebben we niet al genoeg op ons bordje? Waren we dan niet gelukkig?' Ze sloeg haar armen om zijn middel en legde haar hoofd op zijn borst.

'Ik kan er nu niets meer aan veranderen,' zei ze. 'Ik kan de klok niet terugdraaien.'

Tegen lunchtijd gingen ze naar de kamer boven, die Sadie in boterbloemgeel had geschilderd, zodat het schuine plafond glansde.

Zelfs toen ze vrijden, leek dat verdrietig en nostalgisch.

'Waarom, Kyle?' vroeg Sadie met een klein stemmetje. 'Waarom voel je zo? Waarom kun je de zaken niet anders zien?'

'Je zult het nooit begrijpen,' zei hij terwijl hij met zijn vingers over haar borst streek. 'Ik kom niet uit zo'n gezin als jij, waar het gezellig is en iedereen er voor elkaar is.' Die opmerking was een doorbraak, bedacht Sadie. Dit was voor het eerst dat hij iets van zijn gevoelens liet zien.

'Wat is daar nou verkeerd aan? Zo hoort het er in een gezin aan toe te gaan. Jij maakt daar ook deel van uit. Ze zijn er ook voor jou.'

'Dat is om te beginnen al onzin. Zo werkt het niet. Als het zo uitkwam zouden ze me een trap na geven. Ze zijn er alleen voor jou. En je kinderen.'

'Waarom ben je zo tegen een gezin? We waren toch gelukkig? We hebben als een gezin samengewoond.'

'Ja, maar ik heb nooit gedacht dat dat voor eeuwig was. Waarom ook? Het leven is shit en er gebeurt altijd wel weer wat waardoor je bij me weggaat, of ik verlies mijn baan of er doet zich iets anders rampzaligs voor. Voor mij is dat de realiteit en ik wil een kind niet aandoen wat ik in mijn jeugd heb meegemaakt.'

'Maar zo wordt het niet. We worden geweldige ouders, jij en ik. Dit kind krijgt alle liefde van de wereld!'

'Ja, dat zeg je nu. Er loopt ergens een jongen van me rond die niet weet wie z'n vader is. Ik wil er niet weer een naar de sodemieter helpen.'

Sadie gaf geen antwoord. Ze dacht aan Georgie en Tamzin. Waren zij naar de sodemieter geholpen? Natuurlijk had ze spijt van sommige dingen die in hun korte leven waren gebeurd, maar ze had haar best gedaan om hun wat stabiliteit te geven en ze wisten dat er van ze gehouden werd. Dat Kyle ze in de steek liet, was ongeveer het ergste wat hij kon doen en daar kon ze hem kennelijk niet van weerhouden, tenzij ze het leven opofferde van het kind dat ze in haar buik droeg. Als ze nou gewoon zei dat ze abortus zou laten plegen, kon ze dan met haar hand op het hart zweren dat zij en Kyle over tien jaar nog bij elkaar waren? Nee, dat kon ze niet en vervolgens zou ze de rest van haar leven als moordenares door het leven gaan. Ze werd weer overspoeld door de verdrietige toestand en tranen stroomden over haar wangen. Op dit moment hield ze van deze man in wiens armen ze lag, maar de toekomst bleef ongewis. Als ze helemaal eerlijk was, dan kon deze cottage, deze boerderij, niet voor altijd als achtergrond in haar leven dienen, ze wilde meer en dat wist ze.

'Zien we je nog eens? Houd je contact met ons?' vroeg ze.

'Nee,' zei Kyle en hij ging met zijn rug naar haar toe liggen. 'Wat heeft dat voor zin? Ik wil het kind nooit te zien krijgen. Ik wil er niets mee te maken hebben. Wat mij betreft zeg je maar dat ik dood ben. Het is met de meisjes niet anders. Zij zien hun vader ook nooit. Dat is wel zo duidelijk. Dan weten ze allemaal waar ze aan toe zijn.'

Sadie dacht aan haar eigen vader. Ze hadden hun ups en downs gehad, en als tiener had ze meer ruzie met hem gehad dan de anderen, maar stiekem dacht ze dat dat kwam omdat hij van haar het meest hield. Zij was de verwende baby geweest, met wie hij het vaakst was opgetrokken. Ze herinnerde zich de wandelingen en wat ze in de natuur hadden gedaan, vogels spotten, de telescoop die hij had gekocht toen ze belangstelling voor astronomie had getoond. Zelfs toen ze gisteren had gebeld en haar moeder had opgenomen, had ze liever gehad dat het haar vader was geweest. Hij had haar die avond teruggebeld om te vertellen dat hij alles wat in zijn vermogen lag zou doen om haar te helpen, dat ze zijn auto mocht lenen en dat hij de ritjes van en naar school ook best wilde maken. Zijn steun – zonder enige kritiek – had haar aan het huilen gemaakt.

Zoiets had Kyle nog nooit vertoond. Hij wist niet hoe het was als je vader van je hield en je steunde. Geen wonder dat hij geen zin had in die rol.

Kyle stapte uit bed en trok de kleren aan die verspreid over de vloer lagen. 'Ik wil dit niet,' zei hij terwijl hij naar Sadie omlaag kcek. 'Jij hebt dit veroorzaakt, babe. Jij bent degene die er een punt achter zet. Als je dat maar weet.'

Alsof ze dat zou vergeten, dacht Sadie, terwijl ze ook uit bed stapte. Ze was in de groentekas tijdens het courgettes plukken misselijk geweest. Over tien dagen zou ze haar spullen moeten pakken en verhuizen. Al het werk dat ze in het huis had gestopt was voor niets geweest. Ze zou de baas van de boerderij moeten vragen of ze wat spullen mocht opslaan in een ongebruikte opslagschuur tot ze een eigen woonplek had, maar dat kon ze pas doen als Kyle ontslag had genomen, wat hij nog niet had gedaan, en ze wist niet eens zeker of hij het wel zou doen. Ze was daar niet op doorgegaan, want ze klampte zich nog vast aan een sprankje hoop dat hij van gedachten zou veranderen.

Momenteel was er niet veel waar ze zich niet verantwoordelijk voor voelde. Binnenkort moest ze het aan de meisjes vertellen. Het enige goeie was dat ze tijdens de vakantie bij hun grootouders zouden logeren. Daardoor werd de klap van hun vertrek van de boerderij wat verzacht.

Ze ging op bed zitten om haar spijkerbroek te pakken en ving een glimp op van zichzelf in de spiegel aan de muur. Jezus, dacht ze, terwijl ze naar haar gezwollen, vermoeide gezicht keek, wat zie ik er ineens oud uit. Waar is het meisje gebleven? Nog even en dan ben ik moeder van drie kinderen. Een enorme angst overviel haar. Dat weet God, dacht ze, alleen God weet hoe ik dat ga redden.

Ook tussen Charlie en Annie was de sfeer gespannen. Ze was in de kleine uurtjes naar bed gegaan en kon aan de manier waarop Charlie op zijn zij lag zien dat hij boos was. 's Ochtends was hij kortaf, hij zei weinig en ging vroeger dan anders van huis. Annie was van plan geweest om zich positief en grootmoedig op te stellen, en zich te verontschuldigen omdat ze zomaar in een machteloos gebaar de deur uit was gelopen, zo zag ze het nu althans. Maar die kans had ze niet gekregen. Ze had het gevoel alsof ze ondeugend was geweest en dat hij haar nu strafte door haar te negeren, zoals wel door gedragspsychologen werd aangeraden. Dat gevoel werd nog eens versterkt toen ze later een bericht op het antwoordapparaat afluisterde en hij had ingesproken dat hij laat thuis zou zijn vanwege een hockeywedstrijd na schooltijd. Het interesseerde hem duidelijk niet of dit wel in haar plannen paste.

Nadat ze de jongens naar school had gebracht, ging Annie naar haar zolder en begon aan een e-mail aan haar vroegere hoofdredacteur, die nu niet langer het tijdschrift leidde, maar was gepromoveerd naar de luxe, maandelijkse kleurenbijlage van een financiële topkrant. Ze was een kinderloze vrouw van in de vijftig en getrouwd met een Labour-politicus. Aanvankelijk had ze haar jonge personeel op de huid gezeten, maar uiteindelijk was Annie haar gaan respecteren en bewonderen. Ze vroeg of ze ergens in de komende paar weken een lunchafspraak konden maken. Daarna maakte ze een lijst van iedereen met wie ze contact kon opnemen, een eerste, aarzelende stap om zichzelf weer op de rails te krijgen.

De volgende stap in dit proces was onderzoeken hoe ze het met kinderopvang op moest regelen. Als ze inderdaad aan het werk zou komen – en ze moest in hemelsnaam maar aannemen dat ze zo veel geluk had dat ze iets zou vinden – dan zou ze tot september, wanneer Rory naar de grote school ging of vanaf november, wanneer hij daar de hele dag zou zijn, redelijkerwijs drie volle dagen naar haar werk kunnen en twee dagen thuis kunnen werken. Ze zou voor en na schooltijd kinderopvang nodig hebben en als Charlie zijn aandeel niet kon leveren – en om eerlijk te zijn zag ze niet in dat dat ging lukken – zou dat een dure aangelegenheid worden. Hij zou het tijdens de vakanties moeten overnemen of iets anders moeten regelen. Ze wist dat het niet erg inschikkelijk klonk, maar waarom zou ze die verantwoordelijkheid niet op hem afschuiven? Denk als een man! Natuurlijk zou ze het voorzichtig brengen, want ze was niet van plan om hem meer dan nodig tegen zich in het harnas te jagen. Ze wilde hem bij de hand nemen, hem ervan overtuigen dat dit kon werken.

Maar de jongens... de jongens. Annie stond van haar computer op en begon geagiteerd door de kleine zolder te ijsberen. Ze staarde uit het raam. Ze kon nog net het dak van de basisschool zien, de oude klokkentoren van het oorspronkelijke, grijze gebouw, de flits van de felgekleurde portakabins die op het oude speelterrein stonden. Ze had het er nog altijd moeilijk mee om ze aan de zorgen van een of andere vrouw toe te moeten vertrouwen, maar ze zou de beste nemen die er was, echt waar. Dat was ze aan hen verplicht en in de tijd die ze wél met ze doorbracht, zo beloofde ze zichzelf, zou ze geduldig en opgewekt zijn, en zouden ze veel plezier hebben. Ze zou het soort moeder zijn dat ze wilde zijn. Het soort moeder dat ze verdienden.

Impulsief pakte ze de telefoon en belde Alice' mobiele nummer. Er werd niet opgenomen en ze liet geen bericht achter. Ze wist trouwens toch niet goed wat ze moest zeggen, behalve dat ze haar schoonmoeder wilde bedanken omdat die haar het gevoel had gegeven dat ze best wel weer aan het werk kon.

Even later ging de telefoon en het was Alice, die buiten adem uitlegde dat ze haar telefoon niet kon vinden maar dat ze hem in de verte had horen overgaan, en toen ze hem uiteindelijk onder in haar tas had gevonden, was ze te laat.

'Is alles goed?' vroeg ze angstig.

'Ja, ja, prima. Het gaat goed met de jongens. Archie was de klassenster van de week. Hij is ongelooflijk trots op zichzelf.'

'Natuurlijk is hij dat! Hoe heeft hij dat voor elkaar gekregen?'

'Het staat in de schoolnieuwsbrief... moet je horen! "klassenster van de week is Archie Baxter omdat hij zo uitstekend dieren heeft weten te scheiden...", wat dat ook mag betekenen.'

'Uitstekend scheiden van dieren! Het klinkt op de een of andere manier Bijbels, vind je niet? Schapen van geiten scheiden. Heb je het hem niet gevraagd?' Alice klonk opgewekt, maar Annie voelde onmiddellijk een schuldige steek. Ja, natuurlijk had ze dat, maar ze had niet goed naar zijn antwoord geluisterd en nu wist ze niet meer wat hij had gezegd.

'Eigenlijk,' zei ze, 'belde ik je om je te bedanken voor je steun van de week, je weet wel, toen je zei dat ik een beetje in de put klonk omdat ik mijn baan kwijt was. Ik voelde me een stuk beter toen je opperde dat het een goed idee was om te overwegen weer aan het werk te gaan, in een echte baan.'

'O,' zei Alice. 'En, heb je dat gedaan?' Ze dacht aan wat David had gezegd en schrok er een beetje van. Ze had niet de bedoeling gehad om Annie te beïnvloeden. Ze had haar alleen maar willen opmonteren.

'Ja, inderdaad. Het heeft zelfs problemen met Charlie gegeven, die er vierkant tegen is. Toen we uit Londen verhuisden, hebben we volgens hem de beslissing genomen dat ik mijn werk zou opgeven en voor de jongens zou zorgen. Daar zit wat hem betreft geen enkele ruimte in.'

'Dat is typisch iets voor hem. Hij was altijd al ouderwets en koppig. Als klein jongetje kon hij nooit iets verkeerds doen. Je moet een manier zien te vinden om het te doen voorkomen dat de verandering die je doorvoert zijn idee is.'

'Dat is gemakkelijker gezegd dan gedaan. Om te beginnen moet ik het zonder zijn steun doen, vrees ik. Als ik een baan weet te bemachtigen en het met de jongens weet te regelen, wordt het nog een hele dobber om hem ervan te overtuigen dat ik niet iedereen in de steek laat en mijn plichten als echtgenote en moeder niet verzaak.'

'O jeetje,' zei Alice. 'Is het zo erg?' De moed zonk haar in de schoenen. In dit stadium was het niet erg waarschijnlijk dat er een compromis in de lucht zat. Ergens in het gezin Baxter was er een vijandige, ondermaanse samenzwering gaande waardoor het uit balans was geraakt.

'Ja!'

'Ik weet niet wat ik moet zeggen. Het is duidelijk dat jullie daar samen uit moeten zien te komen. Volgens mij had ik er niets over moeten zeggen…'

'O! Nu niet terugkrabbelen, hoor! Ik kan je niet vertellen hoeveel moed dat me heeft gegeven.' Annie hoorde hoe onzeker Alice' stem klonk. Ze wist dat die het verschrikkelijk vond dat ze naar haar gevoel problemen in het huwelijk van haar zoon had veroorzaakt. Maar misschien moest ze maar eens begrijpen hoe de zaken er echt voor stonden.

'Hoe dan ook, ik heb een heel interessante vrouw ontmoet, een moeder van een kind op Archies peuterspeelzaal. Ze zei min of meer tegen me dat ik van m'n luie kont moest opstaan en een baan moest zoeken, als ik dat tenminste echt wilde. Gedraag je als een man, dat zei ze!'

'O! Ik begrijp 't,' zei Alice, en ze stelde zich een of andere furieuze feministe voor die bekeren als haar missie zag. 'Werkt ze zelf ook?'

'Heel erg parttime. Ze is een uitermate slimme vrouw die vroeger aan Oxford heeft gedoceerd, maar haar zoontje heeft wat problemen en ze zorgt liever fulltime voor hem. Ze is een fantastische, toegewijde moeder.'

'Zo te horen is er van een vader geen sprake.'

'Klopt. Damon is via donorsperma verwekt.'

'Hemeltje!' Het duizelde Alice. Ze dacht aan Sadie en haar ongeboren baby, en Tamzin en Georgie – die compleet zonder vader opgroeiden – en deze vrouw had besloten het kind te krijgen van een onbekende man. Wat leken al die regelingen kwetsbaar zonder de stevige basis van een gezin. Wat moest het voor een vrouw een strijd zijn om een kind alles te bieden wat het nodig had. Ze wist nog dat David overal bij betrokken was; hij was dan misschien niet een vader die luiers verwisselde, zoals dat tegenwoordig het geval was, maar hij was wel een solide en liefhebbende rots in het leven van de kinderen.

'Hoe dan ook,' zei Annie, 'misschien wil Fiona wel een gedeelte van de kinderopvang voor haar rekening nemen. Archie zit in dezelfde klas als haar zoon. Dat zou heel goed uitkomen.'

'Ik begrijp het. Nou, veel succes ermee. Ik bedoel, het is nog een beetje te vroeg om er wat van te zeggen en je moet eerst nog een baan zien te vinden.' Misschien zou het allemaal niet zo'n vaart lopen, dacht Alice, maar dat zei ze niet. Waarom kon Annie niet tevreden zijn met de situatie zoals die was? Ze had een leuk huis in een mooi dorp, en Charlie was toch zeker een goede, betrouwbare echtgenoot? De jongens hadden de lastigste jaren achter de rug, en nu Archie op het punt stond naar school te gaan, kreeg ze meer tijd voor zichzelf. Kon ze niet gewoon een kunstcursus gaan doen of bij een leesclub gaan of zo?

Maar terwijl deze gedachten door haar hoofd spookten, wist Alice dat ze verraderlijk waren. Waarom móést Annie tevreden zijn met zo'n leven als ze iets anders wilde? Denk als een man! Charlie zou geen huisman worden, ook al zou je hem in de keuken vastketenen, dus waarom moest Annie dan wel thuisblijven terwijl ze er zo'n hekel aan had? Ze moesten een compromis zien te vinden, want ze waren het aan de jongens verplicht om het zo goed mogelijk te regelen. Het deugde niet dat Charlie zijn hakken in het zand zette en de baas speelde.

'Nee, echt, veel succes ermee, Annie,' zei ze met meer overtuiging. 'Als ik iets kan doen…' Ze kon niet zeggen 'wij iets kunnen doen', want ze wist dat David het er niet mee eens zou zijn. 'En je weet dat ik je steun. Ik besef dat je een fatsoenlijke baan nodig hebt, een baan waar je voldoening uit haalt, en je hebt Rory en Archie de beste start gegeven die er maar is.'

'Dank je wel. Uiteindelijk denk ik dat ik daardoor een betere moeder word.'

'Ik denk dat het bij jou inderdaad zo werkt… je wordt er in elk geval gelukkiger door.'

'Ik hoop dat het voor ons allemaal beter uitpakt. Hoe doen ook, genoeg over mij. Hoe gaat het met de feestplannen?'

'Het schiet op,' antwoordde Alice, terwijl ze dacht: zal ik het haar van Sadie vertellen? Ze besloot echter dat dit misschien niet het juiste moment was. 'Georgie en Tamzin zijn in de paasvakantie bij ons, en Sabine ook, dus kunnen we de tuin eens goed opruimen, de uitnodigingen schrijven en de tafelsetting regelen.'

'O, geweldig!' zei Annie, maar Alice hoorde dat ze niet echt luisterde. Ze kon het haar niet kwalijk nemen. Ze had genoeg aan haar eigen leven. 'Ik moet ophangen. Tijd om Archie op te halen. Damon komt na schooltijd spelen, dus ik mag niet te laat zijn.'

'Goed, ga maar. Dag, Annie, en veel succes met alles. Met je plannen, bedoel ik. Groeten aan Charlie en de jongens.'

Alice hing op en bleef even zitten nadenken. David mocht nog zo vaak zeggen dat kinderen met een moeder thuis het beste af waren, zij was ervan overtuigd dat Annie haar plannen moest doorzetten. Het kwam prima in orde met de jongens, zei ze tegen zichzelf. Charlie en Annie waren toegewijde ouders en dat zou genoeg moeten zijn. Ze zouden zich moeten laten leiden door hun liefde en gezonde verstand. Charlie zou zich wel moeten aanpassen; maar in godsnaam, hij was getrouwd met een intelligente carrièrevrouw, wat verwachtte hij nou helemaal?

Ze vond het maar niets dat iedereen zo'n toestand maakte van de opvoeding van kinderen. Dat was een moderne obsessie waardoor ouders zich ontoereikend en schuldig voelden. In het verleden deden mensen het gewoon. Kinderen groeiden op in sloppenwijken, kregen slecht te eten en leefden op straat. En aan de andere kant van het spectrum werden ze op zevenjarige leeftijd naar kostschool gestuurd. Wat was er nou wreder en onnatuurlijker dan dat? En toch geloofden ouders dat ze het juiste deden, en de kinderen overleefden het evengoed wel.

Ze dacht aan de arme Marina, die van achter haar bureau in de City over Mo zat te kniezen, terwijl Ahmed hem in zijn kinderwagentje naar de supermarkt reed, zijn luiers verschoonde en hem meenam naar sollicitatiegesprekken. Wat dachten zijn Syrische, uit een traditionele familie stammende grootouders daar wel niet van? vroeg ze zich af. Natuurlijk zouden ze zich zorgen maken, net zoals zij en David dat deden, want hoewel het op dit moment een praktische oplossing was, waren ze er niet aan gewend dat kinderen zo werden grootgebracht.

Sadie baarde haar veel meer zorgen omdat ze geen geld had en geen veilige plek, plus het feit dat er geen vaderfiguur in het leven van de kinderen was. En toch was zij van hen allemaal de natuurlijkste en meest liefhebbende ouder. Als ze met Annie kon ruilen en als moeder thuis kon zitten, zou ze in de zevende hemel zijn. Alles waar Annie een bloedhekel aan had, vond Sadie heerlijk – lekker koken, knutselen met karton en leesmoeder zijn op school – en toch leek ze zo'n puinhoop te maken van haar persoonlijke leven dat ze nooit leek te bereiken waar ze zich het gelukkigst bij voelde.

Alice slaakte een zucht. Zij en David konden tenminste een helpende hand bieden. Ze hadden Davids pensioen en haar kleine salaris, en ook nog wat spaargeld. Het was hun taak om een veilige haven te vormen voor Tamzin en Georgie, en, als Annie weer aan het werk ging, haar met de jongens tijdens de schoolvakanties en zo uit de brand te helpen. Ze had het plezierige gevoel dat ze nodig was en wist dat David het met haar eens zou zijn. Dat was de kracht van een echte familie, dat je één lijn trok wanneer dat nodig was. Misschien betreurde hij het dat Sadie zulke beroerde keuzes maakte en was hij het niet eens met Annies behoefte om weer aan het werk te gaan, maar voor zijn kleinkinderen had hij alles over.

Ze keek de keuken rond, waar het een puinhoop was en waar de borden van de lunch nog steeds op tafel stonden. Net als de rest van het huis was het er sjofeltjes en nodig aan een opknapbeurt toe. Het droeg nog altijd de sporen van het gezin dat hier had gewoond, een kapotte plint waar een van de jongens achter een voetbal aan was gegleden, het door Sadie gemaakte kurken prikbord, met een rand van zeeschelpen, waarvan er door de jaren heen een aantal waren afgevallen, de bultige aardewerken asbak op de vensterbank. Er was nog altijd een la vol rare koekvormpjes, speelgoed, ouderwetse krijtjes, magneten, knikkers, schoolbadges en andere kinderrommeltjes die nooit waren weggegooid. De zolder stond vol kartonnen dozen met eindexamenaantekeningen, te kleine voetbalschoenen en kapotte vliegers. Dat zou ze moeten opruimen, echt.

David en ik zijn niet verdergegaan met ons leven, dacht ze. We zitten nog altijd in hetzelfde schuitje als toen de kinderen nog thuis waren. We hebben ons het huis nooit weer toegeëigend, en ook ons leven niet, als het daarom gaat. Ze dacht aan haar zus Rachel, aan het feit dat zij en haar man verschillende keren waren verhuisd sinds hun kinderen het huis uit waren en dat ze nu in een schitterend, modern huis woonden, met een aangelegde tuin. Hun kinderen keken alleen nog naar hen vanuit foto's in zilveren lijstjes die netjes op een glanzend oppervlak in de salon gerangschikt waren. Ze hadden een logeerkamer met een lege ladekast en een op maat gemaakte klerenkast waarin niets anders hing dan Rachels in plastic stomerijhoezen gehulde werkkleding.

Ze hadden een schone, nieuwe auto, planden vakanties, gingen samen uit winkelen, kregen mensen te eten en in de patio stonden mooie meubels. Ze hadden iets terug weten te vinden van wat ze waren voordat de kinderen hun leven binnendrongen, en dat hebben wij niet gedaan, dacht Alice. Echt, David en ik zijn er nooit meer bovenop gekomen, dacht ze. Ze wist niet of ze daar blij of verdrietig om moest zijn, maar ze was zich ervan bewust dat ze min of meer als mislukt werden beschouwd, althans, in termen van het hebben van een fatsoenlijke lifestyle op latere leeftijd.

Ze had niet echt nagedacht over het avondeten, maar vroeg zich nu af of ze iets speciaals voor hen beiden moest koken. De hele dag leek op te gaan aan haar angst om Sadie, maar ze had toch nog tijd om naar het dichtstbijzijnde stadje te rijden om wat steak en een lekkere fles wijn te kopen. Ze kon David verrassen en hen beiden wat opbeuren. Ze vroeg zich af waar hij naartoe was gegaan en vermoedde dat hij in zijn kamer zat. Misschien was hij zijn trip naar Cornwall aan het plannen. Ze was blij dat hij ging. Het zou hem goed doen om er even tussenuit te zijn, en misschien was het een teken dat hij eindelijk beter in zijn vel kwam te zitten. Ze kon natuurlijk een paar dagen vrij nemen en met hem meegaan. Hoewel hij en Edwin in het verleden altijd samen hadden gelopen, was er geen reden waarom zij er niet ook bij kon zijn. Ze stelde zich voor dat ze over een grasachtige kliftop liep, met de zon in haar gezicht terwijl de zeevogels boven hen cirkelden en de golven in vriendelijke, witte rimpelingen braken op een blauwe zee ver onder hen. David zou vooroplopen over een smal pad met lentebloemen naar een pub met strodak en een lunch van krabsalade, die ze buiten aan een tafel zouden verorberen.

Later, terwijl David na het eten de fles wijn in hun glazen leegschonk, bracht ze het onderwerp ter sprake.

'Zo, heb je je reisje gepland? Weet je al wanneer je gaat?'

'Welk reisje?'

'Ach, David! Dat doe je nou altijd. Een vraag met een wedervraag beantwoorden. Je wandeltochtje! Je zei dat je vóór Pasen een paar dagen wegging. Voordat Sadie en de meisje komen logeren.'

'O, dat. Nee, ik heb er niet meer aan gedacht. Maar als ik ga, ga ik volgende week. Een paar dagen maar. We hebben nog wel ergens kaarten, hè? Voor ik Edwin bel moet ik die eerst bekijken.'

'Gaan jullie in pubs overnachten? Je gaat toch niet kamperen, hè?'

'God, nee. Het kan koud zijn en het is bijna zeker nat.'

'Ik dacht erover om met je mee te gaan. Het zou leuk zijn om er even uit te zijn.'

Later feliciteerde David zichzelf dat hij geen krimp had gegeven.

'Nou, dat zou leuk zijn. Kun je een paar dagen vrij krijgen?'

'Dat kan ik proberen. Er zijn zo veel parttimers dat we soms wel wat kunnen schuiven.'

'Nou, kijk maar wat je kunt regelen.'

'Zal ik doen. Ik ga er morgen meteen achteraan. Dat zou leuk zijn, denk je niet? Om samen iets te doen.'

'Natuurlijk. Als je echt denkt dat het je bevalt, lopen, bedoel ik.'

'Hoe ver lopen jullie per dag?'

'Ongeveer vijftien tot twintig kilometer.'

Dat vond Alice behoorlijk veel. Het beeld in haar hoofd veranderde in een tafereel waarin ze in de regen een heuvel op sjokte terwijl haar uitzicht werd belemmerd door een grijze mist. Haar laarzen zouden waarschijnlijk schuren en in haar waterdichte broek zou ze dik lijken. Misschien was het maar beter om de mannen samen te laten gaan.

David stond op om te kijken of er kaas in de koelkast lag. Als Alice besloot om met hem mee te gaan, dan zou hij eenvoudigweg accepteren dat de goden ingrepen om hem te redden van deze waanzin die hem verteerde. Ze zou hem van zichzelf redden en hij zou zijn lot waardig aanvaarden. Hij was volkomen eerlijk tegen haar geweest, hij had zijn wandeling inderdaad nog niet geregeld. In plaats daarvan had hij Julia ge-sms't dat hij maandag bij haar zou zijn en zij had terugge-sms't dat ze daar blij om was, waarna ze nog een sms had gestuurd met: 'Je blijft natuurlijk logeren', en hij had na heel lang nadenken geantwoord met: 'Dat zien we wel, oké?'

Tot nu toe had hij niet tegen Alice gelogen – in elk geval niet pertinent gelogen. Toch voelde hij zich voor het eerst in zijn huwelijksleven ongemakkelijk en op z'n qui-vive. Voordat hij naar beneden ging om te eten, had hij de berichten uit zijn mobieltje gewist en het uitgezet. Hij moest voorzichtig zijn, dat wist hij wel, want nu had hij iets te verbergen.

'Dat was heerlijk,' zei hij terwijl hij achteroverleunde. 'Dank je wel. Een machtig lekkere steak.'

'Een machtig bloederige steak.' Alice glimlachte naar haar man.

'Ik ruim wel op,' zei hij vriendelijk. 'Ga jij maar zitten, dan breng ik je een kop koffie.'

'Ik drink 's avonds geen koffie. Nooit. Heb je dat niet gemerkt?'

'Nou, dan breng ik je wel een cognac.'

'Daar krijg ik hoofdpijn van.' Alice stond op en verzamelde de vuile borden. Ze vond dat David de vaatwasser niet goed inruimde, dus deed ze dat zelf. 'Ik neem een kop thee en ga water opzetten. We kunnen naar het tweede deel van die detective op tv gaan kijken. Die begint om negen uur.'

'Tijdens het eerste deel heb je liggen slapen.'

'Dat maakt niet uit. Ik snap de plot toch nooit.'

De volgende dag vergat ze op haar werk bijna op het rooster voor de week daarop te kijken. Met een beetje geschuif kon ze waarschijnlijk wel tijd vrijmaken om met David mee te gaan, maar toen ze het aan Margaret vertelde, hapte die theatraal naar adem en zei: 'Je bent niet goed bij je hoofd! Wandelen! In deze tijd van het jaar! Zorg dat die man van je je naar een warm en zonnig oord meeneemt, waar je op een strand kunt liggen en met je vingers naar een jonge man kunt knippen die je vervolgens een drankje komt brengen.'

'Margaret! We hebben het hier over twee of drie dagen. We kunnen niet naar de Caraïben – dat kunnen we ons toch niet veroorloven – en ik hou trouwens niet van het strand.'

'Ga dan naar zo'n boetiekhotel in Cornwall. Die heb je vast wel gezien in die reisgidsen. Volgens mij zit er een bij waar het verboden is voor kinderen, alleen volwassenen zijn toegestaan. Niemand van onze leeftijd wil dat onze vakantie door een stel snotterende blagen wordt bedorven.'

'Dat kunnen we niet betalen. Bovendien heeft David er een bloedhekel aan.'

'Nou, mij krijg je niet zover dat ik met een paar kerels de blaren van m'n voeten loop over een stel natte velden vol vermaledijde schapen.'

'Het lukt je aardig om me ervan af te brengen.'

'Dat mag ik hartelijk hopen! Laat 'm in z'n eentje gaan. Ga jij maar lekker winkelen voor je feestkleren. Ga een dag naar Bath als je geen zin hebt in Oxford Street.'

'Je begint me al te overtuigen... ik denk inderdaad niet dat ik er veel aan zal vinden. Maar nu moet ik je iets over Sadie vertellen.'

'Wat heeft ze nu weer gedaan?'

Toen Alice de laatste gebeurtenissen had verteld, keek Margaret haar streng aan. 'Die Sadie van jou zou op eigen benen moeten kunnen staan. Dan zou ze zich wel verantwoordelijker gedragen, en dan zou jij op jouw leeftijd je eigen leven kunnen leiden, Alice. Je moet niet altijd zo achter je kinderen aan rennen.' Ze zei het vriendelijk, met de waterketel en twee koppen in haar hand. 'Koffie?'

'Ja, graag. Maar, Margaret, je begrijpt toch zeker wel waarom David en ik haar moeten helpen? We zouden niet anders kunnen, David denkt er precies zo over als ik.'

'Ja, dat weet ik wel. Ik jaag je alleen maar op de kast. Je hebt een fantastisch gezin. Jij en David hebben het goed gedaan. Nu we het er toch over hebben, hoe zit het met de voorbereidingen voor het feest?'

'Het schiet op. De tent is besteld, evenals de catering en de springkastelen, en met Pasen begin ik aan de tuin. Ik laat de kinderen meehelpen.'

'Mooi zo. Ze zouden dit feestje voor jou moeten organiseren, niet andersom.'

'Maar ik ben juist degene die het allemaal wil vieren. Echt.'

'Wat jij wilt. Hoe dan ook, ik hoop dat je die wandeltocht afzegt. Laat die knakkers maar in hun eentje gaan!'

Alice glimlachte zwakjes. Ze voelde zich wat mat na haar gesprek met Margaret. 'Volgens mij heb je gelijk,' zei ze.

'Wat vind je van deze top? Ik heb 'm voor vijf pond op eBay gekocht en hij is ook nog uit de collectie van dit jaar.' Margaret droeg een felgekleurd, gestreept T-shirt met een uitgesneden hals en een ceintuur. 'Dierenprints zijn helemaal in.'

'Je ziet er als altijd geweldig uit.' En dat was ook zo, dacht Alice. Ze bewonderde Margaret om de energie die ze had om de mode te volgen, terwijl zijzelf daar helemaal geen puf meer voor had. En haar dieet was tot nu toe ook op een ramp uitgelopen. De avond tevoren had ze de schuld gegeven aan haar angst om Sadie en het gedoe tussen Annie en Charlie. Door een greep uit de koektrommel leken de zaken wat minder zorgelijk, in elk geval voor even.

9

De weersvooruitzichten waren goed voor de dag waarop David naar Cornwall vertrok. De oude auto, waarmee hij jarenlang tussen de universiteit en thuis heen en weer was gereden, was volgeladen met wandelspullen en Roger zat op de achterbank op een Schotse deken te hijgen van opwinding terwijl hij het raam onderkwijlde.

David was allesbehalve opgewonden, had het gevoel dat hij verdoemd was, en tijdens de rit wenste hij dat er een ramp zou gebeuren waardoor hij op de A303 zou worden opgehouden. In plaats daarvan zeilde hij door het relatief rustige verkeer. Het was nog te vroeg in het jaar voor naar het westen trekkende caravans en motorhomes, en wonder boven wonder waren er bij Yeovil geen files.

Hij had ongebruikelijk teder afscheid genomen van Alice, maar ze had het niet gemerkt omdat ze laat was voor haar werk en had hem een vluchtige zoen op de wang gegeven. 'Heb je zonnebrandolie bij je?' vroeg ze. Ze kon nooit afscheid nemen zonder een hele lijst af te raffelen van wat ze misschien waren vergeten. 'Mobieltje? Oplader? Portefeuille? Je belt, hè. Veel plezier!'

Ongelooflijk dat ze niet had gemerkt dat hij in een andere gemoedstoestand was. Hij vermoedde dat dat kwam omdat ze niet meer zo in hem geïnteresseerd was, niet als individu. Ze werd te veel in beslag genomen door de rest van de familie. En door die gedachte was hij zowel gekwetst als verontwaardigd. Als ze niet om hem gaf, dan kon het haar ook niet veel schelen wat hij deed. En zo was het ook, want ze had hem amper naar zijn plannen voor de komende dagen gevraagd. Ze had het hem zo gemakkelijk gemaakt dat het bijna haar schuld leek dat hij dit avontuurtje aanging, of hoe dat zou uitpakken. Ze had hem moeten tegenhouden, echt. Als ze iets meer interesse en zorg had getoond, zou hij er niet over gepiekerd hebben om aan deze dwaze onderneming te beginnen.

Natuurlijk wist hij best dat dat niet eerlijk was. Dit was weer zo'n zo'n slappe smoes die in de 'mijn vrouw begrijpt me niet'-categorie viel. Hij wist dat het niet Alice' schuld was, dat het eerder lag aan de staat van hun huwelijk, dat saai en weinig opwindend was. Had deze escapade dan alleen maar met seks te maken? Waarschijnlijk wel. Hij had niet veel seks meer met Alice omdat ze er allebei geen zin meer in hadden, wat waarschijnlijk normaal was, ze waren ook al zo lang getrouwd. Natúúrlijk was dat normaal, stelde hij zichzelf gerust. Als ze er wel zin in hadden, deden ze het, en soms lukte het en soms niet. Maar seks was niet langer zo allesoverheersend als het vroeger was geweest. Lust was vervangen door een prettig soort genegenheid die goed bij hun leeftijd paste.

Hij vond Julia zelfs niet erg aardig, maar toch verlangde hij naar haar, omdat ze jong en mooi was, en omdat ze op de een of andere manier op hem viel, wat het verlangen alleen nog maar aanwakkerde. Ze zag hem kennelijk niet als een uitgebluste oude man, maar als een mogelijke minnaar, terwijl Alice datgene wat zijn kinderen zijn 'aantrekkingskracht' noemden maar met een korrel zout nam. Ze had bijvoorbeeld meesmuilend over zijn nieuwe kapsel gedaan. Ze kon niet vermoeden dat slechts korte tijd later een jonge vrouw met haar handen door zijn haardos zou woelen en hem met kussen zou overladen.

Daar zit je dan, Alice, dacht hij. Hij vroeg zich af hoe het zou zijn als de rollen omgedraaid waren, als Alice naar andere mannen lonkte. Voor hem was ze nog steeds een mooie meid. Hij moest er plotseling aan denken hoe ze kon lachen om iets wat hij zei, haar gezicht lichtte dan van pret op terwijl ze in een pan aan het roeren was of uien sneed. En zoals ze een paar avonden geleden was geweest, toen ze om Sadie had gehuild. Met een rood en gevlekt gezicht, terwijl ze haar haar achter haar oren stopte, precies zoals ze dat als jonge vrouw had gedaan. Dat gebeurde soms. Dan ving hij opeens een glimp op van het meisje dat ze was geweest toen hij haar voor het eerst was tegengekomen en ze samen uitgingen, terwijl de jaren teruggleden en hij zich de oude Alice herinnerde.

Hij had een artikel in de weekendkrant gelezen over oudere vrouwen die zich als roofdieren op jongere mannen stortten; de erbij geplaatste foto's lieten oma's met een gebruinde huid en geblondeerd haar zien, gekleed in minirokjes met daaronder gerimpelde knieën. Alice was duidelijk niet zo. Zij was niet betoverend of opgedoft als een tiener, maar ze was nog steeds mooi omdat hij het meisje in haar kon zien. Hij dacht aan haar hartelijke glimlach, die niet door ouderdom was aangetast, en haar prachtige, zachte, blauwe ogen.

Vroeger was hij wel eens jaloers geweest. Ze was ooit als een blok gevallen voor een dokter van de huisartsenpraktijk. Ze had het voortdurend over hem en als ze naar haar werk ging, was ze mooi en straalde ze helemaal. Dat had de hele zomer geduurd en was uitgedraaid op een knallende ruzie waarin ze had toegegeven dat ze een beetje verliefd op hem was, maar dat ze nooit, maar dan ook nooit iets zou doen. En trouwens, hij was getrouwd en had kinderen. David wist toen dat ze de waarheid vertelde, want als je Alice één ding moest nageven, dan was het wel dat ze eerlijk was.

Hij had Taunton achter zich gelaten en reed nu op de snelweg. Op sommige plekken stonden de bermen vol gele narcissen. Langs de blauwe lucht dreven vlokkige, witte wolken en op de velden graasden hier en daar schapen met lammetjes aan hun zijde. Het was een prachtige dag en zijn angst leek weg te ebben. Het woord 'uitspatting' kwam in hem op. Een lente-uitspatting. Het klonk zo zorgeloos en meeslepend. Daar school toch zeker geen kwaad in?

Toen hij bij Okehampton was, zag hij een parkeerplaats met een snackbar en ging de weg af. Roger ging rechtop zitten en keek geïnteresseerd. David deed hem aan de lijn en liet hem langs de heg snuffelen, waar het beest zo nu en dan energiek zijn poot optilde. Hij nam een kop koffie en een broodje bacon, ging weer in de auto zitten en overwoog zijn opties. Nog even en hij was op het punt waar hij moest kiezen of hij de weg naar Edwins cottage op zou draaien of richting Tavistock, Cornwall en Julia zou rijden. Hij gaf het laatste stukje brood aan Roger en startte de motor.

Annies redacteur had op haar mail geantwoord en voorgesteld om later die week te gaan lunchen. Annie was daarna in alle staten, waardoor ze grondig wakker werd geschud. Wat had het moederschap met haar gedaan? Alleen al bij het vooruitzicht van een Londense lunch met haar ex-baas kreeg ze het op haar zenuwen en was ze angstig en onzeker. Een paar telefoontjes later had ze oppas geregeld voor de jongens. Fiona zou Archie van de peuterspeelzaal halen en hem 's middags mee naar huis nemen, en Rory, die net op die dag na schooltijd moest zwemmen, ging met Oscar mee, een jongetje uit zijn klas. Oscars moeder had gezegd dat het geen probleem was. Sterker nog, zei ze, ze voelde zich schuldig omdat Annie de jongens altijd na schooltijd meenam, niet wetende dat Annie dat liever deed dan met haar kinderen alleen te moeten zijn.

Boven haalde ze haar hele klerenkast overhoop. Hoewel ze er niet meer volgens de laatste mode bij liep, had ze nog altijd een paar mooie, geschikte kledingstukken: een zwarte McQueen-pantalon met een kasjmier sweater en een stoere Vivienne Westwood-jas. Ze zocht er een paar laarzen en een Chloe-tas bij. Ze genoot er enorm van om weer eens mooie kleren aan te trekken. Ze kreeg er werkelijk een fysieke kick van om de dure stoffen aan te raken en het effect te zien van de snit en stijl. Ze had haar figuur tenminste nog, sterker nog, ze was zelfs nog slanker dan voordat ze de kinderen kreeg. Haar tieten waren bijna verdwenen, helemaal leeggezogen door baby's, bedacht ze. Ze waren als twee platte koekjes met een kers erop, en niet meer van het stevigste soort.

Haar haar, dat was het probleem. Eerlijk gezegd had het een rampzalig onbestemde coupe en kleur. Impulsief belde ze haar vroegere kapper en maakte een afspraak met de topstyliste voor de volgende ochtend. Het zou honderden ponden kosten, maar dat kon haar niet schelen, en na enig nadenken belde ze nogmaals en maakte ook een afspraak met de manicure. Denk verdomme als een man.

'Nu heb je nog een strategie nodig,' zei Fiona toen zij en Damon bij haar op de thee waren. Het was vreemd om haar op bezoek te hebben. Annie merkte dat ze geen enkele opmerking over het huis maakte, niets zei over de peperdure gordijnen in de woonkamer die uit hun Londense huis waren meeverhuisd, of over de open keuken die een mooi uitzicht op de besloten tuin bood. Ze keek belangstellend naar de foto's liet haar blik over de rijen boeken gaan, pakte er willekeurig een tussenuit, bladerde erdoorheen en las een paar alinea's.

Damon en Archie waren boven, waarschijnlijk braken ze Archies slaapkamer af, maar voorlopig hoorde ze nog geen bloedstollende kreten. De grote harige hond lag vredig onder de keukentafel.

'Zo, over die lunch,' zei Fiona. 'Wat wil je ermee bereiken?'

'Ik wil voor elkaar zien te krijgen dat ik weer aan het werk kan. Sylvia is het beste contact dat ik heb. Ik wil dat ze haar voelsprieten voor me uitsteekt.'

'Ja, dat begrijp ik, maar volgens mij moet je wat agressiever zijn, proactief, of zo. Zoals jij het stelt, ben jij degene die iets nodig heeft. Je moet de uitgeverswereld het gevoel geven dat ze jou nodig hebben en dat je iets te bieden hebt.'

'Dat is niet zo eenvoudig als je er vier jaar uit bent geweest en in die tijd weinig opzienbarends hebt gepubliceerd. Kinderen, thuiszitten, een baantje van niks… Dat heeft mijn zelfvertrouwen ondermijnd, Fiona.'

'Vroeger zat je in de modebladen, hè? Ik neem aan dat je niet meer naar die wereld terug wilt?'

'Nee. Dat kan ik niet met mijn gezin combineren, te veeleisend. Toen ik na de geboorte van Rory weer terugging, ging ik er bijna aan onderdoor vanwege de onregelmatige werktijden. Bovendien is dat terrein verreweg het populairst bij slimme jonge, pas afgestudeerde hittepetitjes die zo van de universiteit komen.'

'Dus wat nu? Een vaste rubriek? Schoonheid? Reizen? Wat heb je nog meer in vrouwenbladenland?'

'Ik zou stukken kunnen schrijven die met familie en gezin te maken hebben: opleiding, gezondheid, vakantie, relaties. Ik zou voor meer dan één uitgave kunnen werken.'

'Kun je nieuw materiaal aan die Sylvia laten zien?'

'Ja,' zei Annie. 'Ik heb een opzet geschreven voor een artikel over precies datgene wat ik probeer te doen: weer aan het werk gaan nadat je kinderen hebt gekregen. Ik heb nog wat sterke interviews nodig om dat te onderbouwen – de managing director van John Lewis, bijvoorbeeld, of Boots de drogist, die veel vrouwelijk personeel heeft – en ik moet de statistieken erbij halen voor de kosten van kinderopvang en wat gegevens over gezondheid. Zijn werkende vrouwen minder geneigd naar een dokter te gaan? Gebruiken ze minder antidepressiva? Dat soort dingen.'

'Maar is dat niet allemaal al eerder gedaan? Ik weet zeker dat ik dat al eens heb gelezen. Die vrouwenonderwerpen zijn niet echt okselfris meer, hè?'

Annie zweeg beledigd.

'Vind je me vervelend? Ik ben bang dat ik niet zo goed ben in huichelen.'

Het was even stil en toen zei Annie: 'Oké. Wat moet ik volgens jou dan doen?'

'Ik weet helemaal niets over de wereld van de vrouwenjournalistiek. Je hoeft maar naar me te kijken om te weten dat advies over schoonheid en mode aan mij niet besteed is. Ik ben geïnteresseerd in kwesties als gelijkwaardigheid en werkgelegenheid, want dat heeft me persoonlijk geraakt. Mij is bijvoorbeeld opgevallen dat als je weer aan het werk gaat, je het voordeel hebt om de zaken met een frisse blik te bekijken. Misschien zou je ook iets compleet anders kunnen gaan doen, zoals die vrouwelijke journaliste die een bloedhekel had aan sport en gevraagd werd voetbalverslaggeefster te worden.'

'Dat zou ik niet kunnen! Ik kan alleen maar schrijven over iets waar ik iets van weet.'

'Is dat zo? Dat is nou precies wat ik bedoel. Misschien kun je over iets schrijven waar je niets van weet, zoals vrouwen in het bankwezen, de prostitutie, in renstallen, de gevangenis of meisjesbendes, of degenen die voor oudere familieleden zorgen... iets schrijven waarmee je iets van hun leven laat zien.'

'Ik heb nooit aan onderzoeksjournalistiek gedaan. Ik heb nooit diepte-interviews afgenomen.'

'Betekent dat dan dat je dat nu niet kunt doen?'

'Dat ligt een heel eind buiten mijn comfortzone.'

'Dat is misschien maar goed ook.'

Toen Charlie thuiskwam, relatief vroeg, zat Annie aan de keukentafel. Ze had haar laptop opengeklapt en was in het gezelschap van een grote, onverzorgde vrouw die hij niet kende en een harige hond die op de bank in de woonkamer lag te slapen. Boven sprongen zijn zoons en een speelkameraadje op de bedden en gierden van het lachen.

'Hé! Hé!' zei hij. 'Wat gebeurt hier allemaal? Hoi, ik ben Charlie.' Als altijd de beleefdheid zelve.

'Fiona.' Fiona stak een grote hand uit.

Annie begon het uit te leggen. 'Fiona geeft me ideeën voor een paar artikelen, onderwerpen waar ik nooit aan had gedacht.'

'Ben je schrijver?'

'God, nee! Ik ben een soort docent.'

'Waarin? Waar?' Dat was typisch Charlie. Hij wilde mensen altijd in hokjes stoppen, dacht Annie. Hij leek onder de indruk toen Fiona 'Oxford' zei.

'Iemand een biertje? Een gin-tonic?' vroeg hij terwijl hij de koelkast opende.

'Nee, dank je, ik moet gaan,' zei Fiona en ze stond op. Annie zag dat Charlie haar lengte en buitenissige kleding in zich opnam. 'Damon heeft een heerlijke middag gehad. Dank je wel, namens ons allebei.'

'Jíj bedankt!' zei Annie hartelijk. 'Je kunt blijven eten, als je wilt. Alleen gehakt en aardappels. Het is niet helemaal gelukt om er een shepherd's pie van te maken.'

'Nee, ik neem 'm mee naar huis.' Het geschreeuw boven was nu schril en hysterisch geworden. 'Hij moet kalm worden, anders duurt het uren voor ik hem vanavond in slaap krijg.'

Toen Fiona na heftig tegenstribbelen van Damon was vertrokken, zei Charlie, terwijl hij nog een biertje uit de koelkast pakte: 'Jezus! Wat een nachtmerrie! Hoe redt ze dat elke dag?'

'Eigenlijk heel goed.'

'Hoort dat soort kinderen wel op een gewone school thuis? Zit hij volgend jaar echt in Archies klas?'

'Ja, en dat hoort volgens mij ook zo. Ze zijn trouwens vriendjes.'

'Als ik jou was zou ik dat niet aanmoedigen.'

'Waarom niet?'

'Kom op, Annie. Hij is onhandelbaar en explosief.'

'Charlie! Ja, hij heeft problemen – dat is wel duidelijk – maar hij doet het hartstikke goed. Hij is heel slim.'

Charlie trok een geërgerd gezicht. 'Is ze alleen? Fiona?'

'Ja.' Dit was niet het moment om het over Fiona's privéleven te hebben. Annie voelde Charlies vijandigheid en dat irriteerde haar. Fiona paste niet in de juiste vakjes. Ze was niet het soort mens dat haar kind naar zíjn verdomde school zou sturen.

'Ze lijkt me niet echt een vriendin.'

'Hoezo?'

'Niet jouw soort, om het zo maar eens te zeggen.'

'Hoezo?' Annie voelde opnieuw woede in zich opwellen. Alle onopgeloste kwesties tussen haar en Charlie kwamen weer met volle kracht naar boven.

'Nou, ze is duidelijk behoorlijk academisch, niet geïnteresseerd in de modewereld, en totaal niet cool. Sterker nog, ze ziet eruit als een pot. Of de Russische variant van een kogelstootster. Met welke ideeën helpt ze je dan?'

Als Annie al geneigd was om Charlie iets te vertellen over haar lunchafspraak, dan dacht ze daar door die opmerkingen heel anders over. Ze zou het hem nu zéker niet meer vertellen.

'Ik denk niet dat je daarin geïnteresseerd bent,' zei ze kil.

Charlie voelde zich gekwetst. Nog even en hij zou ervan worden beschuldigd dat hij helemáál niet geïnteresseerd was. Hij kon ook nooit iets goed doen.

'Waarom zeg je dat?'

'Omdat je behoorlijk smalend doet over alles wat ik aanpak, daarom. Je hebt zelfs aanmerkingen op mijn vriendin, terwijl je helemaal niets van haar weet.'

'O, in hemelsnaam!' Charlie slaakte een vermoeide zucht. 'Ontspan je een beetje, ja? Dat kon je amper kritiek noemen. Misschien een paar terloopse opmerkingen. Ik mag zeker niets zeggen waardoor je tere gevoelens gekwetst kunnen worden! Jezus!' Hij pakte zijn biertje en liep met de krant naar de woonkamer.

'Misschien wil je even tafeldekken!' riep Annie hem na. 'En zorgen dat de jongens hun handen wassen, het eten is bijna klaar.'

Dek 'm zelf maar, je hebt verdomme toch niets anders te doen, dacht Charlie, maar dat zei hij niet. 'Jongens!' riep hij naar boven. 'Handen wassen, we gaan eten,' en hij ging met de krant zitten.

Sadie haalde Tamzin en Georgie van school en zette ze in de cabine van de pick-up. Georgie was een of ander leesboek kwijtgeraakt en was bijna in tranen, maar Sadie zei onder het rijden: 'Geen zorgen, pop! Ik heb het vanochtend onder het bed gevonden. Het is niet weg.'

'Waar gaan we naartoe, mam?' vroeg Tamzin angstig. 'Waarom kom je ons ophalen?'

'We gaan iets leuks doen, met z'n allen,' zei Sadie. 'Jullie mogen vanmiddag een paardritje maken. De spullen liggen achterin. Daarna gaan we uit eten, een Big Mac als je daar zin in hebt.'

Dit was zo bizar dat Tamzin onmiddellijk wantrouwig werd. Georgie klapte in haar handen en riep: 'Jo!' Tamzin wist echter dat dit soort dingen nooit zomaar gebeurde. Ze keek naar haar moeders gezicht en zag de donkere kringen onder haar ogen. Ze wist dat er iets mis was. Ze had de ruzies tussen haar moeder en Kyle gehoord en ze wist dat hij ergens boos over was. Hij had tegen Tamzin geschreeuwd toen ze een emmer melk voor de kalveren liet vallen, terwijl ze alleen maar wilde helpen, omdat ze zo graag wilde dat hij haar aardig vond en dacht dat dat niet zo was. Ze wist dat Georgie zijn lievelingetje was, die maakte hem aan het lachen, en ze had hem ooit eens tegen haar moeder horen zeggen dat Tamzin op zijn zenuwen werkte. Hij zei dat zij altijd de aandacht probeerde te trekken. Haar moeder had toen gezegd dat hij er misschien eens over moest nadenken hoe dat dan kwam, en was boos op hem geworden. Tamzin was blij toen ze hoorde dat haar moeder het voor haar opnam, maar Kyles woorden waren hard aangekomen; het was verschrikkelijk om te weten dat iemand haar niet mocht terwijl ze niet eens wist waarom. Ze wilde dat hij haar aardig vond, maar het leek niets uit te halen wanneer ze net als Georgie met hem klierde.

'Ik moet jullie iets vertellen,' zei Sadie, en Tamzin verstrakte, wist dat ze gelijk had, dat er iets was gebeurd. 'Ik begin met het goede nieuws, dat vinden jullie vast geweldig… Ik ben zwanger! In oktober krijgen jullie een broertje of zusje!'

'Cool!' riep Georgie. 'De moeder van Tia Marie heeft net een tweeling gekregen! Ik hoop dat het een meisje wordt!'

'Tamzin?'

'Ja. Cool.' Maar Tamzin dacht meteen: hoe gaan we dat redden? Haar moeder zei altijd al dat ze nergens geld voor hadden en dat de cottage te klein was. Ze stelde zich zo voor dat ze een kamer met een baby moesten delen. Maar daarna bedacht ze dat ze het kind in een wagentje kon rondrijden en het dingen kon laten zien, zoals de nieuwe lammetjes in de schapenschuur, en ze kon hem leren een ketting van madeliefjes te maken, hem onder de kin kietelen met boterbloempjes zoals ze dat met Georgie had gedaan toen die nog een baby was. 'Ik maak de oude kinderwagen wel schoon,' bood ze aan. Zij en Georgie hadden die voor hun poppen gebruikt en hij zat onder de modder van het boerenerf.

'Dat is geweldig, liefje! Het volgende wat ik jullie moet vertellen is voor een deel akelig maar voor een ander deel weer goed. Ik ben bang dat Kyle en ik uit elkaar gaan. Hij wil de baby namelijk niet. Hij zegt dat als ik hem krijg, en houd, dat hij dan niet meer bij ons wil wonen.' Ze wachtte even om dit nieuws te laten bezinken en keek naar opzij om te zien hoe dat aankwam.

Ze was verbaasd toen er amper een reactie kwam. 'Ja, maar wíj willen hem wel, hè?' zei Georgie. 'Tia Marie mag die van haar in bad doen. Ze pissen als een fontein in de lucht, zegt ze. Mam, denk jij dat we een tweeling krijgen? Tamzin en ik kunnen om de beurt op ze passen.'

'God, dat hoop ik niet!'

Tamzin zei niets. Echt, het maakte haar niet uit of Kyle er wel of niet was. Sommige dingen mocht ze wel aan hem, zoals de boerderij en in de pick-up rijden, maar verder kon hij haar niet erg boeien. Zij, haar moeder en Georgie konden het prima redden met z'n drieën. Beter zelfs. Dan konden ze op zaterdagochtend weer met z'n allen bij elkaar in bed kruipen en tv-kijken, net als vroeger.

'Het andere akelige is dat we van de boerderij weg moeten, uit de cottage moeten verhuizen.'

Tamzin keek haar aan, en toen, plotseling verschrikt: 'Waarom? Waarom kunnen we niet blijven? Dat is nu ons thuis.'

'Ja, dat weet ik, maar de cottage hoort bij Kyles baan. Hij gaat ontslag nemen – ergens anders naartoe – dus moeten wij ook weg.'

'Maar je werkt op de boerderij. Waarom kan het niet jouw cottage worden?'

'Ik werk alleen maar parttime, popje, en naarmate de baby groter wordt, kan ik steeds minder doen. Dan zoeken ze iemand anders om de kudde over te nemen en die wil dan in de cottage wonen.'

'Waar moeten wij dan naartoe? Wat gaat er met ons gebeuren?'

'Ik wil niet naar Yeovil terug!' Georgie begon te huilen. 'Ik vond het verschrikkelijk in die stinkflat in Yeovil.'

'Nee, dat doen we ook niet. Dat beloof ik jullie. We vinden wel een mooie plek om te wonen. Tot die tijd gaan we bij opa en oma logeren. Zij hebben gezegd dat ze ons graag willen hebben.'

Tamzin voelde zo'n opluchting dat ze er bijna misselijk van werd. Ze moest hard slikken en staarde uit het raam. Ze dacht aan oma, haar ronde, vertroostende lichaam, de bril die aan een koordje om haar hals hing, zoals ze tijdens het koken grappig tegen de radio terugpraatte; en opa, die iets aan ze voorlas uit de krant, of een atlas tevoorschijn haalde om ze te laten zien waar de pinguïns vandaan kwamen.

Wanneer ze bij hen logeerde, vond ze de slaapkamer die ze met Georgie deelde fijn. Ze hield van het oude speelgoed, de ladekast vol poppenkleertjes en de planken met boeken die haar moeder had gelezen toen zij klein was. Ze vond het heerlijk als Roger de trap op klom en op de vloer tussen hun bedden in lag te snurken, terwijl opa ze voor het slapengaan een verhaaltje voorlas. Ze hield van de maaltijden aan de keukentafel, waar ze niet per se smerige, gezonde spullen hoefden te eten. En ze hadden hun eigen servet met servetring – die van haar was in de vorm van een bruin paard met een gat in zijn buik, en Georgie had een gele kip – en er stond altijd een mooie glazen waterkan op tafel.

'Tam? Wat vind jij ervan, liefje?'

'Oké.' Dat was voorlopig het enige wat ze kon uitbrengen.

Sabine vermoedde dat haar stiefvader het nieuws over Sadies zwangerschap zo tactisch mogelijk had gebracht, maar toen zij en Agnes op een middag uit school kwamen, zat hun moeder boven in haar slaapkamer met een opgezwollen gezicht van het huilen. Sabine bleef met angst in haar hart in de deuropening staan. Haar gedachten schoten naar Frankrijk, naar die warme middagen in een verduisterde kamer, wanneer haar moeder als een huilend hoopje op bed lag.

'Wat is er, mam?' jammerde Agnes, en ze vloog naar haar toe. 'Wat is er gebeurd?'

'Niets! Het is niets,' slikte Lisa terwijl ze met beide handen in haar ogen wreef. 'Het gaat prima. Echt.'

'Waarom huil je dan?' Agnes begon van de weeromstuit ook te huilen en plukte aan haar moeders trui. Lisa ging op de rand van het bed zitten, nam haar in haar armen, streek haar over de haren en probeerde tot bedaren te komen. Ze zocht met haar ogen Sabines gezicht en las haar angst. Ze stak een arm uit zodat zij ook naar haar toe liep.

'Echt, het gaat wel,' zei ze. 'Ik doe gewoon mal. Ollie heeft me verteld dat zijn zus Sadie nog een kindje krijgt. Die man met wie ze leeft, Carl of zoiets, wil het niet, dus gaan ze uit elkaar en moeten zij en de meisjes verhuizen.'

Ze huilt niet om hen, dacht Sabine. Het gaat om de baby. Als de man het niet wil, waarom geeft hij hem dan niet aan ons? Dat deden mensen soms. Sommige vrouwen kregen een baby voor andere mensen die er geen konden krijgen. Misschien deed Sadie dat wel. Ze vond dat nou net iets voor haar. Als ze wist hoe graag mam nog een kind wilde, zou ze het misschien na de geboorte aan hen geven. Maar het lag ingewikkelder. Haar moeder wilde een eigen kind – van haar en Ollie – en plotseling zag Sabine hoe het werkte en begreep ze het. Ze kon het niet formuleren, zelfs niet in haar hoofd, maar ze voelde iets van wat haar moeder moest voelen, de diepgewortelde jaloezie en pijn wanneer je hoorde dat iemand kreeg wat jij het meest van alles wilde, kennelijk meer dan al het andere, en zeker meer dan haar of Agnes. Op de een of andere manier werd je naarmate je ouder werd minder belangrijk dan een baby.

Sabine werd boos en was gekwetst door die gedachten. Baby's bedierven alles in haar leven. Waarom waren ze zo veel meer waard dan de kinderen die je al had? Haar vader en Jacqui wilden niet dat ze kwam logeren vanwege dat afschrikwekkende kleine mormel in Jacquis buik, dat jongetje dat haar vader kennelijk liever had dan zijn dochters. Ze dacht terug aan wat Jacqui haar gisteren via de telefoon had gezegd: 'Sorry, Sabine, maar deze vakantie komt het niet goed uit dat je komt. Zoals je vader al heeft gezegd zijn we niet thuis, en wanneer we terugkomen, moet ik uitrusten en het kalm aan doen.'

Ze sloeg geen acht op haar moeders opmerkingen, draaide zich om, liep naar haar kamer en deed de deur dicht. De nieuwe computer glansde als een groot roze snoepje op haar bureau. Ze klapte hem open en zette hem aan. Ze wist wat ze ging doen. Even later, nog voordat ze de kans had om te googelen, knalde de deur open en stormde Agnes huilend binnen. 'Waarom doe je zo naar tegen mam? Zie je dan niet dat ze echt heel erg van streek is?'

'D'r uit!' commandeerde Sabine. 'Je bent ook zo'n kind. Je snapt ook helemaal niets.' Ze sprong op en was zo sterk dat ze haar zus de deur uit kon duwen en de deur achter haar dichtsloeg. Ze schoof haar bureaustoel onder de deurkruk.

Agnes schopte tegen de deur terwijl Sabine de site van de vliegmaatschappij opzocht en haar ticket naar Bordeaux boekte. Uiteindelijk hoorde ze dat haar moeder op de deur klopte en met angstige stem vroeg: 'Sabine? Liefje? Sorry, schat. Ik wilde je niet van streek maken.'

'Het gaat príma met me,' antwoordde Sabine kil, hoewel haar handen trilden. 'Hou Agnes alleen bij me vandaan, wil je? Ik probeer m'n huiswerk te doen.'

'Zo,' zei David, en hij bleef staan voordat hij door de lage voordeur van de cottage naar binnen liep, 'is dit 't?' Hij wist niet wat hij met die opmerking bedoelde of waarom hij die vraag stelde. Bedoelde hij 'is dit 't' in filosofische zin, of 'is dit 't' in de zin van: heb ik hier nou mijn hele leven op gewacht?

Hij hoefde het niet uit te leggen, want Julia sloeg er toch geen acht op. Ze wilde hem maar wat graag naar binnen trekken en kussen.

'Ik ben zo blij dat je de hogere krachten van je bewustzijn hebt gevolgd en naar me toe bent gekomen!' zei ze toen ze even pauze had genomen om adem te halen. 'Ik heb de hele ochtend al geoefend in afstandelijke overbrenging. Kijk!' Ze wees naar een vensterbank; de cottage was duidelijk heel oud en de muren waren ruim dertig centimeter dik. 'Dat is mijn altaar.'

Waar was ze op uit? dacht David. Het klonk alsof ze hem wilde offeren. Op de vensterbank lagen een bosje behoorlijk verdroogde, zilvergroene bladeren, een veer en een klein, glinsterend voorwerp. 'Mijn kristal!' zei Julia. Het geheel zag er eigenlijk uit als een mislukte natuuruitstalling op een basisschool.

Maar Julia was prachtig. Haar haar hing los op haar schouders, ze droeg een strakke broek en een kleine, gekrompen sweater die omhoogkroop wanneer ze met haar armen bewoog en een strook witte buik onthulde.

Hoewel hij onderweg, voordat hij bij de cottage aankwam, had geplast, merkte David dat hij weer moest, en behoorlijk nodig ook. Julia wees hem de badkamer boven, waar het heel koud was en het vochtig rook. In zo'n cottage, gebouwd in een rotsachtige heuvelrug, zou het weken duren voor die na de winter zou zijn opgewarmd. Terwijl hij bij de pisbak stond, viel Davids oog op Julia's toilettas op een tafel naast hem. Hij zag een doordrukstrip met pilletjes. Anticonceptie, vermoedde hij, en hij dacht aan Sadie, aan wie hij uitgerekend op dit moment niet wilde denken.

Dit is het dan, dacht hij, terwijl hij bij de wastafel zijn handen waste. Ik sta nu waarschijnlijk op het punt om Alice ontrouw te zijn. Het zou een ontnuchterend moment moeten zijn, maar dat was het niet. In plaats daarvan voelde hij een overweldigend verlangen.

Hij liep naar beneden en zag dat Julia haar walgelijke thee zette in een aardewerken pot, die hij zachtjes uit haar handen pakte en op het aanrecht zette.

'Julia,' zei hij. 'Liefje.' Zo had hij Alice gedurende hun hele huwelijksleven nog nooit genoemd, en hij vroeg zich af waar het woord vandaan kwam.

'Er blaft een hond buiten,' zei Julia, terwijl ze haar hoofd schuin hield om te luisteren.

'O, verdomme! Dat is Roger. Ik moet 'm uit de auto halen.'

'Honden zijn in de cottage verboden!' riep Julia uit. 'Waarom heb je in hemelsnaam een hond meegenomen?'

10

Sadie hoopte tot het einde toe dat Kyle misschien van gedachten zou veranderen, maar op de laatste schooldag voor de paasvakantie werd ze wakker en hoorde ze de koeien op het erf een hoop kabaal maken. Ze draaide zich om, keek op de wekker en zag dat het half zeven was, terwijl Kyle ze al een uur geleden had moeten melken.

Zijn kant van het bed was leeg; ze liep naar het raam en keek naar buiten. Ze zag dat de pick-up van het erf was verdwenen. Met een opkomende paniek trok ze haar kleren aan en liep de smalle trap af naar beneden en naar de voordeur, die openstond. Op de vloer onder aan de trap lag een voorwerp dat een sok bleek te zijn, een blik door de woonkamer leerde haar dat de laptop van de tafel weg was en dat zijn werkoveralls op hun haak naast de deur hingen.

'Verdomme! Hij is weg! De klootzak is ervandoor,' zei ze hardop. Er was geen briefje, niets. Ze rende weer naar boven om haar mobieltje te halen en zag dat ze een sms'je had.

Zo is het beter. Hou je haaks, pop, met een smiley erachter.

Sadie was zo woedend dat ze de telefoon door de kamer had gesmeten als ze niet had geweten dat ze verloren was als ze die niet meer had.

Ze trok haar rubberlaarzen aan en liep het erf op. De koeien loeiden toen ze haar zagen en ze opende het hek om ze op het melkveld te laten. Ze liepen er langzaam, met stijve poten, schonkige heupen en opgezwollen, zwaaiende uiers naartoe, terwijl ze een voor een even stilhielden en haar bij het hek met nieuwsgierige, vriendelijke ogen aanstaarden. Stuk voor stuk leken ze dezelfde vraag te stellen: 'Wat doe jij hier? Waar is Kyle?' Ik wou dat ik het wist, meiden, antwoordde ze in gedachten. Ik wou dat ik het wist.

Ze kon ze niet melken, ze wist niet hoe dat moest, maar zodra ze de eerste troep het melkhuis in had gewerkt, zou ze de vervangende melkman bellen en zorgen dat hij hier zo gauw mogelijk was. Ze hoopte van ganser harte dat hij thuis was en niet ergens anders aan het melken was.

Daarna had ze het zo druk dat ze geen tijd had om veel aan Kyle te denken of hoe hij zo laag-bij-de-gronds had kunnen zijn om de boel de boel te laten. Nadat ze het melken had geregeld, moest ze de meisjes wakker maken en doen alsof het een volmaakt normale ochtend was. Ze liep met ze de afrit af naar de schoolbus, terwijl Georgie aan haar arm hing en Tamzin treuzelde en onder het lopen een boek las. Geen van beiden vroeg naar Kyle. Het was normaal dat ze hem niet zagen, want hij kwam altijd later ontbijten, als ze al naar school waren.

Sadie wist dat wanneer ze weer bij de cottage terug was ze de boerderijbaas moest bellen en hem vertellen dat Kyle weg was. Ze was woedend dat hij haar het vuile werk liet opknappen. Ze zou ook de kalveren moeten voeren, naast haar normale werk in de kassen. Vandaag was groenteabonnementdag, de drukste dag van de week, en ze voelde zich zo ziek als een hond. Nu de pick-uptruck weg was, had ze natuurlijk geen vervoer. Ze was van plan geweest om met de truck hun spullen naar haar ouders te brengen. Ze dacht over dit alles na terwijl ze Georgie over het pad sleurde en tegelijk de waterige modderplassen probeerde te omzeilen die de helft van het jaar in de wielsporen lagen.

Het was een prachtige ochtend, maar daar had ze geen oog voor. Vogels zongen in de meidoornstruiken langs het pad en aan weerskanten was het gras bezaaid met geel speenkruid en het fijne, witte knoflookkruid. Aan de randen piepten tussen de eerste paarse wikkescheuten blauwe hondsviooltjes omhoog. Aan beide kanten lagen de grasvelden, waarnaar de koeien algauw weer zouden terugkeren om van het opverende groen te grazen, en daarachter bevonden zich de blauwe heuvels van Dorset, die tegen een hoge, blauwe lucht oprezen.

Ze ploeterden met z'n drieën in stilte voort. Tamzins lunchtrommel stootte tegen haar benen en de riemen van haar rugzak glipten omlaag naar haar ellebogen. Georgie leek de energie niet te hebben om de ene voet voor de andere te zetten. 's Ochtends was ze verschrikkelijk, haar gezicht was opgezet van de slaap en haar haar een warboel. 'Kom hier,' zei Sadie, terwijl ze in de zak van haar spijkerjasje zocht en een aantal haarspeldjes opdiepte. Ze schoof er een aan de voorkant van Georgies fijne, klittende haar, zodat het van haar voorhoofd weg was. Zo zag ze er verzorgder uit, alsof ze een moeder had die alles in de hand had, en misschien nog wel een vader ook.

Ze namen de laatste bocht van de afrit, niet ver van een groepje hoge bomen waar het pad op de weg uitkwam, en die er na de winter nog altijd verstild en kaal bij stonden. Sadie zag de schoolbus aan de voet van de heuvel, waar hij stopte om de kinderen van de gemeentehuisjes naast de oude molen op te halen. 'Kom op!' zei ze. 'We moeten opschieten! De bus is er al bijna. Een fijne dag vandaag. Als de school uit is, hebben jullie geen huiswerk. Overmorgen is het vakantie!' Ze probeerde haar stem opgewekt te laten klinken, maar dat kostte haar heel wat moeite nu ze door Kyle zo diep in de ellende zat. Ze voelde een stekend verdriet om wat ze met hem had gehad, soms volmaakt geluk, maar dat zo weinig waard was gebleken. Waar was hij, de klootzak? Waar was hij naartoe gevlucht?

Ze zette de meisjes op de bus en beende naar de boerderij terug. Ze was boos dat hij de laptop had meegenomen. Die had hij voor haar gekocht en alles van haar stond erop: al haar persoonlijke zaken, al haar contacten. Ze was het liefst regelrecht naar Mumsnet gegaan, om de laatste dramatische ontwikkelingen in haar leven wereldkundig te maken. Ze wist nu al hoe woedend de vrouwen zouden zijn over Kyles rotstreek. In plaats daarvan zou ze haar ouders bellen. Ze haalde haar mobieltje uit haar zak en toetste hun nummer in, maar er werd niet opgenomen. Haar moeders mobieltje stond uit. Sadie vermoedde dat ze nu naar haar werk reed. Ze probeerde haar vaders mobiele telefoon, maar ook hij nam niet op. Waar was hij? Sliep zeker nog. Ze zou graag met hem gepraat hebben. Ze wilde de woede in zijn stem horen wanneer ze hem het nieuws vertelde.

Doordat Roger er ook was, had Julia, zoals David het noemde, een rolberoerte gekregen, en dat bedierf de hele openingsset-up van hun hereniging. Hij kon niet anders dan haar handenwringend in de cottage achterlaten, de hond uit de auto halen en een stukje met hem over het pad lopen. Roger onderzocht enthousiast de nieuwe geuren. Terwijl ze langs de naburige cottage liepen, kwam een vrouw naar buiten en ging met over elkaar geslagen armen bij het hek staan. 'Honden zijn verboden,' zei ze, Davids groet negerend. 'Ze staan geen honden toe in de cottage. Dat staat in de brochure. En op de website.' Hoewel ze tamelijk jong was, straalde ze die vastbeslotenheid van een apert bazig mens uit, blij dat ze de kans kreeg om anderen op hun fouten te wijzen. Ze was een politieagent pur sang.

'Ik ben alleen maar op bezoek,' zei hij kil, en hij dacht: bemoeizuchtig wijf. 'En als ik al blijf, kan hij in de auto slapen.'

'Ja, maar u kunt 'm niet de hele nacht laten blaffen. Ik vraag me af waarom u hem hebt meegenomen, terwijl het heel duidelijk op de website staat. Honden verboden. Ik pas hier alleen maar op. Ik heb 't niet bedacht.'

'Nee. Oké.'

'Ze zijn er heel duidelijk over. Geen kinderen. Geen huisdieren.' Ze was dik en droeg een jasschort over een strakke, driekwart lange, zwarte legging. Haar potige, zachtpaarse kuiten liepen naadloos over in haar gymschoenen.

'Ik snap 't. Bedankt. Ik neem aan dat ik wel over het pad mag lopen? Daarvoor heb ik toch geen toestemming nodig?'

De vrouw zweeg, wist niet waar hij op doelde.

'Op het pad mag u doen wat u wilt,' gaf ze uiteindelijk spijtig toe.

'Mooi zo. Dank u zeer.' Als je beleefd bleef, bracht je agressieve mensen vaak eerder van hun stuk dan met harde woorden, maar daar leek de jonge vrouw ongevoelig voor. Ze bleef nors bij het hek staan staren. David voelde haar ogen in zijn rug priemen terwijl hij verder het pad af liep, dat tussen twee hoge wallen lag en waardoor het zicht aan weerskanten werd belemmerd. Het was alsof je door een tunnel liep.

Rothond! Roger had de sfeer rondom de hereniging tussen hem en Julia compleet bedorven, de hele opwinding van dat eerste, hartstochtelijke contact tenietgedaan. David was gefrustreerd. Het was allemaal Alice' schuld, omdat zij erop had aangedrongen om hem mee te nemen. Hij vroeg zich af waarom hij daar niet tegenin was gegaan. Hij had kunnen verzinnen dat Edwin allergisch was voor honden, of zoiets.

Roger rende vooruit en bleef staan om de voet van de wallen grondig te onderzoeken. Hij kwispelde en zijn staart danste heen en weer. Hij genoot met volle teugen, die verdomde hond.

Boven op de heuvel draaide David zich om en keek over een hek naar het omliggende landschap van kleine, winters ogende velden die door stenen muurtjes en wallen van elkaar gescheiden werden, en naar een paar door de wind gegeselde bomen. Zover het oog reikte was het landschap overal ruig. Het zag er koud en niet uitnodigend uit. Hij riep Roger en begon de heuvel weer af te lopen. Toen hij langs de cottage van de vrouw liep, was ze nergens meer te bekennen. Haar voortuin zag er verwaarloosd uit met verdord gras en kapot plastic speelgoed. Onder een grijs, leien dak waren de muren van de wit gestuukte cottage begroeid met een landkaart van groen mos. Het was een ellendige, troosteloze plek, zelfs in de heldere zonneschijn.

Hij liep naar zijn auto, pakte Rogers deken en bakken uit de achterbak en nam ze mee de cottage in.

'Hij mag niet mee naar binnen,' zei ze, toen ze opkeek. 'Dat heb ik al gezegd.'

'Hij kan hier blijven, op dit veranda-achtige geval,' zei David. Er was een glazen afdak boven de voordeur. 'Dan is hij technisch gesproken niet in huis.'

'Briljant!' zei Julia en ze lachte.

David maakte Rogers mand in orde en gaf hem een bak water.

'Zo,' zei hij. 'Liggen.' Hij duwde Roger bij zijn achterste op zijn deken, sloot de glazen deur achter hem en ging naar binnen. Hij keek achterom om te zien hoe hij deze verbanning opnam en zag dat Roger was opgestaan en met een gekwetste uitdrukking in zijn ogen voor het glas stond.

David liep naar Julia, ging naast haar op de bank zitten, pakte de kop uit haar handen en even later waren ze verstrengeld in een omhelzing. Roger keek toe, jankte een paar minuten, ging daarna in zijn mand liggen, legde zijn kop op zijn poten en slaakte een diepe zucht.

Het bleek dat Annie kleren had uitgekozen die niet erg geschikt waren voor Londen. Het was behoorlijk koud toen ze 's ochtends vroeg op pad ging en de jongens bij Fiona had afgezet. Toen ze samen met de Londense forenzen op het perron op de trein stond te wachten, was ze blij dat ze haar zwarte jas droeg. Maar de zon kwam achter de wolken tevoorschijn, de lucht klaarde op en tegen de tijd dat ze zich via Waterloo een weg naar de ondergrondse had geploegd, was het weer veel te heet.

Ze zat drie uur bij haar vroegere kapper en had de wanhoop van de stylist moeten verduren terwijl die de zware lokken van haar donkerbruine haar in zijn handen nam en uitriep hoe armzalig het was geknipt en hoe slecht het ermee was gesteld.

'Ik weet 't, dat weet ik wel,' zei ze nederig. 'Daarom ben ik ook hier.' Toen ze nog in Londen woonde, ging ze regelmatig naar deze kapper, maar Mark had amper laten merken dat hij haar herkende.

Elke keer als de deur openging, werd zijn aandacht afgeleid door de zoveelste aantrekkelijke en belangrijke vrouw die binnenkwam om voordat ze naar haar werk ging haar haar te laten doen.

'Volgens mij moeten we voor kort gaan, een afgeplatte bob met een volle pony,' zei hij terwijl hij zich omdraaide om een vrouw te begroeten, die Annie herkende als de baas van een van de topfondsmanagers in de City. In de pers hadden ze het er altijd over dat ze haar briljante carrière zo goed wist te combineren met vier jonge kinderen. 'Je haar is zo zwaar dat het recht naar beneden valt, ik wil het langs de kaaklijn laten afbuigen, zodat het een beetje beweegt als je met je hoofd draait. Dat past goed bij je schalkse gezicht. Ik zal de colorist ernaar laten kijken. Ik stel voor om het kastanjebruin, mahonie, tot aan bordeauxrood en oranjepecco te kleuren. Die punten zijn er beroerd aan toe, wat heb je ermee gedaan?'

Schalks? Het was eerder het smalle, vermoeide gezicht van een niet meer zo jonge vrouw. Ze staarde naar zichzelf in de spiegel; ze leek wel een vreemde, opgemaakt, waar ze al een aantal jaren niet meer aan toe was gekomen. Het maakte haar niet uit wat ze met haar deden. Schiet nou maar op, dacht ze. Doe iets waardoor ik weer zo word als vroeger. Ik geef me aan jullie over.

Gelukkig was de manicure een klein, Spaans meisje dat weinig te melden had en Annie liet met haar ogen dicht haar nagelriemen terugduwen terwijl tegelijkertijd haar haar werd geverfd door een jongen met slangenheupen.

Toen alles achter de rug was, moest ze een astronomisch bedrag afrekenen en staarde ze verbaasd naar haar eigen spiegelbeeld. Haar haar zwierde als een glanzende waaier om haar gezicht. Ze zag er veel slimmer en scherper uit. Ze wist niet of Charlie dat wel mooi zou vinden. Hij zag haar liever met lang haar, zoals de meeste mannen. Lang haar was niet bedreigend, terwijl haar nieuwe kapsel zakelijkheid uitstraalde.

Ze had nog een half uur om bij het restaurant in Great Portland Street te komen waar ze een tafel had gereserveerd. Vroeger kwam ze daar vaak en de plek werd gefrequenteerd door mensen uit de uitgevers- en entertainmentwereld. Er waren altijd wel een paar beroemdheden te vinden om de boel op te vrolijken en die een gespreksonderwerp vormden als de conversatie stokte. Terwijl ze in het warme lentezonnetje liep, deed ze haar jas uit en hing hem over haar arm. Haar kasjmier sweater sloot bij de hals en haar gezicht voelde warm aan. De haar tegemoetkomende vrouwen waren gekleed in wikkeljurken en vestjes. Sommigen hadden zelfs blote benen. Ze was haar zonnebril vergeten en haar hooggehakte pumps begonnen te knellen.

In een wilde opwelling dacht ze erover om een winkel in te duiken en een heel andere outfit te kopen, maar daar had ze geen tijd voor. Ze liep met afgemeten pas door en zat twaalf minuten later aan het tafeltje met een glas witte huiswijn in de hand. Ze hoopte maar dat Sylvia haar niet zou laten wachten. Ze voelde een knoop van opwinding in haar maag. Dat kwam voor een deel doordat ze in haar eentje op pad was – eindelijk een keer zonder kinderen – en in een elegant Londens restaurant zat waar goedgeklede mensen kwamen. Ze genoot er ook van dat Charlie geen flauw benul had van waar ze was. Ze had het niet nodig gevonden hem iets over deze dag te vertellen. In feite zette ze 't hem daarmee betaald. Een mooie wraak.

Nog voordat ze de jongens in de auto had gezet en naar Fiona had gebracht, was hij al naar zijn werk vertrokken. Merkwaardig genoeg hadden die er geen last van dat de ochtendlijke routine anders was dan anders, hoewel ze had moeten schreeuwen en dreigen om hun schoenen, rugzak, lunchtrommel, leesboeken en zwemspullen bij elkaar te krijgen en de hele bups in de auto te laden. Nadat ze hen bij Fiona door de voordeur had geduwd, was er geen tijd om te blijven hangen en vragen te stellen. Ze hoefden niet te weten waar ze naartoe ging.

Ze begon er aardigheid in te krijgen dat haar haar naar voren zwaaide en genoot van de lucht die langs haar blote nek streek. Eind deze maand, als de creditcardrekening binnenkwam, zou Charlie zien wat het allemaal had gekost. Misschien zou ze tegen die tijd werk hebben en zouden de kosten er niet meer toe doen.

'Hallo!' zei een mannenstem. Annie keek op en zag een lange man in een goed gesneden, grijs kostuum die glimlachend naar haar omlaag keek. 'Annie Thorne, toch?'

'O! Hallo!' Het duurde even voordat ze Peter Maguire herkende, hoofdaccountant van het blad waarvoor ze had gewerkt. Het was vreemd om weer bij haar meisjesnaam te worden aangesproken.

'Hoe is het met jou? Dat is ook lang geleden!' Peter keek achterom naar waar de ober een stoel voor hem klaar hield aan een tafeltje in de buurt, waar al drie andere mannen hadden plaatsgenomen. Hij gebaarde dat het oké was en dat hij er zelf wel voor zou zorgen.

'Inderdaad. Ik ben naar het platteland verhuisd, zoals je weet. Kinderen gekregen. Van de radar verdwenen.'

'Ben je nu terug?'

'Nog niet, maar ik hoop dat dat wel gaat gebeuren. Ik heb trouwens een afspraak met Sylvia. Ik wil graag weer beginnen. Ik ben voor m'n gevoel klaar voor een uitdaging, dus ik kijk uit naar iets anders. Maar niet meer in de mode.'

Peter trok een gezicht. 'Daar hebben ze het nu zwaar. Weet je dat *Glitz* over de kop is? En onlangs zijn een paar start-ups op het kerkhof der vrouwenbladen beland. Ik ben bang dat het geen goede tijd is.'

Annie dacht aan Fiona en zwaaide met haar glanzende bobkapsel. 'Ja, maar kom op, Peter, ik was goed, weet je nog. Ik heb een dik verdiende reputatie en een wereld aan ervaring. Ik weet van wanten. Er is nog nooit een tijdschrift over de kop gegaan waar ik iets mee te maken heb gehad.'

Peter glimlachte naar haar. 'Je hebt natuurlijk gelijk. Je was een goed redacteur. Heb je een kaartje? Nee? Kijk, hier heb je het mijne. Bel me over een week of twee op. Geweldig, eigenlijk. Je haar zit leuk. Je bent op het platteland tenminste niet vet en saai geworden!'

Annie herinnerde zich dat ze Peter ooit op een dronken kerst-feestje had gekust. Ze was toen al getrouwd. Hij was niet bepaald knap, maar hij straalde een wolfachtige aantrekkelijkheid uit. Hij had de reputatie een gevaarlijk man te zijn. Ze glimlachte naar hem. 'Bedankt. Hoe gaat het met Sarah? Jullie hebben toch ook kinde-ren?'

Peter trok weer een gezicht. 'Huwelijk gestrand, vrees ik. Sarah is met de kinderen in Surrey gaan wonen. Zij is wél dik geworden. Moet je horen, ik moet naar de anderen toe. Vergeet me niet te bel-len.'

Op dat moment dook Sylvia bij het tafeltje op. Ze had zich thea-traal uitgedost in een pioenkleurige, zijden jas en een broek met smalle pijpen. Zij en Peter begroetten elkaar hartelijk alvorens hij naar zijn tafel liep en ze haar volle aandacht op Annie kon richten.

'Verschrikkelijke man!' fluisterde ze in Annies oor toen die op-stond om haar te omhelzen. 'Door zijn spelletjes achter de scher-men ben ik voor de bijl gegaan. Maar, liefje, wat heerlijk om je weer te zien! Kek haar! Zo kunnen ze het vast niet op het platteland!'

'Champagne? Zullen we champagne bestellen?' vroeg Annie. 'Geweldig om je weer te zien, Sylvia.'

Op het vliegveld van Southampton hield Sabine de vertrektijden in de gaten. Haar vlucht naar Bordeaux was op tijd en zo meteen zou ze afscheid nemen van haar moeder, door de vertrekpoort lopen en zou haar reis beginnen. Ze had alleen handbagage bij zich, was ge-kleed in spijkerbroek en sweatshirt en droeg haar haar in een paar-denstaart. Om haar hals hing een smal, roze leren tasje – een cadeau-tje van Jacqui – waarin haar paspoort, e-ticket en een portemonnee met euro's zaten. Ze had deze reis zo vaak gemaakt dat ze niet ze-nuwachtig was, en hoewel haar moeder haar als minderjarige zon-der begeleiding had ingecheckt, was Sabine van plan haar escorte uit de weg te gaan. Ze was prima in staat om het in haar eentje te redden.

'Nou, je belt als je er bent, oké? Als ik niet opneem, laat je een bericht achter of je stuurt een sms'je. Veel plezier, liefje. Het zal zo gek zijn, zonder jou en Agnes. Rustig en netjes! Vergeet niet tegen je vader te zeggen dat je een tennisracket nodig hebt en dat Ollie een nieuwe laptop voor je heeft moeten kopen. En vertel hem ook over het koorreisje naar Italië in het volgende semester. Nou, heb je alles? Kijk alles nog even na. Goed, lieveling. Dikke knuffel!'

Sabine was blij toen alles achter de rug was, ze door de paspoortcontrole was en naar de rij voor het beveiligingspoortje liep. Niemand sloeg acht op haar en ze was er in een mum van tijd doorheen. Eenmaal in de vertrekhal kocht ze een fles water en een wit konijntje met een blauw halsbandje voor Jacquis baby. Ze wilde aan papa en Jacqui laten zien hoe blij ze was dat ze een halfbroertje kreeg. Ze mocht geen jaloerse of wrokkige indruk maken, want het was belangrijk dat ze inzagen dat ze een heus gezin vormden – zijzelf, Agnes en het kindje – en dat ze met z'n allen bij elkaar zouden zijn, op vakantie zouden gaan en zo, en dat Pompignac nog altijd een thuis was, ook al woonden ze het grootste deel van de tijd bij hun moeder in Engeland. Het was de enige manier die ze kon bedenken om haar leven op orde te houden: zo veel mogelijk van haar beide ouders houden, zo eerlijk mogelijk zijn en maar hopen dat ze daarmee kon bewerkstelligen dat geen van hen ooit het gevoel kreeg dat zij en Agnes het níét erg vonden om niet bij hen te zijn.

Ze mocht Ollie graag en Jacqui ook, dus dat maakte het gemakkelijker, maar in haar hart wist ze dat zij nooit zo veel van Agnes en haar konden houden alsof het hun eigen kinderen waren, net zoals zij nooit van hen konden houden zoals ze van hun eigen ouders hielden. Een jongetje, van papa en Jacqui, zou hun dierbaarder zijn, want hij was écht van hun tweeën en niet een of ander los eindje van een ongelukkig huwelijk.

Nu begreep ze waarom haar moeder zo graag Ollies kind wilde, ze wist dat het bij haar net zo werkte. Door de baby konden ze aan iedereen laten zien dat ze van elkaar hielden, terwijl als het om haar en Agnes ging, ze moesten uitleggen dat ze deel uitmaakten van Lisa's verleden, waar ze nu bitter spijt van had, waarin ze ongelukkig was geweest en dat nog altijd op haar drukte, met gedoe om geld en van alles en nog wat.

Ze dacht hier zo hard over na dat ze er hoofdpijn van kreeg, en soms vroeg ze zich af waar zij en Agnes nou eigenlijk echt thuishoorden. Het leek wel alsof ze dan weer wel en dan weer niet gewenst waren, bij wie ze ook waren. Ze was ooit figurant geweest in een toneelstuk op de basisschool en dat werd een 'bijrol' genoemd. Dat was nou precies waar ze zo bang voor was: dat ze dat ook in haar eigen leven was geworden. Ze wist dat pap en mam van haar hielden, niemand deed akelig of zo, maar er was altijd een terughoudendheid, een máár. De enige mensen bij wie ze het gevoel had dat ze Agnes en haar namen zoals ze waren, waren Ollies ouders, die Frankrijk en alle verwikkelingen eromheen helemaal niet erg vonden. Zij leken blij te zijn dat ze deel waren gaan uitmaken van hun familie toen Ollie met mam trouwde. Ze waren gewoon blij met ze.

Papa's familie was zo niet. Hun Franse grootmoeder noemde hen 'de kinderen van die Engelse vrouw'. Sabine wist dat ze het niet met hun opvoeding eens was, want Sabine had haar en haar vader daarover ruzie horen maken. Ze was blij geweest toen ze naar Engeland moesten verhuizen, hoewel ze had gehuild toen papa Agnes en haar meenam om afscheid te nemen.

Misschien had ze een cadeautje voor papa en Jacqui moeten meenemen, omdat ze hun zo rauw op hun dak viel. Ze telde haar ponden en dwaalde door de winkels. Ze kon een pakje zandkoekjes betalen, en theezakjes in een blikje in de vorm van een Londense bus, en misschien wat snoepjes. Papa hield van snoep, vooral van het soort dat je in Frankrijk niet kon krijgen. Engels snoep.

Ze rekende de aankopen af en ging met haar tas tussen haar knieën op een plek zitten vanwaar ze het bord kon zien waar haar vlucht zou worden aangekondigd. Ze keek op haar horloge. Als ze het tijdsverschil meerekende, zou ze laat in de middag in Pompignac zijn.

Ze nam een slokje uit haar waterflesje en dacht aan haar moeder, die in haar eentje weer naar huis reed. Ze maakte zich natuurlijk zorgen, want ze had zonder toestemming haar creditcard gebruikt en gejokt over het feit dat papa haar vlucht zou betalen, maar dat zou allemaal rechtgezet worden als ze het hem uitlegde. Hij begreep vast wel dat ze hem moest zien en hij zou haar ticket betalen, net als altijd. Het was raar om zonder Agnes op het vliegveld te zijn en ze was best blij toen een dame van de vliegtuigmaatschappij met een klembord naar haar toe kwam en vroeg hoe ze heette.

'We hebben naar je gezocht, Sabine,' zei ze. 'Kom je met me mee? Ik breng je tot de gate en draag je daar over aan de stewardessen.' Ze glimlachte niet erg vriendelijk en haastte zich met klikkende hoge hakken weg. Sabine sjokte met haar koffertje achter haar aan. Ze was nog niet heel ver toen ze zich realiseerde dat ze de tas met de cadeautjes bij haar zitplaats had laten staan en moest terugrennen, terwijl de dame met het klembord zuchtte en met een hand op haar heup bleef staan wachten; met de grote, roodgeruite, onder haar kin geknoopte strik zag ze eruit als een groot, knorrig huisdier.

'Ben je Frans?' vroeg ze toen ze weer verder liepen en ze haar naam op de lijst las. 'Zo klink je niet.'

'Voor de helft,' zei Sabine. 'Mijn vader is Frans.'

'Hij komt je aan de overkant toch wel ophalen, hè?'

'Ja,' loog Sabine. 'O ja, hij is er wel, hoor.'

Natuurlijk was hij er niet. Hoe kon hij er nou zijn als hij niet eens wist dat ze zou komen? Maar onwillekeurig keek ze toch hoopvol langs de mensenmenigte die op passagiers van haar vlucht stond te wachten. Omdat ze alleen handbagage had, was ze een van de eersten die door de douane waren gekomen en ze bleef even staan om zich te oriënteren. Ze wist hoe ze met het openbaar vervoer naar Pompignac moest komen, met de tram en de bus, maar dan zou ze er heel lang over doen. Ze dacht erover om papa op zijn kantoor te bellen om te kijken of hij vandaag in de stad was, dan konden ze samen naar huis rijden.

Op dat moment kreeg ze een wee gevoel in haar maag en de moed zonk haar in de schoenen. Ze kon nu niet meer ontkomen aan wat ze had gedaan. Ze moest papa onder ogen komen en wist dat hij misschien heel boos zou worden. Ze rolde haar koffertje naar een rustiger hoekje, haalde haar telefoon tevoorschijn en vond zijn nummer. Hij nam bijna onmiddellijk op en zijn stem klonk kortaf, alsof hij geërgerd was dat hij werd gestoord.

'Hé, Sabine. Sorry, liefje, maar het komt nu niet goed uit. Ik wacht op een paar grote Amerikaanse kopers. De eerste groeicijfers over 2009 gaan zelfs nog over het topjaar 2005 heen. Dit is een groots moment. Ik kan nu niet met je praten, schatje.'

'Papa! Ik ben hier. Ik sta op het vliegveld!'

'Welk vliegveld? Wat zeg je nou? Ben je in Bordeaux? Nu?'

'Ja, papa! Ik ben vanmorgen vertrokken. Ik wilde je zien. Ik weet dat ik niet mocht komen, maar ik moet je echt zien.' Sabine hoorde dat haar stem het bijna begaf.

'Heeft je moeder je laten gaan? Mocht je van haar hierheen komen? Sabine, dit is belachelijk! Ik heb geen tijd voor je. Ik heb je gezegd dat het onmogelijk was. Dit is voor mij de drukste tijd ooit. Waarom ben je zo ongehoorzaam? Heeft je moeder hier iets mee te maken?' Hij verhief zijn stem, was echt boos.

'Nee, nee, papa. Ze wist niet dat je had gezegd dat ik niet kon komen. Het is niet mama's schuld. Ik heb buiten haar medeweten om mijn ticket met haar creditcard gekocht.'

'Waar gaat dit over? Waarom ben je zo ondeugend? Echt, ik kan je nu niet hebben. Jacqui is een paar dagen bij haar moeder. Er is niemand thuis om voor je te zorgen.'

'Er hoeft niemand voor me te zorgen. Als je alleen thuis bent, kan ik voor jóú zorgen!'

'Doe niet zo belachelijk! Ik ben heel laat thuis van kantoor. Ik ga met een paar klanten uit eten. Dan kan ik er niet tegelijk voor jou zijn.'

'Papa! Zeg niet dat ik een lastpak ben. Ik ben je kind en ik heb je drie maanden niet gezien. Ik moet je zien! Papa, ik kan niet leven zonder je te zien!' Haar stem sloeg over en trilde. Voorbijgangers keken haar kant uit en ze draaide zich om, staarde blindelings door het matglazen raam terwijl ze haar telefoon in haar hand geklemd hield.

'Oké, oké. Ik ben aan het nadenken.' Zijn stem klonk nu zachter. Er viel een stilte. 'Sabine, kun je met de luchthavenshuttle naar de stad komen? Je kunt naar mijn kantoor komen, maar daar moet je in je eentje wachten. Heb je geld? Koop een sandwich of een hamburger voor jezelf. Ik ben vanavond pas vrij, en dan maar een uurtje. Ik zal er wel iets op proberen te vinden. Nu moet ik ophangen. Echt, Sabine, je had geen slechter moment kunnen kiezen om me zo te overvallen.'

'Sorry, papa,' fluisterde ze. 'Ik realiseerde me het niet. Ik dacht dat je blij zou zijn om me te zien.'

'Nee! Ik ben boos! Dit is geen manier van doen. Je kunt niet zomaar aan komen zetten en dan van mij verwachten dat het allemaal goed komt. Het is niet goed. Het is helemaal niet goed.'

'Papa?'

'Wat?'

'Zeg het alsjeblieft niet tegen mam. In elk geval nu nog niet.'

'Natuurlijk moet ze het weten, maar daar heb ik nu geen tijd voor. We hebben het er later wel over. Begrijp me goed, Sabine, ik ben heel boos op je. Heel erg.'

In de shuttlebus naar de stad zat Sabine de hele weg haar tranen weg te slikken. Het was allemaal veel erger dan ze had verwacht en ze had geen idee hoe het verder zou uitpakken. Als ik iemand anders was geweest, dacht ze, zou ik zorgen dat het ze zou berouwen, papa en Jacqui. Ze kon gewoon uit de bus stappen en verdwijnen, en ze de stuipen op het lijf jagen. Dan zouden ze naar de tv moeten stappen en smeken of ze iets van zich wilde laten horen, smeken of ze contact met hen wilde opnemen. Ze zou laten zien hoe erg van streek ze haar hadden gemaakt en dan zouden ze huilen van blijdschap als ze zich liet vinden en bij ze terug was.

Ze kon wel dromen van dat soort dingen, maar zoiets zou ze nooit doen. Ze had de moed niet om een slaapplek te zoeken, de hele dag over straat te zwerven zonder met iemand te kunnen praten. En echt, ze wilde haar familie niet zo veel pijn doen en ze niet zo tot last zijn. In plaats daarvan zou ze hun woede over zich heen laten komen. Ze had nooit eerder iets akeligs gedaan. Ze was altijd braaf geweest en had nergens gedoe over gemaakt, in tegenstelling tot Agnes. Ik heb altijd geprobeerd m'n best te doen zodat ze van me zouden houden, dacht ze, maar zo werkt het niet. Ze hielden niet meer van haar dan van Agnes, die schreeuwde en gilde, tegen de meubels schopte en vaak niet deed wat haar werd opgedragen. Je werd niet beloond als je je best deed. Sterker nog, doordat ze door de telefoon tegen papa zei dat ze van hem hield en hem nodig had, leek ze hem alleen nog maar meer tegen zich in het harnas te jagen. Hij had liever gehad dat ze net zo was als Agnes, die op vakantie ging zonder ook maar een moment over hem na te denken. Dat was gemakkelijker voor hem, dat gaf minder probemen. Voor hen was het maar een last als mensen van ze hielden, dat kwam slecht uit.

In rue de L'Esprit des Lois stapte ze uit de bus en liep langzaam naar het kantoor van haar vader. Het was een heldere, winderige dag maar niet warmer dan in Engeland. Ze had geen honger, maar hij had haar gezegd dat ze iets te eten moest halen, dus ze kocht een baguette en wat chocola. Toen ze bij zijn kantoor in de Rue Notre Dames aankwam, belde ze aan. Monsieur Robert van de antiekshop beneden kwam naar buiten, zei tegen haar dat papa naar een vergadering was, dat ze naar boven mocht gaan en daar op hem moest wachten. Monsieur Roberts adem rook naar alcohol en zijn malle witte snor zat onder de gele vlekken. Hij deed haar denken aan haar teleurstelling bij de ijsberen in de dierentuin, die vuilbruin waren in plaats van sneeuwwit.

Papa had hem vast verteld wat ze had gedaan, want hij zuchtte en mompelde afkeurend toen ze haar koffer de trap op zeulde. Het was rommelig in papa's kantoor en het stonk er naar sigaretten. Een andere keer zou Sabine de boel misschien hebben opgeruimd, maar daar had ze nu geen zin in. Ze liep naar het raam en keek uit over de grijze daken en schoorstenen. Ze herinnerde zich nog dat ze hier met mam kwam, toen ze heel klein was – nog voordat Agnes was geboren – en dat haar vader haar optilde om haar de duiven te laten zien.

Alles moest toen gemakkelijk en fijn zijn geweest. Sabine kon zich uit die tijd geen ruzies of zo herinneren. Dat was voordat papa's bedrijf steeds groter werd en hij naar Pompignac verhuisde, voordat hij personeel in dienst nam, onder wie Jacqui, dat hem hielp bij het runnen van het bedrijf.

Ze wendde zich van het raam af en ging op de bank zitten, dezelfde bank waarop papa vroeger altijd sliep toen hij en mam later ruziemaakten, hij kwaad en met slaande deuren het huis uit liep en woedend vanuit Pompignac naar de stad reed.

Sabine streek met haar hand over het blauwgeruite bankovertrek. Ze voelde zich heel verdrietig en eenzaam. Ze wenste dat ze daar niet in haar eentje was, maar ze wist ook weer niet waar ze dan wel wilde zijn. Ze had alles beter willen maken, maar in plaats daarvan was het er alleen maar erger op geworden.

Sadie had een afspraak gemaakt met de boerderijbaas, Bob Davis, een gladde man van middelbare leeftijd, die een waxcoat en een platte pet droeg en in een Land Rover Discovery reed. Zijn gezicht werd rood van woede omdat Kyle zomaar de benen had genomen zonder zich fatsoenlijk aan de opzegtermijn te houden. De invaller kon een week of twee komen, zei hij. Er waren plannen in voorbereiding om daarna de kudde met een andere samen te voegen op een grote veehouderij die beter op melken was ingericht. Het was economisch gezien handiger, zei hij, om de kudde te verdubbelen en de kosten te drukken door op mankracht te bezuinigen.

'Bedoelt u te zeggen dat Kyle sowieso overbodig was geworden?'

'Die kans was er wel, ja. Of we hadden hem overgeplaatst naar Bishops Barton.'

'Wist hij dat?'

'We hebben het er globaal over gehad.'

Dus ze waren misschien sowieso weggestuurd. Sadie voelde zich prompt niet meer schuldig over het feit dat ze iemand zou benadelen.

'Hoe zit het met de cottage?'

'We hebben bekeken of we asperges en aardbeien konden verbouwen, in kassen, natuurlijk, en voor de oogst zetten we dan Oost-Europese werkkrachten in.'

'En het groenteabonnement?'

'Daar houden we mee op. Dat levert toch nauwelijks iets op, vooral omdat we spullen moeten inkopen die we hier niet telen.'

'Nou, je bent ook een mooie!' zei Sadie. 'Terwijl ik nog het gevoel had dat wij júllie in de steek lieten. Maar jullie geven geen snars om ons, hè? Kyle had gelijk.'

Bob keek gepijnigd. 'Ik geloof niet...' begon hij.

Sadie onderbrak hem. 'Nou, het is duidelijk dat we vertrekken, de meisjes en ik. Over een paar dagen zijn we weg.'

'Dat vind ik prima. Als en wanneer de kudde is verhuisd, zijn we van plan de cottage op te knappen.'

'Voor wie?' vroeg Sadie koeltjes.

'Vakantieverhuur. We hebben geen onderkomen meer nodig voor een werkkracht, zie je, hoewel we het eerlijk gezegd wel prettig hadden gevonden als je de groente nog had gedaan, de drukste tijd moet namelijk nog komen.'

'Ja, dat zal wel, met dat ellendige uurloon van je. Bedankt, maar nu hoeft 't niet meer.'

'En hoe zit 't met die meubels die je hier wilt opslaan? Hoe lang gaat dat duren?'

'Die kom ik halen zodra ik een ander huis heb gevonden. Volgens mij had je Kyle een ontslagvergoeding moeten betalen, dus dit is wel het minste wat je voor me kunt doen.'

'Het gaat om de verzekering...' begon Bob, waarop Sadie luidkeels in snikken uitbarstte.

'Mijn partner is bij me weg,' jammerde ze. 'Ik moet in m'n eentje voor twee kinderen zorgen en jullie gooien me m'n huis uit. Ik heb geen geld, geen auto en ik ben zwanger. Voor mijn part steek je de boel in de fik, als je daar zin in hebt, want eerlijk gezegd is dat m'n laatste zorg.'

Bob deinsde verschrikt terug. De boerderijmanagementcursus die hij na zijn militaire-diensttijd in Cirencester had gevolgd had hem niet op dit soort dingen voorbereid. Hij wilde dat hij veilig in zijn Discovery zat of in zijn kantoor administratie aan het doen was. In wezen was hij een vriendelijke man en hij had Sadie altijd graag gemogen, omdat ze opgewekt en een harde werker was. Hij had nooit begrepen wat een hoogopgeleid meisje als zij bij een jonge man als Kyle deed, die, eerlijk gezegd, nogal wat bot leek. Hij had het er met zijn vrouw Antonia over gehad, en die had gezegd: 'O, zo te horen is ze zo'n moderne hippie, zoals dat volk dat in zigeunerwagens rondtrekt en doet alsof ze reizigers zijn terwijl ze eigenlijk potverteren. Volgens mij speelt ze gewoon het melkmeisje. Wat voor haar kinderen alleen maar schadelijk is.' Ze minachtte iedere moeder die niet leek te begrijpen dat je alles moest opofferen om je kroost naar een goede middelbare school te kunnen sturen.

'Moet je horen, ik vind het heel vervelend,' zei hij met opgestoken handen. 'Ik wilde je niet onder druk zetten. Maak je over die opslag maar geen zorgen. Laat 't me maar weten als ik iets kan doen.' Binnen redelijke grenzen, natuurlijk, dacht hij. Nog een kind onderweg, en kennelijk hadden de twee die ze al had geen vader. Het meisje maakte het zichzelf bepaald niet gemakkelijk.

Toen hij weg was, ging Sadie naar binnen en sloot de deur. Ze ging aan de keukentafel zitten, midden tussen de toastkruimels van het ontbijt van de meisjes. Het had geen zin om te blijven huilen, maar op de een of andere manier moest haar verdriet een uitweg krijgen omdat ze opnieuw in de steek was gelaten door een man van wie ze nog steeds hield. Dit is niet alleen maar het noodlot, dacht ze verdrietig. Dit is niet zomaar domme pech. We zitten in deze puinhoop omdat ik de boel verkeerd heb ingeschat. Dat snap ik wel, maar ik zie niet in hoe ik dat ooit kan veranderen. Ik hou nog steeds van die klootzak en ik zou hem morgen zo weer terugnemen. Waarom kan ik niet verliefd worden op een man zoals pap? Iemand die verstandig en betrouwbaar is.

David en Julia zaten nog steeds op de bank en afgaand op de geluidjes die ze maakte, leek ze te genieten van zijn inspanningen. Van wat hij had meegekregen van film en tv ging het er tegenwoordig zo aan toe. Hij en Alice behoorden tot een generatie die in stilte met elkaar vrijden, zoals ze ook tennisten zonder het zo nodig op een krijsen te moeten zetten. Het was een vreemde ervaring om een nieuw lichaam te ontdekken, waaraan alles net een beetje anders was, en daardoor moest hij aan Alice denken. Daarna was het slechts een klein stapje om zich af te vragen wat hij in hemelsnaam aan het doen was.

'Kom mee naar boven,' kreunde Julia.

'Moet je horen, ik geloof niet dat ik dit kan!' zei hij op wanhopige toon. 'Ik voel me er heel vervelend onder. Ik ben hier om je te helpen je leven weer op de rails te krijgen, niet om het nog ingewikkelder te maken.'

'Kom mee naar boven!'

'Ik heb je niets te bíéden, Julia. Ik ben een door en door getrouwd man. Ik kan zelfs geen affaire met je beginnen, niet echt. Dat is gewoon onmogelijk.'

'Dat maakt niet uit. We zijn hier nu samen. Je hebt naar je karma geluisterd en bent naar me toe gekomen.'

'Maar dat had ik niet moeten doen.' David ging rechtop zitten en legde zijn hoofd in zijn handen. 'Ik heb het gevoel dat ik je gebruik. Ik kan het niet. Doordat we zo veel in leeftijd verschillen, en door je huidige situatie, heb ik het gevoel dat ik misbruik van je maak.' Het leek hem beter niet te zeggen dat hij zich rot voelde over Alice. Dit was het slechtst mogelijke moment om te beseffen hoeveel hij van zijn vrouw hield. Verdomme, dacht hij. Verdomme, verdomme. Waarom moest zijn geweten nou juist op dit moment opspelen en zich ermee bemoeien?

'O, in godsnaam!' Julia pakte haar sweater. Met haar armen in de lucht, haar opgestoken haar en haar kleine puntborstjes had ze er niet lieftalliger uit kunnen zien, maar ze stond op en staarde hem nijdig aan. 'Waarom ben je dan verdomme gekomen?' zei ze met haar kleine-meisjesstem. 'Waarom ben je hier als je niet van bil wilt gaan? Sorry, David, ik vind je maar pathetisch met die burgerlijke scrupules van je.'

'Ik ben er duidelijk niet voor gemaakt om Lothario te spelen. Daarvoor is het gewoon te laat. Ik ben gekomen omdat ik je weer wilde zien en hoopte dat het zou lukken. Je bent een heel aantrekkelijke meid en ik voelde me gevleid. Ik moet inderdaad toegeven dat het pathetisch is.'

Julia keek hem even koeltjes aan, toen verzachtte haar gezichtsuitdrukking echter, ze ging naast hem zitten, pakte zijn handen vast en zei teder: 'Sorry. Ik had de boel niet zo moeten overhaasten. Ik heb geen respect voor je gevoelens getoond en ik weet dat je een man van principes bent.'

'Nee, nee, het is helemaal mijn schuld. Ik had niet moeten komen.'

'Ja, dat had je wel. Ik ben blij dat 't hebt gedaan.'

'Vind je het erg als ik hier vannacht blijf? Dan hoef ik niets aan Alice uit te leggen.'

'Natuurlijk. Je hoeft niet met me te vrijen, maar het zou leuk zijn als je van gedachten verandert.'

Omdat hij het gevoel had dat hij haar in de steek had gelaten en zich ellendig had gedragen, nam David Julia mee naar een belachelijk duur visrestaurant en trakteerde op een chic etentje. Het was het soort restaurant waar Alice van had genoten, dacht hij schuldig, met gesteven witte servetten en een weids uitzicht over de baai, waar het nu eb was en de kleine pittoreske vissersboten op hun kant lagen.

Hij zat min of meer verdoofd naar Julia te luisteren. Doordat hij niet aan haar verwachtingen had kunnen voldoen, had ze het gespreksonderwerp Declan maar weer van stal gehaald; ze somde een gedetailleerde lijst op van Declans vele tekortkomingen, als echtgenoot en als toekomstige ex-echtgenoot. En ook al had ze nog zo onder hem geleden, haar recente spirituele evolutie had haar erg geholpen om daarvan te genezen.

Hoewel David meende dat ze veganistisch was, mocht ze kennelijk wel vis eten, en duur ook, en met alcohol wist ze ook wel raad. Ze maakten twee flessen extravagante sancerre soldaat, en eigenlijk had hij niet over de kustweg vol haarspeldbochten naar de cottage mogen terugrijden. Maar op de een of andere manier kreeg hij het voor elkaar zonder dat ze ook maar één tegenligger tegenkwamen.

Roger moest nog worden uitgelaten en David merkte dat het vakantieachtige enthousiasme dat de hond eerder had vertoond compleet was verdwenen. Hij sjokte neerslachtig met hem mee over het pad, alsof hij het gevoel had dat hij jammerlijk in de steek was gelaten. Toen ze bij de cottage terug waren, ging hij met een sombere zucht in zijn mand in het buitenportaal liggen. Als een hond het ergens niet mee eens kon zijn, dan was het Roger wel.

David had Alice eerder die avond een misleidend sms'je gestuurd, en nu zette hij zijn telefoon uit. Julia was al naar boven gegaan, hij stond zijn tanden te poetsen in de ijskoude badkamer en ging begerig naar boven. Ondanks zijn leeftijd voelde hij zich energiek en vol verlangen, en door de wijn leek zijn knagende geweten tot zwijgen te zijn gebracht.

Hij kleedde zich uit, gooide zijn kleren op de vloer en stapte naast de naakte Julia in bed. Toen hij zich omdraaide om haar in zijn armen te nemen, begon hij te piepen. Eerst dacht hij dat het een kuchje was, maar toen zijn borst samenkromp moest hij rechtop in bed zitten en had hij de grootste moeite om te ademen.

'O god! Ik heb een astma-aanval!'

'O, in hemelsnaam!' Julia klonk geërgerd. 'Heb je daar niet iets voor?'

'Ik heb niets bij me. Ik heb in geen jaren een aanval gehad. Ik moet een paar minuten rechtop zitten.'

'Oké. Doe maar.' Julia draaide zich om en leek meteen in slaap te vallen.

David zat rechtop in bed, de onbekende plank aan het hoofdeinde sneed in zijn nek. Hij stond op en ging in een stoel zitten, waardoor hij wat gemakkelijker kon ademen. Nu hij erover nadacht, vroeg hij zich af of het dekbed van veren of van dons was gemaakt, waarvoor hij allergisch was. Of misschien had hij in het visrestaurant iets verkeerds gegeten en kreeg hij daar nu een schadelijke reactie van. Hij voelde zijn hart bonzen en vroeg zich af of hij het alarmnummer moest bellen. Je mocht niet lichtvaardig over astma denken. Mensen gingen dood aan astma-aanvallen. Het kwetste hem een beetje dat Julia zich totaal niet bezorgd toonde.

Misschien zou een glas water helpen. In het donker zocht hij zich een weg naar beneden en deed het keukenlicht aan. Iets stoof in het donker weg. Muizen. Het hele huis stonk ernaar. Hij nam een slokje water en probeerde niet in paniek te raken. Hij wenste dat Alice boven was. Zij zou weten wat er moest gebeuren. Ze zou om te beginnen zijn inhaler hebben gepakt. Hij vroeg zich af of het te laat was om haar te bellen. Hij kon zeggen dat hij met Edwin in de pub was, dat hij zich niet lekker voelde en niet wist wat hij moest doen. Trillend en naar adem happend ging hij zijn mobieltje halen, dat hij op een tafel in de woonkamer had laten liggen.

Toen Alice van haar werk thuiskwam, zette ze een kop thee voor zichzelf en ging in de woonkamer op de bank liggen, ook al was het nog maar halverwege de middag. Het idee dat ze vanavond niet voor David hoefde te koken en het feit dat ze het huis voor zich alleen had, leek een luxe. Nu zelfs Roger er niet was, was het heel stil, en na een paar minuten vielen haar ogen dicht en doezelde ze weg.

Ze schrok wakker toen de schemering de hoeken van de kamer in kroop, keek schuldig op haar horloge, maar herinnerde zich toen dat ze nergens naartoe hoefde en zich nergens zorgen over hoefde te maken. Zo zal het dus zijn, dacht ze, als ik oud en alleen ben. Het was vreemd dat ze zich wel een leven zonder David kon voorstellen, maar andersom niet. En nu ze erover nadacht: hoe zou hij het in hemelsnaam weten te redden als zij als eerste doodging? Zou hij zelfs maar de moeite nemen om 's ochtends op te staan? Ze betwijfelde het. Zou hij voor zichzelf koken? Misschien moest ze hem daarin trainen, zodat hij beter voorbereid was. Ze wist dat hij haar pan met antiaanbaklaag zou verruïneren en het fornuis niet fatsoenlijk zou schoonvegen als hij morste.

Aan de andere kant, misschien hertrouwde hij wel, of nam hij in plaats van haar een wat dominantere vrouw, zoals weduwnaar John van hiernaast. Gisteren had ze zijn vriendin gezien, Carol. Ze marcheerde met een kleine reistas over haar schouder naar zijn voordeur terwijl John met een grote koffer achter haar aan zeulde die hij uit de kofferbak van haar auto had gehaald. Alice was blijven staan en had aangeboden om te helpen, maar Carol had haar toegeroepen: 'Niet nodig, er zitten wieltjes onder! Hij redt het wel! We gaan maandag weg. Een luxe Middellandse Zeereis, we hebben een opgewaardeerde luxe balkonhut. John gooit onze reisroute nog bij jullie in de bus.'

'O, wat enig voor jullie.' Alice zag dat John een kledingmake-over had ondergaan; hij zag er heel elegant uit in een moderne broek en een roze geruit overhemd. Ze moest denken aan de tijd dat Betty nog leefde, en de bescheiden vakanties met de caravan in het Lake District, waar Betty net zo kon poetsen en schoonmaken zoals ze dat thuis deed. Carol had er geen gras over laten groeien om dat allemaal te veranderen.

Misschien zou David hetzelfde overkomen en zou hij onder invloed van een heel ander soort vrouw in zijn leven een heel ander mens worden. Misschien kon ze hem opvoeden om socialer te worden, mee te gaan naar cocktailparty's en zonder morren vrienden uit te nodigen.

Ze probeerde zich haar leven voor te stellen met een nieuwe man. Zou ze het toejuichen als hij zich met haar in de keuken zou bemoeien, opmerkingen zou maken over haar kookkunst of hoe ze gekleed ging? Of wilde hij dat ze met hem meeging naar oldtimerrally's of grotten met hem ging onderzoeken? Ze dacht het niet.

Ze vroeg zich af hoe het met David ging. Hij had haar een sms'je gestuurd dat hij veilig was aangekomen. Ze hoopte dat hij goed voor Roger zou zorgen en dat hij eraan dacht om hem af te drogen als hij nat werd. Misschien zou ze hem zelf wel proberen te bellen. Het zou leuk zijn om te horen hoe zijn dag was geweest. Dan zou ze als avondeten een eitje koken en de slaapkamer voor Tamzin en Georgie in orde maken. Die kwamen volgende week. Het zou niet lang meer zo stil zijn in huis.

David nam zijn telefoon niet op. Alice stelde zich voor hoe hij en Edwin in een pub in Cornwall met hun ellebogen op een bar leunden, met ieder een pint voor hun neus. Het was zo'n mooie, zonnige dag geweest dat ze door de lentezon en zeewind vast een kleur hadden gekregen. Als avondmaaltijd zouden ze pasta hebben genomen – met een groene salade erbij – en Roger zou aan hun voeten liggen, terwijl de aardige herbergier een bak water voor hem zou neerzetten. Hij zou behoorlijk uitgeput zijn na al die beweging waar hij niet aan gewend was.

Ze wilde net van de bank opstaan toen er op de deur werd geklopt. Ze ging opendoen en daar stond Mandy, de volwassen dochter van meneer en mevrouw Baker van hiernaast, met twee grote, platte dozen in haar armen. 'Deze zijn vandaag bezorgd,' zei ze. 'Mam heeft ze aangenomen.'

'O, dank je wel. Wat aardig van haar.'

'Ze vond het maar niks dat ze voor je deur stonden. Je weet het tegenwoordig maar nooit.'

Mandy had een dramatische kijk op het leven, dacht Alice altijd. Hoewel ze over de veertig moest zijn, haalde haar vader haar nog altijd met de auto op als ze na afloop van haar werk met haar vriendin naar de film was geweest. Kennelijk dacht ze dat ze zou worden ontvoerd en vermoord als ze bij de bushalte stond te wachten.

'Nee. Nou, bedank haar maar voor me. Trouwens, er komt een uitnodiging jullie kant op. We geven een feest. Een echt feest. Dit heeft daarmee te maken.' Alice wees naar de dozen. 'Ik heb een paar dingen besteld om uit te proberen.'

'Een feest!' zei Mandy verwonderd. Haar huwelijk had slechts een paar weken geduurd en ze was al tien jaar op zoek naar een nieuwe man, raadpleegde horoscopen en klampte zich vast aan de overtuiging dat op een dag de juiste man zou opduiken. Een feest klonk hoopvol. Tot Alice' spijt was daar in dit geval geen enkele kans op.

'Ja. Jullie krijgen binnenkort een uitnodiging. Met partytent en al!'

'Nou, ik zal het tegen mam zeggen.'

'Op zondag zes mei. Hou die datum vrij.'

Nadat Mandy zich had omgedraaid en het pad af liep, zag Alice dat ze een afgeknipte werkbroek aan had. Het leek haar geen beste keus. Als je het over cargo had, dan was dit wel een heel zware vracht.

Ze nam de dozen mee naar boven en legde ze op bed. Het was veel opwindender om in haar slaapkamer het tissuepapier van een jurk te wikkelen dan tussen kledingrekken in een warenhuis te moeten zoeken. De eerste was van zijde in de kleuren van de zee en de lucht op een milde dag; een beetje grijs, een beetje blauw, een beetje groen. Ze liet hem over haar hoofd glijden en hij paste haar perfect, gleed over haar heupen en viel precies tot op haar knieën. Haar benen hadden hun vorm behouden. Die waren niet dik geworden, zoals de rest van haar lichaam. Ze wilde dat de mouwen wat langer wa-

ren geweest omdat ze een hekel had aan haar armen, maar de halslijn was mooi en niet te laag. Zij vond het decolleté van een oudere
boezem bepaald geen aantrekkelijk gezicht.

Ze zwierde ermee rond en glimlachte in de glazen deur. Hij was
mooi. Hij kleedde af. Heel geschikt voor een tuinfeest. Heel mooi.

Ze zou een jasje of een omslagdoek moeten vinden voor over
haar schouders. Het kon nog best koud zijn in mei en ze vond het
fijn om iets om zich heen te kunnen trekken, zodat ze de vetrolletjes
om haar middel kon verbergen. Jammer dat haar kleren vooral bedoeld waren om te camoufleren, in plaats van haar figuur goed te
laten uitkomen. Maar ja, daar was niets aan te doen en de jurk was
echt heel mooi.

Ze maakte de tweede doos open en haalde er een donkerrode
jurk uit met een slank afkledende rok en een hartvormige halslijn.
Ze kon hem net zo goed passen, ook al was hij heel duur. Ze worstelde met de rits vanwege het strakke lijfje en de nauwe, ellebooglange
mouwen. De jurk koesterde haar welvingen, accentueerde haar
vrouwelijke vormen en de halslijn deed haar gezicht mooi uitkomen. Het was een wonderjurk. Al zou ze wekenlang zoeken, dan zou
ze nog niets beters vinden. Ze straalde naar haar spiegelbeeld en
schudde haar haar naar achteren. Een betoverende vreemdelinge
glimlachte terug. Haar hart stroomde vol van opwinding en geluk.
Deze jurk zou ze kopen, geen twijfel mogelijk. Deze jurk zou ze op
haar feest dragen.

Ze speelde de grote dag nog eens in haar hoofd af, maar deze keer
was het oorspronkelijke, marineblauwe broekpak met witte biezen
vervangen door de donkerrode jurk, en ze was heel ingenomen met
wat ze zag. Margaret zou trots op haar zijn.

11

Sabine bracht de ochtend in haar eentje door, knabbelde aan haar baguette, at kleine vierkantjes van de chocola en keek naar de duiven die op het dak van het naastgelegen gebouw aan het kibbelen waren. Ze sms'te haar moeder dat ze veilig was aangekomen, en de telefoon ging een paar keer over om onmiddellijk op het antwoordapparaat over te schakelen. Ze hoorde haar vaders stem vragen of de beller een bericht wilde achterlaten, of anders zijn secretaresse, Michele, in Pompignac te bellen. Ze maakte geen plannen meer en had geen verwachtingen over hoe alles zou uitpakken. Ze wist niet meer hoe ze haar leven op orde moest krijgen. De volwassenen mochten het overnemen.

Ze moest zijn weggedoezeld, want om vijf uur hoorde ze haar vaders stem beneden op de straat en het opengaan van de voordeur van het kantoor. Hij praatte met monsieur Robert, klonk opgewekt en leek in een goede stemming. Hij had net geluncht met de Amerikanen, zo zei hij. Morgen zou hij ze meenemen naar Chateau Pont-Canet, waar ze graag alle wijn uit 2009 wilden opkopen. Er viel een hoop te vieren.

'Ze zit te wachten,' hoorde ze monsieur Robert zeggen. 'Ik heb een oogje in het zeil gehouden, maar sinds ze hier is heb ik geen kik gehoord. Ze lijkt wel een bang konijntje, die dochter van jou.'

'Dat is 'r geraden.' Toen hoorde ze zijn voetstappen op de trap en stond op om hem tegemoet te lopen, terwijl ze met beide handen haar haar weer in een paardenstaart bond.

De deur ging open en daar stond hij, haar papa, in een elegant grijs pak en een aktetas in zijn handen, die hij op zijn bureaustoel legde alvorens hij zijn armen uitstrekte om haar te omhelzen.

'O, Sabine! Sabine!' zei hij. 'Kleintje toch!'

Ze liep naar hem toe, sloeg haar armen om zijn stevige, harde borst en legde haar hoofd tegen zijn crèmekleurige overhemd.

'Sorry, papa. Het spijt me zo dat ik je boos heb gemaakt.'

'Ja, ik ben boos op je. Echt boos. Je weet niet hoeveel problemen je me hebt bezorgd. Ik heb mijn afspraken voor vanavond moeten verzetten en dat was heel lastig. Ik ben bezig met een reusachtige deal en heb nu geen tijd voor je.'

'Ik ga wel naar Pompignac. Ik kan 't best zelf. Dat heb ik zo vaak gedaan.'

'Maar daar is niemand. Je kunt daar niet alleen zijn. Ik heb geen tijd gehad om familie of je vriendinnen te bellen om te kijken of je daar terechtkunt.'

'Ik vind het niet erg om alleen te zijn.'

'Waarom ben je dan gekomen? Waarom heb je je moeder voorgelogen en ben je hiernaartoe gegaan, als je het niet erg vindt om alleen te zijn? Je kunt in Engeland toch ook alleen zijn?'

'Papa, ik ben hier omdat ik jóú wilde zien! Ik wilde met jou en Jacqui in Pompignac zijn, al was het maar een paar dagen. Ik ben hier opgegroeid! Dit is nog steeds mijn thuis!' De tranen stroomden nu over haar wangen.

'Oké. Oké.' Haar vader streelde over haar haar en haalde een zakdoek uit zijn zak. 'Hier. Pak aan. Dit is mijn beste overhemd, speciaal voor de Amerikanen!'

Sabine veegde haar ogen af terwijl haar vader zijn colbert uitdeed en over de rugleuning van zijn stoel hing. Hij ging op de hoek van zijn bureau zitten en nam haar op.

'Moet je horen,' zei hij. 'Ik heb het verschrikkelijk druk… nee, echt! Ik heb niet altijd tijd om je e-mails te beantwoorden of met je te praten, en dat vind ik heel vervelend. Dat geeft me een slecht gevoel. Maar het heeft niets met Jacqui te maken, begrijp je dat? Ze is dol op jou en Agnes. Ze wil niet tussen ons in komen. Als je hier in Pompignac zou wonen, zou het niet anders zijn, dan zou ik het ook te druk hebben om je steeds gezelschap te houden. Jacqui voelt zich ook verwaarloosd, en al die drukte over deze uitzonderlijke wijn, die waait gauw genoeg over en dan wordt alles anders.'

Sabine zat sniffend op de rand van de geruite bank en knikte. Door haar vaders woorden kalmeerde haar bonzende hart. De warboel in haar hoofd begon op te klaren.

'Ik kan nu onmogelijk tijd aan je besteden en je weet dat Jacqui en ik op vakantie gaan, omdat ze voor de geboorte van de baby rust nodig heeft.'

Sabine knikte nogmaals. Ze verlangde er zo naar hem te zeggen dat ze best met hen mee kon, maar ze wist dat dat er niet in zat.

'Maar ik heb zitten denken. Jacqui heeft voor een keizersnee gekozen, dus we weten de datum precies. Wat dacht je ervan als ik voor jou en Agnes een paar dagen later een vlucht boek om naar de baby te komen kijken? Wanneer ze uit het ziekenhuis zijn? Ik neem dan zelf ook vrij, zodat we allemaal bij elkaar kunnen zijn. Dat wordt een bijzondere tijd voor ons.'

'En school dan?'

'Wat kan mij school schelen! Je krijgt niet elke dag een broertje.'

Snotterend en grijnzend sprong Sabine op en omhelsde haar vader. Dat was mooier dan wat ze zelf ook maar had gedroomd. Maar toen schoot haar een akelige gedachte te binnen. En mam dan? Hoe zou mam zich voelen? De verwarring sloot zich opnieuw als donker water boven haar hoofd.

'Ik weet niet of we kunnen… Ik weet het niet…' Ze aarzelde.

'Hoezo? Wat is het probleem? Ik regel het wel.'

'Het is alleen dat mam… Ik weet niet zeker…' Ze wist instinctief dat ze haar vader niet kon vertellen dat haar moeder dolgraag een kind van Ollie wilde. Dat zou verkeerd zijn, ook al kon ze niet uitleggen waarom. Ze wist gewoon dat mama niet zou willen dat pap het wist. Het leek wel alsof het krijgen van kinderen een soort wedstrijd was waarin mam kansloos was.

'Het komt prima in orde, dat beloof ik je. Je moeder begrijpt best dat het belangrijk voor jullie is en ze zal jou en Agnes op de eerste plaats zetten, vóór haar eigen gevoelens. Ik begrijp dat het ingewikkeld ligt, maar verdorie, je moeder en ik zijn toch zeker volwassen.'

'Ja, oké,' zei ze weinig overtuigd. Was het echte leven maar zo gemakkelijk. Ze dacht terug aan haar moeders huilbui toen ze van Sadies baby hoorde. Ze dacht niet dat ze haar smart kon verdragen. Het was bijvoorbeeld te verschrikkelijk voor woorden om te bedenken dat mam Agnes en haar naar het vliegveld zou brengen met hun armen vol cadeautjes voor Jacquis baby.

Plotseling begreep Sabine waarom het nooit meer goed kwam, hoe graag ze dat ook wilde. Wanneer mensen elkaar ooit hadden liefgehad, zoals haar vader en moeder, kinderen hadden gekregen, niet meer van elkaar hielden en gingen scheiden, liet dat een soort litteken achter dat nooit meer wegging. En hoewel het heel goed mogelijk was dat ze met iemand anders gelukkig konden worden, zouden ze hun verleden samen nooit vergeten, en die schaduw zou ook altijd over het leven van hun kinderen liggen. Misschien zou het beter en gemakkelijker worden, vooral als mam haar eigen kind zou krijgen, maar hier, in haar vaders kantoor besefte Sabine dat haar leven nooit zo zou zijn als dat van haar vriendinnen, wier ouders nog wel bij elkaar waren, ook al wilde ze dat nog zo graag. Door dat besef werd ze heel moe en heel verdrietig. Ze realiseerde zich dat ze niet meer verantwoordelijk kon zijn voor de gevoelens van haar ouders. Ik ben gewoon bijzaak, dacht ze. Ik doe er helemaal niet toe, en ze begon weer te huilen.

'Sabine! Sabine! Doe me dit niet aan, kindje! Ik heb je toch beloofd dat je in mei mag komen? Wat kan ik nog meer doen?'

Sabine kon er niets aan doen. Haar tranen leken onbeheersbaar, ook al probeerde ze de stroom tegen te houden.

'We krijgen niet altijd wat we willen, weet je. Zo zit het leven niet in elkaar.' Haar vader zei het teder. Hij stak een sigaret op en door de rook heen bekeek hij haar met toegeknepen ogen. Maar Sabine huilde niet zozeer om zichzelf als wel omdat ze voor het eerst begreep dat wat volwassenen ook zeiden en deden, er altijd pijn en lijden zou zijn. Er zou altijd een moeder zijn die aan kanker overleed en er zouden altijd kinderen worden geboren met een hazenlip en smekende ogen, veroordeeld tot de ellende in Afrika, en honden die aan een paal werden vastgebonden en gemarteld. Zo zat het leven in elkaar. Haar eigen verdriet was slechts een druppel in de oceaan. Ze zou ermee moeten leren leven.

'Hou nou op met huilen en luister naar me. We gaan nu naar huis, dan maak ik wat te eten voor je. Vanavond zijn we saampjes. Morgen moet ik je alleen laten tot Michele op kantoor komt. Zij zet je op tijd in een taxi zodat je aan het einde van de ochtend de vlucht naar huis kunt halen. Ik heb al geboekt, en de kosten van de heenreis naar je moeders rekening overgemaakt. Je moet haar vanavond bellen en het haar laten weten.'

'Dank je wel, papa, dank je wel.'

'Ja, nou ja, kom mee! We gaan! We kunnen onderweg ook een pizza halen. Mijn hoofd staat momenteel niet erg naar eten. Ik heb net een vijfgangenlunch achter de kiezen, dus veel honger heb ik niet.'

Sabine liep achter hem aan naar de straat en wachtte terwijl hij de voordeur op slot deed. Hij zei monsieur Robert gedag, een sombere figuur die op een van zijn Lodewijk xiv-stoelen hing met naast zich op de vloer een fles en een glas. Toen nam hij haar koffer over, gooide zijn colbertje over zijn schouders en ging op weg naar de ondergrondse parkeergarage op de hoek.

Ze reden zwijgend door de prachtige stad, waarin Sabine in een kinderwagen was rondgereden toen zij, papa en mam nog in het appartement onder het kantoor woonden. Papa stopte in St. Pierre en stuurde haar naar een pizzeria om te kopen wat ze maar wilde, en reed daarna door de uitgestrekte voorsteden naar Pompignac op het platteland. Het was bijna donker toen ze het erf van de oude boerderij op reden en Sabine was zo moe dat ze amper een woord kon uitbrengen.

Het huis zag er anders uit, netter, stijlvoller. Jacqui had duidelijk veranderingen aangebracht. Ze had al mams oude banken en stoelen weggedaan en nu stonden er comfortabel ogende, moderne meubelstukken voor in de plaats. Het leek wel of zij en papa niet meer lekker zaten in de salon. Haar vader zag dat Sabine door de deur keek en knikte naar het interieur. 'Die meubels komen van Charlotte Perriand. Heel, heel bijzonder. Uit de school van Le Corbusier. Ze heeft met hem gewerkt. Het is verbazingwekkend dat Jacqui die dingen weet op te duikelen.'

De keuken zag er nog hetzelfde uit, Sabine ging aan tafel zitten en at haar pizza zo uit de doos. Haar vader schonk zichzelf wat cognac in en ging tegenover haar zitten, terwijl hij met zijn vingers aan de pizza trok en stukken ervan in zijn mond stopte alsof hij toch honger had.

'Je bent zeker moe, hè? Heb je *maman* geprobeerd te bereiken? Zodra je klaar bent, moeten we dat doen. Dat kunnen we beter niet uitstellen. Hoe gaat het met je moeder? En Oliver? Hij maakt haar toch wel gelukkig, hè? Hij is zo'n typische Engelsman. Hij zit onder de plak. Dat mag ik eigenlijk niet tegen je zeggen, maar het is wel zo.' Hij was een beetje tipsy.

Sabine wilde het niet met hem over Ollie hebben. Ze haalde haar schouders op. 'Hij is prima. Hij is cool.'

'Goed zo! Mooi! Blij dat te horen. Tweede keer is raak, hè?' Sabine zei niets. Ze had niet zo veel zin in dit gesprek, want ze hoorde in haar vaders stem dat hij de spot met Ollie dreef, dat hij wilde dat ze met hem meedeed en hem door het slijk zou halen. Ze volhardde in haar stilzwijgen, keek de keuken rond en merkte alle kleine veranderingen op die haar eerst waren ontgaan. Alle landelijke spullen waar haar moeder zo van hield waren weg en er lag geen rommel op de werkbladen.

Haar vader verviel in stilzwijgen en staarde in zijn glas. Zijn gezicht drukte nu een intens verdriet uit. Hij stak zijn hand over de tafel naar Sabine uit en toen ze die van haar in de zijne legde, streelde hij er met zijn duim over.

'Ik hield van haar, weet je,' zei hij spijtig. 'Ik hield van je moeder. Toen ik haar ontmoette was ze zo mooi. Lang en goudkleurig, met dat prachtige haar. Ze was heel anders dan alle meisjes die ik ooit had ontmoet. Wat je moeder en ik hadden, was pure liefde en passie. Ik ben nooit over haar heen gekomen, weet je dat? Ik zal er nooit overheen komen dat ik haar ben kwijtgeraakt.'

Sabine haalde haar hand weg en stond op. Ze schoof de pizzadoos over de tafel naar hem toe.

'Hier,' zei ze. 'Eet jij de rest maar op. Ik heb genoeg gehad.'

Ze zeulde haar koffer naar boven en maakte de deur van haar vroegere slaapkamer open. Ze liet haar hand op het lichtknopje vallen en toen de kamer werd verlicht, zag ze dat die nog precies zo was als ze die na Kerstmis had achtergelaten. Haar kleren hingen nog over de stoel en de adventskaars stond nog naast haar bed. Haar hart liep over van genegenheid en dankbaarheid jegens Jacqui. Ze ging op bed zitten, haalde haar telefoon tevoorschijn en belde haar moeder.

'Hoi, mam, met mij.'

'Sabine! Alles goed, liefje? Is alles in orde?'

'Nee, niet echt. Ik moet weer naar huis, mam. Ik kom morgen weer thuis.'

'Waarom? Wat is er gebeurd? Sabine? Wat is er gebeurd?'

'Niets. Alles is goed. Het is echt goed, maar ik heb me vergist, mam, ik had niet moeten komen. Jacqui is er niet en papa heeft het te druk. Ik kom morgen terug. Ik leg het dan wel uit.'

'Waarom? Sabine! Wat is er gebeurd. Vertel!'

'Ik vertel 't je morgen wel, mam. Ik sms je de vluchtgegevens.'

'Ik denk dat ik even met je vader moet praten. Waar is hij? Kun je hem aan de lijn krijgen?'

'Nee, nu niet, mam. Ik zie je morgen. En mam?'

'Ja?'

'Misschien kan ik wel bij Ollies ouders logeren, als dat goed is. Nu Agnes weg is.'

Annie was vergeten hoe graag Sylvia over zichzelf praatte en dat ze op haar werk steeds in de clinch lag met haar collega's. Bij het tijdschrift was ze in een voortdurende staat van oorlog geweest met deze of gene afdeling, waarbij ze vaak met duizelingwekkend voetenwerk van partij wisselde. Dit patroon had zich duidelijk bij de krant voortgezet, maar was nog intenser geworden, aangezien de strijd nu ging tussen het serieuze, dagelijkse nieuws en het lichtvoetiger maandblad. Dat draaide voornamelijk om geld, en vooral, zoals in Sylvia's geval, omdat ze vond dat artikelen over luxe een dik uitgavenbudget vereisten.

Intussen was haar echtgenoot, de Labour-man, zelf verwikkeld in verschillende amusante ruzies en omdat hun hele leven zich in Londen en op chique party's afspeelde, viel je van de ene verbazing in de andere bij de lijst beroemdheden waarmee Sylvia rondstrooide. Annie luisterde met open mond en kon zelf met geen enkele roddel komen.

'Zo, liefje, en hoe gaat het met jou?' vroeg Sylvia, voor het eerst naar adem happend boven haar frambozenpannacotta.

'Nou, wel goed,' zei Annie. 'Ik wil wel weer aan het werk en ik hoopte dat jij me daarbij zou kunnen helpen.'

Onmiddellijk veranderde Sylvia's stem van toon en begon ze vertrouwelijk en ernstig te praten. 'Het zijn verschrikkelijk moeilijke tijden, weet je, liefje. Er gebeurt momenteel gewoon helemaal niets. We sidderen allemaal voor de botte bijl.' Ze keek boos naar de tafel met accountants, die net een tweede fles dessertwijn hadden besteld.

'Luister, ik meen het echt,' zei Annie. 'Ik wil weer aan het werk, Sylvia, en je weet dat ik goed ben. Ik heb tien jaar met je gewerkt. Ik was je beschermelinge. Je moet toch wel iets kunnen doen.'

Nog nooit van haar leven was ze zo voor zichzelf opgekomen.

Sylvia dacht erover na, lepelde in de zijdewitte pudding. 'Nou, ik denk erover om een opdracht te geven voor een artikel over de Londense tophotels, en dan over de bedden, kussens, lakens, het fijne weefsel ervan, dat soort dingen. De kritische tophotelgast wil tegenwoordig van álles weten waar het vandaan komt. Maar dat is niet jouw ding, hè? Ik had iemand anders in gedachten – een van mijn reguliere medewerkers – maar ik heb het een beetje met haar gehad. Met haar laatste stuk over vintagecouture was ze aan de late kant en toen het er eenmaal was, kon ik er niks mee. Ze rust wat op haar lauweren sinds ze bij een Europees soort vorst is ingetrokken. Ze is niet meer zo scherp.'

'Nou, dát is me op het lijf geschreven.' Annie was als de dood bij het idee dat ze door heel Londen in dienstbodekasten moest snuffelen naar het verfijnde weefsel van biologisch linnengoed. Dat leek slechts een fractie beter dan de veiligheid van een ladder. Maar vintagecouture paste precies in haar straatje.

Sylvia wachtte even en keek Annie slinks aan. 'Je weet toch nog wel dat ik absoluut niets over kinderen doe, hè? Ik heb niets met waterpokken, oorinfecties, sportdagen of kerstspelen.'

Natuurlijk weet ik dat nog, dacht Annie. Daarom was mijn baan zo verdomde stressvol.

'Sylvia, luister, ik heb m'n werk opgegeven omdat ik wist dat ik me niet honderd procent kon geven, maar nu de jongens naar school gaan – nou ja, bijna – ben ik klaar om weer te beginnen. Mijn man staat natuurlijk vierkant achter me, hij kan waar nodig flexibel zijn.' Liegbeest, liegbeest, dacht ze. Ze wilde dat ze haar eigen grootspraak kon geloven.

'Hoe gaat het met je man?' Annie herinnerde zich dat Sylvia een zwak voor Charlie had, toen hij nog een kek in het pak gestoken fondsmanager was die in de weekenden rugby speelde en fit en mager was.

'Met hem gaat het goed.' Snel zei ze erachteraan: 'Heel erg betrokken bij zijn school.'

'Nou, je kunt maar beter op kantoor langskomen. Ik zorg dat m'n secretaresse je belt. Ik neem aan dat je op de website hebt gekeken? Het heeft heel wat tijd en moeite gekost om dat speciale, sophisticated format te ontwikkelen. We moesten ons handelsmerk van luxe en weelde uitdragen, zie je. Je moet naast artikelen voor de gedrukte uitgave bovendien websitecontent kunnen voorbereiden. Kun je dat? Dat is een andere tak van sport, weet je, maar ik laat mijn team beide doen. Dat is belangrijk om de continuïteit van de kernwaarden van het blad te waarborgen.'

'Ik heb de redactie gedaan van een online vakblad,' zei Annie en ze hield het vaag. 'Daar weet ik goed mee om te gaan.'

'Ons product zit hoog in de markt, daardoor hebben we de recessie het hoofd weten te bieden. We hebben voornamelijk een lezerspubliek uit het hoogste segment, welvarend en kritisch, en het tijdschrift is veerkrachtig gebleken. In het afgelopen jaar is de oplage van de weekendkrant met twaalf procent gestegen.' Annie hoorde dat Sylvia van haar roddelachtige zelf overschakelde op de verbeten redacteur die ze zich kon herinneren. 'Voorlopig kan ik je alleen dit stuk geven,' voegde ze eraan toe. 'We zien wel hoe het daarna gaat.'

'Dank je, dank je wel,' zei Annie, en ze voelde zich meelijwekkend dankbaar.

De lunch liep ten einde. Annie betaalde discreet de rekening, die schrikbarend hoog was. Van alleen al de fooi kon een vierkoppig gezin een week lang eten. Op dat moment liep Sylvia weg en begon een geanimeerd gesprek met de accountants, waarna ze zich een weg baanden tussen de tafeltjes door en buiten even in de warme zon op de stoep bleven staan.

'Mijn secretaresse neemt wel contact met je op. Ik wil graag volgende week afspreken en een paar ideeën doorspreken. Nu moet ik een taxi zien te scoren.' Ze gaf Annie een vluchtige kus op de wang alvorens een taxi aan te houden en er behendig in te springen. 'Heerlijke lunch, liefje! Dank je wel!'

Annie zwaaide haar na en stond zichzelf eindelijk een grijns toe.

Ze had het goed gedaan. Ze had een begin gemaakt. Het was slechts één artikel, maar het was er tenminste.

'Zijn jullie weer samen?' Peter Maguire dook naast haar op en glimlachte wolfachtig. 'Jij en de lieftallige Sylvia?'

'Misschien. Wie weet?' Annie wist wel beter dan Peter iets wijzer te maken.

'Vergeet me niet te bellen. Als er iets interessants langskomt, kan ik dat misschien wel jouw kant op sturen. We gaan gauw een keer lunchen. Heb je nu iets? Zullen we ergens een kop koffie gaan drinken?'

'Moet je niet weer naar kantoor, of zo?' zei Annie luchtig. Ze keek op haar horloge. 'Bedankt, Peter, maar ik moet echt opschieten. Terug naar het platteland!' en ze schonk hem een van haar betoverendste glimlachjes.

De trein die ze op Waterloo nog net had kunnen halen, was overvol en ze wist pas bij Basingstoke een zitplaats te bemachtigen. Maar in het gangpad dacht ze na over wat ze had bereikt. Ze was haar stuk over vintagecouture al aan het plannen. Ze had meer dan genoeg materiaal waarmee ze aan de slag kon en wist de beste persoon in Londen aan wie ze om raad kon vragen: een gespecialiseerde handelaar bij wie je altijd een fantastische filmsterrenfeestjurk voor de rode loper kon krijgen.

Ze wist wel dat ze er niet heel veel mee zou verdienen. Sylvia zou dat tot het minimum beperken, wel wetend dat Annie zelfs nog zou willen betalen om haar werk gepubliceerd te krijgen, maar het was een begin. Ze telde in haar hoofd op wat de dag haar had gekost. Het was rampzalig. Charlie zou een rolberoerte krijgen.

Charlie. Hoe moest ze Charlie aanpakken? Het was tot daar aan toe dat ze een heimelijke ontmoeting met Sylvia had gehad, maar vanavond moest ze hem vertellen wat ze had gedaan, vooral als ze volgende week weer in Londen moest zijn. De kinderopvang moest opgelost worden. Het was bijna vakantie en ze kon niet werken als ze voor de jongens moest zorgen. Plotseling leken de problemen over elkaar heen te buitelen en ze was nog het bangst voor de komende strijd met Charlie. Ze stelde zich zo voor dat ze over het onderwerp van haar artikel vertelde en schoot nu al in de verdediging. Ik moet ophouden me zo te gedragen, dacht ze. Ik moet ophouden te denken dat het een strijdpunt is als ik weer aan het werk ga, want daardoor benader ik hem agressief en ben ik overgevoelig voor alles wat hij zegt.

Ze had er geen moeite mee om zich in zijn positie te verplaatsen en in te zien wat een lastpak ze was. Hij wist dat ze er wrokkig over was dat hij zo'n voldoening haalde uit zijn baan en dat ze nukkig was als hij 's avonds thuiskwam. Ze moest hem aan het verstand zien te peuteren dat hij de oude Annie alleen maar terugkreeg als hij haar steunde in haar beslissing om weer aan het werk te gaan. Ze vertrouwde er niet op dat er momenteel voldoende goodwill tussen hen was, en dat was een ontnuchterende gedachte. Wat was er met hen gebeurd als bleek dat ze elkaar eigenlijk niet meer mochten? Kon je genegenheid nieuw leven inblazen? Natuurlijk kon dat, zei ze tegen zichzelf. Alle huwelijken gingen door slechte periodes heen en dan moest je eraan werken. Ze waren nu negen jaar getrouwd – een gevaarlijke tijd – en ze wist dat deze problemen slechts tijdelijk van aard waren, althans, dat hoopte ze.

Ze had hoofdpijn gekregen van de champagne en tegen de tijd dat ze uit de trein stapte en naar haar auto liep, was de euforie compleet verdwenen.

Ze haalde Rory het eerst op. Het was prima gegaan, zei Oscars moeder Melanie tegen haar. Hij en Oscar zaten naast elkaar op de bank, gekluisterd aan een dvd van *Ben 10*.

'Ze zitten nog niet zo lang te kijken, hoor, echt niet,' zei Melanie verontschuldigend, 'maar als ze hebben gezwommen, zijn ze altijd zo moe. Het leek me goed om ze even rustig te laten zitten.'

'Maak je niet druk. Zonder dvd's zouden we het toch zeker niet overleven?'

'Je haar zit fantastisch. Was je daarom in Londen? Om het zo te laten knippen?'

'Nou, ik had ook een zakenlunch. Perfect excuus voor een makeover.'

'Ja! Leuk haar, mam!' zei Rory, die even naar haar keek en zich toen weer aan de beeldbuis wijdde.

'Kom mee, kiddo. Tijd om te gaan. Heel erg bedankt, Melanie.'

'Graag gedaan. Ik deed het met plezier. Ze kunnen echt goed met elkaar overweg. Voor Oscar was het geweldig. Hij heeft een paar oudere broers, weet je. Dan staat hij wel eens buitenspel.'

Een aardige vrouw, dacht Annie. Ze was onderwijzeres geweest op een basisschool, was nu getrouwd met een man die in de IT werkte en elke ochtend met de trein naar Londen ging. Ze had Annie ooit toevertrouwd dat ze het heerlijk vond om met haar drie jongens thuis te kunnen zijn; dat ze zich zo gelukkig voelde, maar ook schuldig omdat ze niet bijdroeg aan het gezinsinkomen. Annie keek naar haar en benijdde haar bijna. Ze wilde dat zij het ook zo kon ervaren. Dan zou ik helaas een hoofdtransplantatie nodig hebben.

Toen ze Rory en zijn hele verzameling spullen eindelijk in de auto had, had ze het gevoel dat ze een pakezel was. Nu Archie nog. Ze wilde hem als laatste halen, omdat ze Fiona over haar dag wilde vertellen. De jongens zouden weliswaar laat thuis zijn, maar ze zou het bad overslaan en ze meteen in bed stoppen. Hoewel het niet de beste avond was voor kliekjes, zou ze voor Charlie en zichzelf wel iets verzinnen, het maakte niet uit wat.

Toen ze de auto voor het huis parkeerde, zag ze door de voorruit dat Fiona, Archie en Damon aan tafel over een puzzel gebogen zaten. Wanneer heb ik dat voor het laatst met de jongens gedaan? dacht ze. God, wat ben ik toch een beroerde moeder. Ik zit liever vast aan een vrouw als Sylvia, en schrijf artikelen om de rijken aan te sporen hun geld op een prettige manier uit te geven.

Ze keken op toen ze de klik van de grendel van het hek hoorden en Pat begon te blaffen. Toen Archie zijn moeder en broertje buiten zag staan, veranderde zijn gezichtsuitdrukking van verrassing in puur plezier.

Terwijl Fiona de deur opende, drong Archie zich langs haar heen en riep: 'Mam! Je lijkt wel heel iemand anders! Je haar is helemaal weg! Ik heb het hartstikke leuk gehad. Damon en ik hebben gevoetbald.'

'Mooi zo! Je moet me er alles over vertellen. Hoi, Fiona. Heel, heel erg bedankt.'

'Je ziet er zeker anders uit. Kom binnen. Heb je nog tijd om te vertellen hoe het is geweest?' Ze inspecteerde Annies haar. 'Mijn hemel, dat lijkt wel groot onderhoud. Maar heel leuk. Wil je wat drinken?'

'Ik heb het liefst een kop thee.'

'Die is zo klaar. Ik zal water opzetten. Nee, Damon. Niet doen. Laat Rory zien hoe ver we met de puzzel zijn gekomen. Kijk eens of je de lucht kunt afmaken.'

'En?' zei ze terwijl ze Annie een kop thee toeschoof en ze naast elkaar tegen het aanrecht leunden.

'Het was eigenlijk heel goed. Ik heb de opdracht gekregen om een artikel te schrijven, voor mijn vroegere redacteur en haar maandblad over een luxe levensstijl.'

'Eentje maar?'

'Ja. Het is een begin.'

'Natuurlijk. Een schitterend begin. En het onderwerp?'

'Vintagecouture. Dat kan ik. Dat kan ik heel goed. Ik heb volgende week een afspraak en ik zal er een keer op uit moeten om wat onderzoek te doen. Dat is het lastige gedeelte. De kinderen hebben over een paar dagen vakantie en ik weet zeker dat er wel een of andere reden is waarom Charlie me niet uit de brand kan helpen, en bovendien heb ik een oppas nodig als ik thuis zit te werken. Ik weet dat het maar één artikel is, maar het is wel een begin.'

'Hoe weet je dat hij je niet zal helpen? Heb je het hem gevraagd?'

'Nee. Hij weet hier helemaal niets van.'

'Nou, waarom begin je dan niet bij hem? Als het vakantietijd is, lijkt het mij dat je al halverwege bent. Misschien kan hij een aandeel leveren en kun jij iemand vinden om de momenten op te vangen waarin hij niet kan.'

'Bestaat er dan zo iemand?'

'Grappig dat je dat zegt.' Fiona grijnsde. 'Je weet toch dat ik hier een logeerkamer heb? Ik heb er vaak over gedacht om een huurder te nemen, maar kwam er nooit aan toe, voor een deel omdat ik dan iemand moest zien te vinden die Damon zou kunnen verdragen. Toevallig zit er in een van mijn lesgroepen een Tsjechisch meisje, een heel intelligente, charmante jonge vrouw van achter in de twintig, die moeite heeft om aan geld te komen om te kunnen afstuderen. Ik heb met haar gepraat of ze misschien hier wil komen wonen, en in plaats van huur te betalen op te passen als ik moet werken. Momenteel is ze schoonmaakster bij een firma in Reading, maar dat is akelig werk en het wordt schandelijk slecht betaald. Ik stel me zo voor dat ze een gat in de lucht springt als ze bij ons beiden voor de kinderen kan zorgen, als en wanneer je haar ook maar nodig hebt: naar school brengen en weer ophalen en zo. Ze is nu weg, naar haar echtgenoot en kind – ik geloof een jongetje van zes – in Tsjechië, maar ik wilde haar voorstellen om bij wijze van proef na de Pasen bij me in te trekken. Je kunt haar ontmoeten en eens kijken wat je van haar vindt. Volgens mij gaat dat best lukken.'

Annie keek haar glimlachend aan. 'Ik kan dit echt niet bevatten, Fiona. Het klinkt fantastisch. Maar daarmee ben ik volgende week niet geholpen.'

'Kan je familie je uit de brand helpen?'

'Ik kan mijn moeder vragen, maar ik denk niet dat ze het doet. Ze is niet zo dik met de jongens. Ze ziet ze maar twee keer per jaar. En bovendien werkt ze nog.'

'En de familie van je man?'

'Alice is er natuurlijk altijd. Zij werkt parttime en David, haar man, is met pensioen. Ze is heel betrokken bij de familie en de jongens gaan er graag naartoe. Maar een van Charlies zussen staat op het punt met haar dochters bij ze in te trekken. Haar partner heeft de benen genomen omdat ze zwanger is en hij het kind niet wil.'

'Mijn hemel! En Charlies ouders nemen haar in huis? Willen ze zich heilig laten verklaren?'

'O, zo zijn ze gewoon. De familie komt op de eerste plaats. Het komt me soms wel eens m'n neus uit. Maar met Sadie is het vast tijdelijk, tot ze alles weer op de rails heeft. Ik mag haar ontzettend graag, maar ze is zelf haar grootste vijand. Ik bedoel, haar dochters hebben geen contact meer met hun vader. Hij betaalt geen cent voor ze. Ze lijkt een voorliefde voor foute mannen te hebben.'

'Luister, Annie, ik wil je volgende week graag helpen, maar in mijn omstandigheden kan ik je niet aanbieden om de jongens te nemen terwijl jij onderzoek doet voor dit artikel. Ik heb mijn eigen werk, en Damon is er ook nog. Een beetje bij elkaar over de vloer komen is geweldig, maar ik moet daar voorzichtig mee omgaan, en het zou gewoon niet eerlijk zijn, niet voor jouw jongens en ook niet voor hem. Aan het eind van het semester is hij volkomen uitgeput en moet hij zich weer opladen, heel rustig, minstens een week na het begin van de vakantie.'

'Nee, dat begrijp ik wel. Dat zou ik ook nooit van je vragen.'

'Volgens mij heb je Charlie aan je zijde nodig. God, waar is een echtgenoot anders goed voor?' Fiona grinnikte. 'Je moet het echt voor elkaar zien te krijgen dat hij je steunt. Dan krijgt hij het gevoel dat hij weer controle over de situatie heeft, en in mijn ervaring willen mannen dat graag geloven.'

'Dat is nou precies wat zijn moeder heeft gezegd, maar Charlie en ik lijken hierover voortdurend met elkaar overhoop te liggen. We kunnen bepaald niet goed met elkaar overweg. En dat is al een tijdje zo.'

'Kun je dat niet in orde maken? Wat dacht je ervan om zoete broodjes te bakken? Dat is nog zoiets wat mannen meestal niet kunnen weigeren. Echt, Annie, ik zie niet in hoe je zonder Charlies steun je carrière weer kunt oppakken. Als je dat niet voor elkaar kunt krijgen, moet je misschien mediation proberen, of zelfs een scheiding.'

'Scheiding! Fiona! Nee!' Annie was geschokt. 'Mijn huwelijk is, nou ja, na mijn kinderen het belangrijkste in m'n leven.'

'Nou, zo klink je anders niet, als ik het zeggen mag. Eerlijk gezegd praat je erover alsof het voor geen meter werkt en dat het de oorzaak is van een hoop problemen.'

Annie zweeg. Ze kon niet geloven wat Fiona net suggereerde, maar het werd haar plotseling duidelijk hoe ze door haar ongelukkige toestand de basis van haar relatie had laten aantasten.

'Dank je wel, Fiona,' zei ze nogal kortaf. 'We moeten gaan. Kom mee, jongens!'

'Sorry dat ik het zo botweg tegen je zeg. Ik weet niets van jou of je huwelijk, dus ik had er niet over moeten beginnen.'

'Nee, dat is het niet. Ik ben alleen geschokt dat ik je de indruk heb gegeven dat mijn huwelijk op de klippen is gelopen.'

'Natuurlijk, ik ben blij te horen dat dat niet zo is.'

'Ja. Nou, we moeten echt gaan. Nogmaals bedankt. Kom op, jullie! Je hoort van me, Fiona. Ik laat je weten hoe ik het verder ga doen.'

Alice lag in bed een boek te lezen toen David belde, en het duurde even om haar gedachten te ordenen en het tot haar doordrong wat hij zei.

'Astma? Heb je je inhaler bij je?'

'Nee!' Davids stem klonk raspend en heel moeizaam.

'Nou, hoe erg is het? Als het ernstig is, moet je het alarmnummer bellen en een ambulance laten komen.'

'Dat doe ik alleen als het echt moet. Dat vind ik een beetje te melodramatisch.'

'Hoe is dit in godsnaam zo gekomen? Als je nou een tijdje rechtop blijft zitten en je best doet niet in paniek te raken, ebt het misschien wel weg.'

'Dat hoop ik ook.'

'Wat vindt Edwin ervan? Jullie hebben toch samen een kamer?'

'Eh... Nou ja, hij slaapt. Ik wil hem niet storen.'

'Misschien moet je dat wel doen. Echt, David, wees nou verstandig. Als het erger wordt, moet je hulp halen. Denk je dat het misschien een allergische reactie is? Ben je gestoken? Nee? Nou, wat heb je vanavond gegeten?'

'Schelpdieren of zo.'

'Dan zal dat het wel zijn. Misschien heb je wel een allergie ontwikkeld, denk je niet? Veel mensen zijn allergisch voor schelpdieren. Heb je antihistamines bij je? Neem die dan. Kwaad kan het niet.'

'Oké. Dat doe ik. Dank je wel, Alice.'

'Blijf gewoon een tijdje rustig zitten, probeer regelmatig te ademen en je te ontspannen. Bel je me als het erger wordt? En je moet tegen Edwin zeggen dat het ernstig kan zijn. Oké?'

'Oké. Bedankt, Alice.' Door alleen maar met haar te praten voelde David zich al beter.

'Laat me morgen weten hoe het is.'

'Doe ik. Welterusten dan maar.'

'Welterusten. Ik hoop dat je nu kunt slapen.'

'Bedankt.'

Alice hing op en dacht over haar man na. Zo erg klonk hij eigenlijk niet. Hij was eerder in paniek. Gelukkig was hij met Edwin, die voor zover zij zich kon herinneren heel verstandig en doortastend was. Als het menens werd, kon je de situatie met een gerust hart aan hem overlaten. Ze hoefde zich echt geen zorgen te maken. Met David kwam het wel in orde. Hij had haar gebeld omdat hij gerustgesteld wilde worden. Eigenlijk heel ontroerend dat hij haar altijd belde in tijden van nood. Alice deed het licht uit en wilde gaan slapen. Het laatste wat ze zag voordat ze haar ogen sloot, was de wonderjurk die in zijn plastic hoes aan de deur van de klerenkast hing. Alleen al door de aanblik werd ze blij. Ze stelde zich het feest in haar hoofd voor, en voor deze keer had ze het gevoel dat de werkelijkheid wel eens mooier kon zijn dan wat ze zich er ook van kon voorstellen.

David nam zijn antihistaminepil, ging naar beneden en deed zijn best te doen wat Alice hem had gezegd: ontspannen en regelmatig ademhalen. Wat betreft die zeevruchten kon ze wel eens gelijk hebben. Misschien was hij allergisch. Waarschijnlijk kwam hij van top tot teen onder de uitslag te zitten. Of misschien was de aanval wel veroorzaakt door de stress omdat hij overspel pleegde. Of een goddelijke wraak. Hij wist dat dit een belachelijk idee was, maar hij vroeg zich echt af waarom hij uitgerekend nu een aanval kreeg. Het leek echt een en al domme pech.

Hij vond het een beetje zuur dat Julia niet was komen kijken hoe het met hem ging. Hij had wel in elkaar gezakt kunnen zijn en op de vloer zijn laatste adem uit kunnen blazen. Dan zou ze te maken krijgen met al die trammelant waarmee een plotseling en onverwacht sterfgeval gepaard ging, en dat zou haar verdiende loon zijn geweest.

Hij hoorde een jankend geluid en zag dat Roger zijn neus tegen de glazen deur drukte en ongerust keek. Lieve ouwe Roger. Hij leek Davids benarde toestand te hebben gemerkt, zoals van die honden die natuurrampen voorspellen of weten wanneer hun baasje een epileptische aanval krijgt. David stond op, maakte de deur open en liet hem binnen. Hij kon nu tot geleidehond gebombardeerd worden. Roger stoof de kamer binnen en ging naast de leunstoel liggen waar David in had gezeten. David ging weer zitten, keek om zich heen en zag een opgevouwen, wollen deken over de rugleuning van een stoel hangen. Die wikkelde hij om zich heen. Hij zou daar gewoon blijven zitten tot hij zich beter voelde.

12

'**K**unnen we nu praten?' vroeg Annie aan Charlie toen hij beneden kwam nadat hij de jongens een verhaaltje had voorgelezen.

'Ja, dat lijkt me goed. Ik wil weten wat er aan de hand is.'

'Wil je wat drinken?'

'Nee, liever niet, bedankt. Ik wil weten waarom je zonder me iets te laten weten naar Londen bent gegaan. Om te beginnen – nog los van het feit dat je me in onwetendheid laat over waar je bent en wat je doet – moet ik weten waar de jongens na schooltijd zijn als jij ze niet zelf kunt ophalen.'

Annie slikte iets weg. Niet zeggen, zei ze tegen zichzelf. Niet terugbijten dat het 'm normaal gesproken geen zier uitmaakt waar wie van ons ook is.

'Ja, je hebt gelijk. Ik had het je moeten vertellen. Dat spijt me.'

'Ik bedoel maar, ik vertel het je altijd als ik laat ben en waar ik ben. Volgens mij moeten we principieel van elkaar weten wat we doen.'

'Ja, je hebt gelijk!' Annie zag dat Charlies wangspieren zich ontspanden. Het was alsof hij zich in een positie had gemanoeuvreerd waarin hij moreel superieur was en zij de plank missloeg, en dat gaf hem voldoening.

'Oké, Charlie. Kaarten op tafel. Zoals je weet ben ik vandaag naar Londen geweest. Voor het eerst in vier jaar heb ik mijn haar fatsoenlijk laten doen en daarna heb ik met Sylvia geluncht.'

'Dus dat heb je allemaal buiten mijn medeweten om bekokstoofd?' Charlie klonk gekwetst en kon het niet geloven.

'Ja.'

'Waarom?'

'Omdat ik weet dat je er niet erg positief tegenover staat dat ik weer aan het werk ga en ik wilde deze eerste stap zetten zonder dat jij er iets van wist. Misschien was dat een vergissing en het spijt me als ik je van streek heb gemaakt. Bovendien denk ik dat je wel zult willen toegeven dat de zaken tussen ons nou niet bepaald harmonieus verlopen. Er zijn niet veel dingen waar we open en eerlijk over hebben gecommuniceerd.'

'Nou, dat ben ik met je eens. Elke keer dat ik met je wil praten, vlieg je me naar de keel.'

'Charlie, ik weet dat ik lastig ben geweest, en dat pathetische baantje was mijn laatste strohalm, en dat raakte ik kwijt. Ik wéét dat het verschrikkelijk was om met me samen te leven, en dat vind ik echt erg, want ik werd er zelf ook verdomd ellendig van. Ik kan je nu wel vertellen dat ik verontwaardigd was omdat je niet eens een poging deed te begrijpen waardoor ik zo ongelukkig was, en ik heb een hoop van mijn angst op jou afgereageerd.' Wow, dacht Annie. Ze was vastbesloten hem in dit gesprek geen verwijten te maken. Elkaar verwijten naar het hoofd slingeren loste niks op. Op die manier kwam ze geen steek vooruit.

'Je haar staat je trouwens goed.'

Annie staarde haar man aan. 'Echt?'

'Ja. Hoezo? Verbaast je dat?'

'Ja, ik dacht dat je het spuuglelijk zou vinden.'

Nu was het Charlies beurt om haar aan te staren, en toen schudde hij zijn hoofd. 'Waarom doe je dit nou altijd? Je duwt me altijd in een rol alsof ik tactloos ben en alles afkeur.'

'Zullen we mijn haar er even buiten laten, Charlie?' Annie was verbaasd dat ze zichzelf zo goed in de hand had. Ze had heel gemakkelijk met een tegenbeschuldiging kunnen komen. Fiona's opmerking over haar huwelijk had haar zo diep geschokt dat ze vastbesloten was deze discussie niet in een oeverloze spiraal terecht te laten komen. 'Ik zal eerlijk zijn. Ik heb geluncht in de hoop weer aan het werk te komen. Fatsoenlijk werk. Ik heb een vruchtbaar gesprek met Sylvia gehad – je krijgt trouwens de groeten van haar – en ze heeft me opdracht gegeven een artikel te schrijven voor een maandblad waarvan zij de hoofdredacteur is.'

'Oké. Is dat nou zo'n toestand?' Charlie liep naar de koelkast en haalde er een flesje bier uit. Een goed teken, dacht Annie. Hij is nu meer ontspannen, minder strijdlustig.

'Het is zo'n toestand omdat ik hoop dat er nog vele zullen volgen. Ik wil graag weer een plekje in de journalistiek veroveren, als het even kan freelance. Op die manier kan ik thuis werken en de kantooruren beperken, en bovendien bepaal ik dan tot op zekere hoogte zelf waarover ik ga schrijven.'

'Ja, dat begrijp ik wel. Parttime is prima.' Hij denkt precies zo door te kunnen gaan als vroeger, dacht Annie, dat ik degene ben die alles rondom de kinderen regelt, precies zoals het hem uitkomt.

'Als ik dit werk ga doen – en ik heb haar al verteld dat ik het door haar beoogde artikel ga schrijven – dan heb ik volgende week een afspraak in Londen met haar. Het artikel zelf vergt wat onderzoek, waarvan ik een deel thuis kan doen, maar niet alles.'

'Dus?'

'Nou, is het niet duidelijk? Het gaat om de jongens. Overmorgen hebben ze vakantie. Ik kan niet én werken én voor ze zorgen. Ik heb op korte termijn kinderopvang nodig en op de lange termijn moet ik… moeten wij,' verbeterde ze zichzelf, 'aan een meer permanente oplossing werken.'

'Dus daar gaat het om? Je wilt niet zo nu en dan een artikel schrijven, maar echt weer aan het werk? Weer helemaal terug? Fulltime?'

'Ja, inderdaad.'

Charlie ging zitten en liet het flesje bier met een betrokken gezicht op zijn brede, ronde knie balanceren.

'Waarom? Kun je me vertellen waarom je liever met mensen als Sylvia wil werken, voor een tijdschrift dat luxespullen aan de obsceen rijken wil slijten, dan voor je eigen zoons zorgen?'

Annie haalde diep adem. 'Het is niet zo dat ik per definitie bij dat tijdschrift terechtkom, of dat zelfs maar wil, als het daarom gaat. Het is gewoon een begin. Ik heb het gevoel dat als ik weer aan het werk ga het tijd wordt om iets heel anders te proberen. Misschien vind ik een manier om over onderwerpen te schrijven waar ik van hou en kan ik ontdekken waar m'n belangstelling ligt.'

'En dat wil je liever dan voor je eigen kinderen zorgen, ook al zijn ze nog zo jong en hebben ze je nog zo nodig, terwijl dat niet meer het geval is als ze wat ouder zijn?'

Annie moest al haar zelfbeheersing uit de kast halen om kalm te blijven.

'Die twee hoeven elkaar niet per se uit te sluiten. Jij werkt en zorgt voor de jongens, en dat ga ik ook doen.'

Charlie zuchtte. Er viel een ogenblik stilte, gespannen door alles wat er tussen hen in lag, maar toen begon hij op een andere toon te praten. 'Weet je wat? Ik ben hier doodsbang voor geweest, maar in mijn hart wist ik dat het eraan zat te komen.'

'Wat bedoel je?'

'Toen we kinderen kregen, wilde ik dat ze het soort ouderwetse opvoeding kregen dat ik thuis heb gehad. Wacht even, trek nou niet zo'n gezicht. Ik zeg niet dat het volmaakt was, maar in mijn ogen was het een mooie jeugd: stabiel, gezond, ordelijk, en er was altijd iemand voor ons thuis. Altijd. Het gevoel van veiligheid dat daarmee gepaard gaat is onbetaalbaar en ik heb dat toegeschreven aan een moeder die niet werkte, en ik denk dat ik jou dat ook wilde opdringen.'

'De tijden zijn veranderd, Charlie, en je bent niet met je moeder getrouwd.'

'Ja, en om je de waarheid te zeggen, zag ik best dat je niet gelukkig was wanneer je met de kinderen thuiszat, vooral toen je nog jonger was. Ik vermoed dat ik mijn kop in 't zand heb gestoken en hoopte dat het vanzelf beter zou gaan. Ik hoopte dat je zou veranderen als je inzag dat het werk met de kinderen de belangrijkste baan ter wereld is.'

'Sorry, maar ik kan niet iets worden wat ik niet ben. Ik heb het geprobeerd, dat weet je.'

'Ja, maar ik word er verschrikkelijk verdrietig van dat we Archie en Rory niet geven wat ik heb gehad. Je krijgt me nooit zover dat ik ga vinden dat kinderopvang een goed alternatief is voor een ouder, en dus is er niets anders. Ik vind het vreselijk om ze niet het beste te geven. Dat geeft me het gevoel dat ik ze in de steek laat.'

'Luister, het belangrijkste is dat ze weten dat we van ze houden en dat ze heel belangrijk voor ons zijn. Ik weet dat ik een betere moeder zal zijn als ik me niet gevangen voel in een leven waar ik een bloedhekel aan heb.'

'Een blóédhekel aan heb? Vind je het dan echt zo erg?'

'Het past niet bij me. Ik word er niet gelukkig van. Ik voel me er hopeloos bij en een mislukkeling.'

Charlie schudde wanhopig zijn hoofd. 'Vreselijk om je dat te horen zeggen. Stel je eens voor hoe ik me daarbij voel.'

'Charlie, het gaat niet over jóú! Je bent niet met een huisvrouw en een potentieel fulltime moeder getrouwd. Je bent met míj getrouwd! Ik was een succesvol journaliste, een carrièrevrouw die er hard voor heeft gewerkt om daar te komen. Luister, ik hou van je, maar zoals ik nu ben, hou ik niet van mezelf. En dat is al heel lang zo.'

'O, god!' Charlie legde zijn hoofd in zijn handen. Annie wist dat deze emotie echt was en niet bedoeld om haar in een vervelende positie te brengen. Ze was ontroerd omdat hij zo verdrietig was. 'Waar is alles verkeerd gegaan? Dit leven hier had het antwoord op alles moeten zijn.'

'Dat was het voor jou, maar niet voor mij. Ik geloof nooit dat een ongelukkige moeder goed is voor de jongens, wat je er ook van zegt.'

'Dus, hoe gaan we nu verder? Is volgende week al een probleem?'

'Ja.'

'Ik krijg op dezelfde dag vakantie als de jongens, maar daarna moet ik nog een paar dagen naar school. Dan kan ik ze hier niet opvangen.'

'Nee, dat dacht ik al.'

'En dan moet ik nog mee met de slagveldentrip uit de Eerste Wereldoorlog. Aan het eind van de vakantie ben ik dan vijf dagen weg, en voordat het semester begint moet ik naar vergaderingen en m'n lessen voorbereiden en zo.'

'Ja, dat weet ik. Dat staat allemaal in de agenda.'

'Het is niet het beste moment voor je besluit, hè?'

'Daar is het nooit een goed moment voor.'

'Nou, je hebt vast wel een oplossing. Je hebt vast geen werk geaccepteerd zonder dat je daarover hebt nagedacht.'

'Voor de lange termijn moeten we vaste kinderopvang zien te vinden. Volgens mij zijn we het erover eens dat we geen au pair willen of een fulltime kindermeisje, dus we hebben iemand nodig die flexibel is en parttime kan komen. Daar heb ik misschien een antwoord op.'

'Hoe dan? Wie?'

'Fiona heeft me verteld dat er een Tsjechisch meisje bij haar komt wonen, een studente die aan haar masters werkt, in ruil voor kinderopvang. Volgens haar zit ze te springen om meer werk en zij kan ons met de jongens helpen. Ze is achter in de twintig, getrouwd en heeft een zoontje van zes die in Tsjechië door haar moeder en echtgenoot wordt verzorgd.'

'O, ik begrijp 't!' zei Charlie bitter. 'Zit Fiona hier soms achter? Ik vond haar meteen al een oproerkraaier. Antiman; een keiharde. Is die Tsjechische dame soms een lesbo?'

'Charlie! Zo ken ik je niet!'

'Oké, sorry. Vergeef me. Ik ken Fiona niet en ze is misschien wel heel aardig. Ze ziet er gewoon niet uit. Dus hoe gaan we het volgende week doen?'

'Ik vroeg me af of we je ouders konden vragen of de jongens daar een paar dagen kunnen logeren totdat jij het kunt overnemen.'

'Ze krijgen Sadie en de meisjes al.'

'Nou, wat maakt dat uit? De kinderen kunnen samen spelen en Sadie kan voor ze zorgen. Jij zegt dat ze niets liever wil. Thuiszitten bij de kinderen.' Annie kon het niet laten, die laatste opmerking.

De avond verliep niet zoals David had gehoopt. Tot in de vroege uurtjes zat hij in de wollen deken gewikkeld in een stoel in de woonkamer, als een oude man in een bejaardenhuis. Zijn astma-aanval leek te zijn afgenomen en hij moest wat hebben geslapen, terwijl Roger naast hem lag te snurken. Hij werd 's ochtends vroeg koud en ongemakkelijk wakker, en liep stilletjes naar boven om bij Julia in bed te kruipen. Ze lag met haar gezicht van hem af en ergens die nacht moest ze haar pyjama hebben aangetrokken, wit met roze rozen. Ze zag er heel jong en onschuldig uit. Hij veegde zachtjes haar haar uit haar gezicht, maar ze verroerde zich niet. Ze kon ongelooflijk goed slapen, en zelfs toen het daglicht door de dunne gordijnen naar binnen viel, werd ze niet wakker.

David stond op en ging naar beneden, moest plassen en dacht na over het ontbijt. Hij probeerde het water in de badkamer, maar vond dat te koud, prutste aan de gevelkachel, maar kreeg hem niet aan de praat. Hij waste zich met koud water, poetste zijn tanden en kookte water om zich te scheren. In de badkamerspiegel zag hij een oud, grauw gezicht, en zo voelde hij zich ook. Hij deed zijn best niet aan Alice te denken, die nu op het punt stond om naar haar werk te gaan, en vroeg zich in plaats daarvan af wat hij die dag zou gaan doen. Hij zou proberen een spoedeisende afspraak bij de dokter te maken en een recept te halen voor medicijnen en een inhaler. Daarna konden hij en Julia misschien een wandeling maken en dan zou hij 's middags weer naar huis gaan.

Nadat hij zich had geschoren, opende hij de voordeur en keek naar buiten. Het was een zachte ochtend, maar in het westen pakten grijze wolken zich samen. Roger dwaalde naar buiten en stak zijn poot omhoog tegen het tuinhek. David bedacht dat hij hem op het pad moest uitlaten nadat hij hem te eten had gegeven. Als hij de politieagente van hiernaast zou tegenkomen, zou hij haar vragen of er in de buurt een dokterspraktijk was.

Hij haalde Rogers eten uit de auto en ging op zoek naar een blikopener. Roger sukkelde met opgeheven snuit met een gulzige uitdrukking achter hem aan. In de keuken maakte hij zijn ontbijt klaar en zette Rogers bak in de tuin. Daarna pakte David zijn jas en de riem en gingen ze samen op pad.

Er was geen teken van leven in de troosteloze cottage naast hen en toen hij bij het uitkijkpunt boven op de heuvel kwam, hingen de regenwolken boven hem en waaide er een koude wind. Dit was geen dag voor een wandeling, in elk geval niet voor Julia, die kennelijk geen andere schoenen bij zich had dan haar cowboylaarzen met hoge hakken.

Op de terugweg overdacht David wat er tussen hen was gebeurd. Praktisch gesproken zag hij niet hoe hij haar zou kunnen helpen. In zijn beleving moest ze haar leven eens goed onder de loep nemen – ongeveer zoals Sadie dat moest – en hij wist hoe moeilijk het was om een jonge vrouw ertoe aan te zetten verstandiger keuzes te maken.

Zijn bezoek hier had in geen enkel opzicht iets toegevoegd en hij had er spijt van dat hij was gegaan. Het was krankzinnig dat hij zo drastisch het spoor bijster was geraakt door de noodkreet van een jonge, labiele vrouw. Aan de andere kant was ze mooi, en door bij haar te zijn was er in hem weer iets tot leven gekomen waarvan hij had gedacht dat het voor altijd verdwenen was. Hoewel alles heel anders was uitgepakt dan ze hadden gepland, had ze hem wel het gevoel gegeven dat er mogelijkheden waren om de dingen toch nog anders te doen.

Ik moet me niet nutteloos voelen, achteroverhangen en wachten tot ik oud ben, bedacht hij. Misschien koop ik dat bootje wel dat ik altijd al heb gewild en ga ik weer zeilen. Misschien meld ik me aan bij de overzeese vrijwilligers en kan ik nog iets nuttigs doen in Afrika of India, waar ze een tekort hebben aan werktuigbouwkundige kennis. En ik hou van Alice, dacht hij. Als deze escapade me iets heeft geleerd, dan is het wel hoeveel ik van mijn vrouw hou.

Op dat moment probeerde Alice David op zijn mobieltje te bellen, dat op de tafel in de cottage lag. Ze vond het alarmerend dat hij niet opnam. Hij had beloofd om contact te houden en het feit dat hij niet opnam, betekende vast dat hij aan machines vastgeketend op de intensive care in het ziekenhuis van Truro lag en daar misschien wel zijn laatste adem uitblies. Ze kon geen andere verklaring bedenken.

Het enige wat ze kon verzinnen was Edwins vrouw bellen en haar het mobiele nummer van haar man vragen. Als ze met Edwin in contact kon komen, hoorde ze vanzelf wat er was gebeurd. Ze haalde het oude adresboekje tevoorschijn, zocht de naam op en belde het nummer.

'Hallo,' zei een mannenstem.

Alice was in de war. Ze had verwacht Christine aan de lijn te krijgen. Misschien had ze het verkeerde nummer gebeld.

'Hallo?' zei de man nogmaals.

'O, sorry. Ik wilde Christine Faraday spreken. U spreekt met Alice Baxter.'

'Alice? Hoi, met Edwin.'

'Edwin?' Alice begreep er niets van. 'Edwin? Waarom ben je thuis? Is David in orde? Hij ligt toch niet in het ziekenhuis, hè?'

'Alice, daar weet ik niets van.' Edwin klonk verschrikt. 'Ik weet niets van David, ben ik bang. Waarom denk je dat hij in het ziekenhuis zou liggen? Wat is er gebeurd?'

'Nou, ik dacht dat hij bij jou was! Ik dacht dat jullie samen in Cornwall aan het lopen waren! Hij belde me gisteravond en zei dat hij een astma-aanval had.' Ze dacht koortsachtig na, op zoek naar een verklaring.

'Dat is vast een vergissing. Ik was wel van plan om David te bellen om het kustpad weer eens af te lopen. Het was de bedoeling dat we dat een keer zouden gaan doen, maar het is er nooit van gekomen. Waar zei hij dat hij was?'

Alice was sprakeloos. David had tegen haar gelogen. Hij had keer op keer gelogen. Ze moest nu vooral een einde maken aan dit gesprek en ophangen.

'O, hij is ergens aan het wandelen,' zei ze vaagjes. 'Ik heb vast een paar dingen door elkaar gehaald, want ik dacht dat hij met jou ging. Ik bedoel, dat je ook bij het clubje hoorde. Volgens mij waren ze met meer. Een soort wandelgroepje.'

'O, ik begrijp 't. Nou, zeg alsjeblieft dat hij me moet bellen. Het zou leuk zijn elkaar weer te zien. Wil je Christine nog aan de lijn?'

'Ik zou graag even met haar praten, maar ik moet naar mijn werk. Dus ik moet ophangen. Sorry, Edwin, ik heb me compleet vergist. Ik zal aan David vragen of hij je belt.'

'Goed zo. Tot ziens, Alice.'

Alice hing op, opgelucht dat Edwin helemaal niet nieuwsgierig was naar zijn vriend en haar verwarrende uitleg had geslikt. Ze voelde zich merkwaardig leeg en verdeeld, ze kon het maar niet geloven. Er was vast een verklaring voor, als ze die maar kon bedenken. Ze moest David onmiddellijk spreken en uitzoeken wat er aan de hand was. Was hij soms bezig met een verrassing? Had het iets met het feest te maken?

Ze pakte de telefoon opnieuw en belde zijn nummer nogmaals. Er werd bijna meteen opgenomen, door een jonge vrouwenstem.

'Wat is er in hemelsnaam aan de hand?' vroeg Alice. 'Waar is David?'

'Die is de hond aan het uitlaten, geloof ik,' zei de vrouw kalm. 'Moet ik een boodschap doorgeven?'

'Wil je hem vragen of hij zijn vrouw belt? Bedankt.' Ze hing op en belde meteen weer. Waarom had de vrouw niet gevraagd wie ze was? Was ze een of andere verpleegster? In de astmakliniek? Er werd niet opgenomen. Ze belde opnieuw. Weer niets. Was ze gek aan het worden? Was dit soms een soort grap, of een truc? Ze staarde uit het raam terwijl haar hart als een razende tekeerging. Ze moest er rationeel over nadenken, en bovenal moest ze met David praten.

Ze probeerde zijn nummer weer. Niets. Ze dacht terug aan het moment waarop hij de ochtend ervoor was vertrokken. Was hij net als anders geweest? Had hij iets vreemds gezegd? Had hij al die tijd tegen haar gelogen over Edwin? Toch had hij niet anders geleken. Ze speelde in haar hoofd het telefoongesprek van de vorige avond nog eens af, toen hij midden in een astma-aanval zat. Natuurlijk was hij toen niet goed, maar hij had geen man geleken die zijn vrouw voorloog. Hij had tegen haar gezegd dat Edwin bij hem was en daar had ze geen moment aan getwijfeld.

Ze ging de afgelopen paar weken nog eens na en vond geen aanwijzingen, geen verklaringen voor wat er aan de hand was. Toen kroop een heel vage herinnering haar verhitte brein binnen. Ze herinnerde zich dat ze David had gestoord toen hij aan de computer werkte, dat ze zijn kamer was binnen gelopen toen hij met iets bezig was en ze achter hem stond terwijl hij de computer afsloot. Ze wist nog dat ze de indruk had dat hij zich bijna steels gedroeg. Het was haar opgevallen dat hij liever niet had dat ze zag wat er op het scherm stond.

Alice liep naar boven en opende de deur van de jongenskamer, waar David nu sliep en werkte. Ze ging naar de computer en zette hem aan. Er was een wachtwoord nodig en Alice kon zich niet herinneren wat dat was. Ze wist eigenlijk niet eens of ze dat ooit wel had geweten. De computer was een afdankertje van Ollie, die ze hadden gekregen toen hij een nieuw model had aangeschaft.

Alice rende naar beneden en belde Ollie. Misschien trof ze hem nog voordat hij naar zijn werk ging, en ze had geluk, want hij nam de telefoon op.

'Hé, mam! Ik sta op het punt om weg te gaan. Wat kan ik voor je doen?'

Ze moest koste wat het kost rustig klinken. 'O, Ollie, ik ben blij dat ik je nog te pakken krijg. Ik probeer iets op te zoeken op de computer van je vader. Hij is er niet, op wandeltocht. Weet jij het wachtwoord nog? O, geweldig. Dank je wel. Sabine? O jeetje. Haalt Lisa haar op van het vliegveld? Luister, we hebben het er later over. Doeg!'

Ze rende weer naar boven en toetste met trillende handen het wachtwoord in, erop gokkend dat David niet de moeite had genomen om het te veranderen. Gehoorzaam flakkerde het scherm op en de menupagina verscheen.

Alice klikte op het e-mailprogramma en zag dat de inbox leeg was; David had alles gewist. Ze ging naar de prullenbak, maar die had hij ook geleegd. Ze klikte met de muis op 'verzonden items' en daar was het allemaal, het bewijs waarnaar ze op zoek was. In zijn opwinding en haast was hij vergeten om alles te wissen.

Alice las alle e-mails die David en Julia met elkaar hadden uitgewisseld. Ze las ze nogmaals vanaf het begin. Het leek wel een boek, te ongelooflijk om deel van haar leven te kunnen zijn. Maar ze kon niet om de waarheid heen. David, al veertig jaar haar echtgenoot, tweeënzestig jaar oud, met pensioen, en over het algemeen nogal knorrig, de laatste tijd bepaald geen opwekkend gezelschap en niet erg geïnteresseerd in seks, had een affaire met een vrouw die zijn dochter had kunnen zijn.

Wat moest ze doen, voelen? Alice wist het niet. Ze dwaalde door het huis, ging alle kamers door, raakte terloops met haar vingers de oppervlakten aan, merkte de stoflagen op, trok bedden recht en raapte papieren op. Ze verzamelde vuile was, die van haar en van David, stopte die in de wasmachine en was zich ervan bewust dat ze dit karweitje al veertig jaar deed.

Ze had naar haar werk moeten gaan, maar in plaats daarvan haalde ze de stofzuiger tevoorschijn. Ze zoog het tapijt in de woonkamer en stofte de meubels af. Ze dacht terug aan de ochtend toen Julia in deze kamer had gezeten terwijl zijzelf in de keuken koffie had zitten drinken. Haar man en zijn minnares hadden die ochtend hun affaire gepland. Ze probeerde zich Julia's gezicht voor de geest te halen, maar kon zich alleen herinneren dat ze jong, fris en mooi was. Geen wonder dat David haar wilde. In de spiegel boven de kachel zag haar gezicht er oud uit, doorgroefd met rimpels van schrik en ellende.

'De seks kan ik hem nog wel vergeven,' zei ze hardop, 'maar niet het verraad en de leugens.' Dat zeiden vrouwen altijd als ze bedrogen waren. Maar dat was raar. Hij had juist gelogen vanwege de seks. Door lust was hij ontrouw geworden. Hij was geen haar beter dan al die voetballers en politici die werden betrapt met sterretjes, lingeriemodellen en au pairs.

De telefoon ging, ze nam automatisch op en zei met betrekkelijk normale stem: 'Hallo?'

'Alice! Ik kan het uitleggen!' Het was David, en ze voelde een golf van opluchting. Hij kon het allemaal uitleggen, de e-mails, alles, en dan zou alles verdwijnen en als een nachtmerrie in het ochtendlicht vervagen.

'Alice? Alice?' Zijn stem klonk geschrokken. 'Ik voelde me niet goed, zie je, dat weet je, en Edwin zei...' Maar ze wist dat hij loog. Hij kronkelde als een wurm aan een haak.

'Hou op, David! Genoeg. Ik wil niet met je praten.'

'Alice! Alsjeblieft! Laat het me nou...'

'Nee, dank je wel, David.' Ze hing op. De telefoon ging weer over maar ze nam niet op.

Wat nu? Wat moest ze doen? Sommige vrouwen gingen met een schaar de kostuums van hun man te lijf, reden over hun golfclubs heen, vernielden hun auto, maar Alice leek niet zo woedend te zijn dat ze op wraak uit was. In plaats daarvan schrompelde ze ineen van verdriet. Als David de benen had genomen en met dit meisje naar bed was geweest, wat zei dat dan over haar, zijn echtgenote, en hun huwelijk?

Boven haalde ze een weekendtas uit een kast, gooide er wat kleren in, wat zo voorhanden was, en wat ondergoed. Voordat ze zich omdraaide om te vertrekken, zag ze de rode jurk. Ze rukte hem van het hangertje en propte hem ook in de tas. Ze ging naar beneden, liet haar mobieltje midden op de keukentafel liggen, liep door de voordeur naar buiten en deed die achter zich op slot.

13

Tijdens de rit vanaf het vliegveld hing er een onbehaaglijke en vreemde sfeer in de auto. Lisa had verwacht dat Sabine van streek zou zijn, maar ze leek heel kalm, afstandelijk, en wilde niet praten.

'Zo erg is het allemaal niet,' had ze gezegd toen haar moeder haar stuiterend van plaatsvervangende verontwaardiging in de aankomsthal opwachtte. 'Papa had het druk, dat is alles. Ik had het niet goed met hem overlegd. Hij heeft het ticket voor me gekocht. Ik heb je creditcard gebruikt. Maar hij heeft het bedrag weer op je rekening overgemaakt, dus je hoeft je over het geld niet druk te maken.'

'Ongelooflijk dat je zoiets hebt gedaan!' riep Lisa uit. Ze bleef staan en keek haar dochter verbijsterd aan. 'Je hebt zonder mijn toestemming mijn creditcard gebruikt? Sabine! Ik kan het gewoon niet geloven!'

'Wat maakt het nou uit?' zei Sabine op nuchtere toon. 'Ik wist dat papa het terug zou betalen. Jij zou toch niet hebben geluisterd. Jij had het veel te druk met hysterisch zijn over Sadies baby.'

Lisa staarde haar dochter aan, onthutst door wat ze net had gezegd.

'Sabine! Zo praat je niet tegen me! Wat mankeert je?'

Sabine haalde haar schouders op. 'Het is toch zo?'

'Misschien was ik van streek, maar dat is absoluut geen excuus om je zo te gedragen.'

'Oké.'

'Je komt er niet van af met "oké". Daarmee is het nog niet in orde.'

'Wat jij wilt.'

'Je kunt minstens je excuses aanbieden omdat je je vader en mij zo in de problemen hebt gebracht. Het laatste waar ik op zat te wachten is dat ik je vandaag weer van het vliegveld moet ophalen.'

'Oké, sorry.'

Op het parkeerterrein stapten ze in de auto en reden een paar minuten in stilzwijgen verder, waarna Sabine achteloos zei: 'Papa zegt dat Agnes en ik naar Pompignac mogen komen als de baby geboren is.'

'Hoe kan dat nou?' zei Lisa geërgerd. 'Dan zit je op school. Typisch iets voor hem om zoiets te zeggen.'

'Kan mij school wat schelen! Ik ga toch.'

'Sabine! Hou ermee op! Hou onmiddellijk op met die verschrikkelijke houding van je! Wat is er in je gevaren?'

Sabine gaf geen antwoord.

'Ik heb de hele ochtend geprobeerd om mam te pakken te krijgen,' zei Charlie tegen Annie door de telefoon. 'Ze neemt thuis niet op, haar mobieltje niet en pap is ergens aan het wandelen, dus ik kom er geen stap verder mee om iets voor de kinderen te regelen. Maar ik blijf het proberen.'

Ollie liet een bericht voor Lisa achter op het antwoordapparaat zodat ze dat kon afluisteren als ze van het vliegveld terug was. 'Mam heeft vanochtend gebeld om iets te weten te komen over de computer die ik aan mijn vader heb gegeven. Ik had een beetje haast en stond op het punt naar m'n werk te gaan, dus ik had geen kans te vragen of Sabine daar deze week terechtkan. Ik blijf het proberen, maar ik weet zeker dat het wel in orde komt. Ik laat het je weten. Hou van je.'

'Mam! Waar zit je?' jammerde Sadie. 'Ik wilde een bestelbus huren om overmorgen onze spullen te komen brengen, maar ik vroeg me af of jij of pap ons kon komen ophalen? Dat zou sowieso een stuk goedkoper zijn. Hoe dan ook, de meisjes vinden het geweldig om bij jullie te logeren. Zie je gauw. Doei!'

'Mam! Waar is iedereen?' Marina sprak een bericht op het antwoordapparaat in. 'Ik wil je alleen maar laten weten dat Ahmeds familie ons in Londen komt opzoeken en dat we niet naar Syrië gaan, en ik moet zeggen dat ik enorm opgelucht ben. We vonden het te riskant om hem op dit moment naar Damascus te laten gaan. Ik vroeg me af of we ze mee mogen nemen naar je feest? Ze zijn hier precies in dat weekend in mei en het zou enig zijn als ze de hele familie kunnen ontmoeten. En ik heb met Sadie gepraat! Hemeltje, mam, die arme Sadie. Doe haar de groeten van me. Oké, ik moet gaan. Het is hier als altijd een gekkenhuis. Mo is gewoon adembenemend. Hij lacht zo veel en probeert nu dingetjes te pakken. Hij is dol op dat mobieltje dat je hem hebt gegeven. Verlang ernaar om jou en pap weer te zien. Waarom komen jullie niet een nachtje naar Londen? Laat 't me weten. Dag!'

'Waarom heb je dat gedaan?' vroeg David aan Julia. 'Waarom heb je mijn mobieltje opgenomen? Niet te geloven dat je dat hebt gedaan. Wat moet ik nou tegen Alice zeggen? Ze hing op terwijl ik nog druk bezig was alles uit te leggen.'

'Het kan me niet schelen wat je zegt,' zei Julia laatdunkend. 'Ik had iedereen kunnen zijn geweest. Een kamermeisje, een serveerster, wie dan ook. Ik was trouwens toch woedend op je. Kom ik de keuken in om een kop thee te zetten, mijn god! Staat er een blikje van dat klote hondenvoer op het aanrecht! Brokken weerzinwekkend bruin spul in gelei. En de stank! Je weet hoe ik over vlees denk. Echt, ik gaf bijna ter plekke over. Ik ben er nog misselijk van.'

David keek Julia verbaasd aan. Hij was nog nooit iemand zoals zij tegengekomen. Op dat moment ging zijn telefoon weer en hij griste hem weg in de hoop dat Alice terugbelde om zich te verontschuldigen voor het feit dat ze zomaar had opgehangen. In plaats daarvan hoorde hij tot zijn verbazing Edwins stem. 'David? Alles goed? Ik had net Alice aan de telefoon. Kennelijk dacht ze dat je bij mij was en dat je niet in orde was, of iets dergelijks. Ik ben bang dat ik niet snel genoeg was om je een alibi te verschaffen. Ha! Ha! Grapje. David? David? Ben je er nog?'

Gedurende de hele terugweg reed David overdreven voorzichtig. Hij moest kalm blijven, zich beheersen en dan zou hij dit fiasco wel kunnen verklaren. Hij had zich in een absurde situatie gewerkt, lachwekkend, een klucht gewoon. Wat had hij wel niet gedacht? Wat had hij gedaan? Hij had geen moment gedacht dat er ook maar enige consequenties aan verbonden waren. Ongelooflijk dat alles zo rampzalig de mist in was gegaan, en nu was Alice heel erg van streek en Joost mocht weten wat ze nu van hem dacht.

Hij zou de hele kwestie hebben uitgelegd, of in elk geval een voor haar acceptabele verklaring hebben opgedist. Er was geen reden waarom ze hem ervan zou verdenken dat hij bij een andere vrouw was. Dit was zo totaal niets voor hem dat hij het zelf amper kon geloven. Het feit dat Julia de telefoon had opgenomen kon hij zo uitleggen. Hij had hem op de ontbijttafel in de pub laten liggen en het meisje dat de boel wegruimde, had hem opgenomen toen hij overging. Ze had gezien dat hij Roger ging uitlaten. Dat was allemaal volkomen logisch. Hij geloofde het zelf bijna.

Hij zou Edwin ook afdoende kunnen verklaren. Hij zou zeggen dat hij, toen het erop aankwam, liever alleen wilde lopen. Edwin was maar lastig. Hij kon het niet opbrengen om twee dagen met hem alleen te zijn. Hij had tegen Alice gezegd dat hij bij hem was omdat ze misschien van streek zou raken als hij zei dat hij alleen wilde gaan, vooral toen ze had voorgesteld om met hem mee te gaan. Verklaringen, smoezen, logische argumenten schoten door zijn hoofd. Het belangrijkste was dat Alice hem zou geloven. Hij kon zich in de verste verte niet voorstellen welke schade zou worden aangericht als ze ooit wist wat hij werkelijk had uitgespookt. Haar kwetsen was wel het laatste wat hij wilde, dat maakte hij zichzelf keer op keer wijs. Ik had nooit gedacht dat het zover zou komen. O god, wat heb ik gedaan?

Hij stopte twee keer en probeerde haar telefonisch te bereiken, maar ze was niet thuis en nam haar mobieltje niet op. Hij overwoog om de praktijk te bellen, maar besloot dat hem dat te ver ging. Hij zou over twee uur thuis zijn en dan zou alles verklaard en gladgestreken worden, waarna het leven zijn normale loop weer zou nemen. Hij herinnerde zich hoe blij Alice was geweest toen hij bloemen en worstjes had meegebracht. Misschien moest hij in Chard even stoppen en iets lekkers halen bij de delicatessenzaak waarvan de eigenaar een tv-kok was: op houtskool gegrilde artisjokken met parmaham, schandalig duur brood, dat soort dingen. Alice zou er blij mee zijn en dan zouden ze bij het diner een mooie fles wijn opentrekken. Het zou goed zijn om weer thuis te zijn en veilig terug te keren naar het normale leven.

Maar misschien zou het niet zo uitpakken, dacht hij angstig.

Toen hij voor de deur stilhield, zag hij dat Alice' auto weg was. Ze zou wel naar haar werk zijn. Het kwam goed uit dat hij naar binnen kon gaan en tot zichzelf kon komen voordat hij haar onder ogen kwam. Hij maakte de deur open en zag dat er een vel papier op de mat lag. Hij raapte het op en liep de keuken in. Alice' mobiele telefoon lag op tafel. Dat verklaarde tot zijn opluchting waarom ze zijn telefoontjes niet had opgenomen. Misschien had ze een briefje voor hem achtergelaten. Hij vouwde het vel papier open. Verbluft zag hij dat het de reisroute was van een soort luxe Middellandse Zeecruise. Hij legde hem op tafel en ging naar zijn kamer boven.

Ineens viel het hem op dat hij zijn computer aan had laten staan, wat hij merkwaardig vond, maar aan de andere kant was hij zo geagiteerd vertrokken dat alles mogelijk was. Hij ging zitten en klikte met de muis, waarna de computer van de stand-by naar de actieve modus overschakelde. Onmiddellijk verscheen de box met verzonden e-mailberichten op het scherm. Met afgrijzen zag hij de lijst van alle berichten die Julia en hij hadden uitgewisseld.

Het moest Alice zijn geweest. Alice moest erachter zijn gekomen wat hij had uitgespookt. Hij was verdoemd. Het was met 'm gedaan. Hij bleef verbijsterd zitten, niet in staat om iets zinnigs te bedenken. Hij had geen idee wat hij nu moest doen. Hij ging naar beneden en schonk zichzelf een glas whisky in die hij in één keer achteroversloeg. Hij zette het glas weer op tafel, reikte naar de fles en zag de reisroute van de cruise. Was dat het? Was Alice naar zee vertrokken en had ze hem verlaten?

Margaret had een ruime, lichte flat. De kamer die Alice van haar mocht gebruiken was in een kalmerend, lichtblauw geschilderd en er stond een comfortabel tweepersoonsbed met een witte, kanten sprei. Bij het raam hingen blauw-met-roze gespikkelde gordijnen en het venster keek uit over een stille weg naar een park met schommels en klimrekken, waar op deze regenachtige middag niemand was.

Het was heel stil in de flat. Alice hoorde dat de koelkast aan- en uitsloeg en het getik van de elektrische klok aan de muur. Margaret had tegen haar gezegd dat ze alles mocht nemen wat ze wilde, maar Alice had niet eens zin gehad om een kop thee te zetten en had alleen een glas water ingeschonken. Ze trok de sprei van het bed, vouwde die zorgvuldig op, trok haar schoenen uit en ging als een lijk languit liggen, vouwde haar handen samen en hield haar ogen open.

Ze voelde zich ook een beetje als een lijk, want alles wat ze was, was uit haar weggespoeld en nu was ze leeg, een niemand. Toen ik vanochtend opstond, dacht ik van mezelf dat ik het ene was, en nu ben ik compleet iets anders. Alles wat gisteren de waarheid leek, is vandaag een leugen. Alles wat ik dacht te hebben is door mijn vingers geglipt en nu sta ik met lege handen. Alles wat rotsvast was, is aan het wankelen geslagen. Alles waar ik zo zeker van was, is een illusie gebleken.

Ze had het gevoel dat sommige gedachten zo diepgravend, zo oorspronkelijk waren dat ze ze zou moeten opschrijven. Ze stelde zich voor dat ze die in een brief aan David zou zetten, maar op dat moment kon ze niet over hem nadenken. Sterker nog, ze wilde over niemand nadenken, niet over Sadie en de meisjes, of wat Ollie haar over Sabine had verteld, of Marina en Ahmed, of Annie en haar baan. Ze wilde totaal niet aan ze denken. En ze wilde ook haar zus niet bellen om haar het nieuws te vertellen. 'Ja! Hij heeft een verhouding! Met een jonge meid!' Ze wilde niet dat Rachel dat ooit te weten zou komen. Nooit. Het was haar schande. Haar eigen wond.

In plaats daarvan zou ze hier blijven liggen en afwachten wat er zou gebeuren. Straks kwam Margaret van haar werk thuis en zou ze moeten praten, vermoedde ze. Ze had haar zo weinig mogelijk uitgelegd toen ze naar de praktijk had gebeld en gezegd dat ze ziek was en niet zou komen. 'Mag ik in jouw huis zitten, Margaret? Ik moet ergens naartoe. Ik moet ergens kunnen uitrusten.' Margaret had begrepen hoe belangrijk dat verzoek was en had gezegd: 'Natuurlijk,' en had verder niets gevraagd, maar haar verteld waar ze een reservesleutel kon vinden en dat ze haar logeerkamer zo lang mocht gebruiken als ze wilde.

En hier was ze dan, een niemand, en het was rustgevend zich zo vervreemd, doelloos en ver weg van haar leven te voelen. Zo nu en dan stond ze op om naar het toilet te gaan, maar verder bleef ze heel vredig waar ze was en voelde niets.

Natuurlijk kon dit niet duren. Ze wist dat ze niet zomaar pijnloos kon verdwijnen. Toen ze Margaret de sleutel in het slot hoorde steken en zag dat het middaglicht wegstierf, werd ze weer naar de oppervlakte van haar leven teruggetrokken.

Margaret verscheen in de deuropening, nog altijd in haar rode jas met de nepbontkraag. Ze keek heel bezorgd. 'O, Alice, wat is er in hemelsnaam gebeurd? Ik ben de hele dag zo ongerust geweest. Je man heeft naar de praktijk gebeld. Ik heb niet verteld dat je hier was. Ik hoop dat dat goed was.'

'Ja, heel goed. Sorry dat ik je hierin meesleur, Margaret.'

'Nee, het geeft niet. Ik heb alles voor je over, dat weet je wel. Maar wat is er aan de hand, Alice? Hij lijkt te denken dat je op een cruise bent vertrokken.'

Alice ging rechtop op bed zitten en staarde haar vriendin niet-begrijpend aan. Een cruise? Een crúíse?

En toen begon ze te lachen.

Het was de ergste dag van Davids leven, veruit de ergste. Hij had geen flauw idee waar Alice was en hij vond het een kwelling dat hij haar niet kon bereiken. Hij wilde haar het liefst troosten en uitleggen dat het allemaal niets, maar dan ook niets betekende, en dat zij alles voor hem was, zijn hele leven, zijn wereld. Hij wilde haar vertellen dat hij haar niet waard was en haar om vergeving smeken. Hij kon de gedachte niet verdragen dat ze wanhopig ongelukkig was, gekwetst en eenzaam. 'O, Alice, vergeef het me!' riep hij hardop uit terwijl hij door het huis ijsbeerde. Hij spitste zijn oren of hij de sleutel in de voordeur hoorde of haar voetstap op de trap, maar het huis bleef beschuldigend stil.

Hij opende de deur van hun slaapkamer en liep naar binnen. Daar was alles netjes en rustig. Geen spoor van een overhaast vertrek, geen geopende laden of kleren op de grond. Er stonden echter twee onbekende kartonnen dozen op een stoel en uit een ervan haalde David een lichtgroen-met-blauwe zijden jurk. Hij legde de gladde stof tegen zijn wang. Dat was Alice' feestjurk, vermoedde hij, en zijn ogen vulden zich met tranen. Alice' tuinfeest! Het feest dat was bedoeld om hun leven samen te vieren, en hij had het allemaal verprutst.

Om half zes ging de telefoon en toen hij naar de hoorn greep, hoopte hij dat zij het was.

'Pa? Hoi! Waar is mama? Ik heb vanochtend een bericht voor haar achtergelaten, maar ze heeft nog niet teruggebeld. Pap, kun je mij en de meisjes misschien komen ophalen? Dan hoef ik geen busje te huren. Kun je morgenochtend komen? Geweldig! Hoe was de wandeling? Je klinkt een beetje vreemd. Gaat het wel met je? En pap, Charlie heeft gebeld. Hij wil de jongens een paar dagen bij jullie brengen, zodat Annie haar tanden in een artikel kan zetten waarvoor ze opdracht heeft gekregen. Ik zei dat het wel goed was. Dat vind je toch niet erg, hè? Ik kook wel en zo. Voor de meisjes is het hartstikke leuk. Waar was mam, zei je?'

'Ze is even weg,' zei David, naar een excuus zoekend. 'Ze heeft een vergadering op de praktijk. Ze is laat.' Ik kan het haar niet vertellen, dacht hij. Ik kan het haar niet vertellen, ik schaam me zo.

'Hé, pap!' Alweer de telefoon. 'Heeft mam het verteld van Sabine? Is het goed dat ze een weekje bij jullie logeert nu Agnes weg is? Ze heeft er zelf om gevraagd, dat vind je vast leuk! Om je de waarheid te zeggen, is ze een beetje lastig momenteel. Ze is op eigen houtje naar Frankrijk vertrokken en is door haar vader weer teruggestuurd. Ze is wat in de war en reageert het op Lisa af. Je weet hoe tieners zijn, hè? Gaat het wel, pa? Ben je verkouden? Hoe was de wandeling?'

'Pap! Hoi! Heeft mam het verteld van Ahmeds ouders? Is het goed als ze ook op het feest komen? Is mam daar?'

David antwoordde mechanisch. Hoe moet ik het ze vertellen? dacht hij. Hoe kan ik ze nou vertellen dat alles nu anders is, dat de basis onder ons leven is weggeslagen?

'Je moet echt wat eten,' zei Margaret vriendelijk. 'Ik heb een paar kant-en-klaarmaaltijden in de vriezer. Ik neem zalm-en-croûte. Wil jij niet een beetje?'

'Dank je wel, ik denk dat ik op dit moment niets door m'n keel krijg.'

'Dus wat nu?' vroeg Margaret terwijl ze op het voeteneind van het logeerbed ging zitten. Alice voelde zich vreemd, zoals ze daar lag alsof ze ziek was. Ze had het gevoel dat ze zich niet zo zwak en flauwtjes hoorde te voelen, maar ze had niet de energie om haar benen van het bed te zwaaien en op te staan.

'Dat weet ik niet,' zei ze. 'Geen idee, eigenlijk. Ik ben aan zet, hè?'

'Natuurlijk!' Margaret liep naar het raam en rukte kwaad aan de gordijnen. 'Na zo veel huwelijksjaren! Ik word razend als ik bedenk hoe die man je heeft behandeld. Je kunt hem eruit gooien. Laten we maar eens kijken hoe lang dat stuk vullis bij hem blijft wanneer hij op een eenkamerflatje zit en jij de laatste cent uit zijn pensioen wringt.'

'Volgens mij ligt het zo niet,' zei Alice traag. 'Volgens mij heeft hij geen verhouding. Ik heb eerder het idee dat we allebei niet goed hebben opgelet en dat het daardoor is gebeurd.'

'Niet goed opgelet? Dit was geplánd! Het bewijs ligt er. Je kunt hem om te beginnen uit huis zetten. En het is niet jóúw schuld!' riep Margaret uit. 'Zo zitten mannen in elkaar. Wat jou is overkomen is schering en inslag. Kijk maar om je heen. Het gebeurt aan de lopende band. Als je er niet achter was gekomen, was dit achter je rug om doorgegaan terwijl hij je gewoon zou blijven voorliegen. Mijn tweede echtgenoot heeft het drie jaar volgehouden voordat hij werd betrapt en ik ontdekte dat hij onze buurvrouw neukte wanneer ik avonddienst had.'

'Nee, het is niet mijn schuld. Dat zeg ik ook niet. Ik weet niet wat ik denk, of wat ik wil. Ik kan het nu gewoon niet aan. Ik zal hem een keer moeten zien, vermoed ik, maar nu nog niet. Sadie en de kleinkinderen kunnen elk moment komen en dan heeft hij daar zijn handen vol aan. Ik weet niet wat hij hun gaat vertellen.' In Alice' beleving staarde ze met die woorden in een lege toekomst. De familie. Wat zou er met het gezin gebeuren? Wat kon daar in hemelsnaam van gered worden?

'O, Alice!' De tranen sprongen in Margarets met make-up omrande ogen. 'Dit verdien je niet, echt niet.' Ze spreidde haar armen en de twee vrouwen omhelsden elkaar onhandig.

De telefoon ging en Alice wist dat het David was voordat Margaret zich van haar had losgemaakt en opnam. Ze keek naar Alice en trok een vragend gezicht.

'Zeg hem maar dat ik hier ben,' fluisterde Alice. 'Maar ik wil hem niet spreken. Nog niet.'

'Zo, en waar is mam eigenlijk?' vroeg Sadie op commanderende toon terwijl zij en de meisjes de auto uitlaadden en de van kleren, speelgoed en boeken uitpuilende rolkoffers het huis in sleurden.

'Ze is een paar dagen weg,' mompelde David, terwijl hij twee koffers uit de achterbak tilde.

'Ze is toch niet bij je weg, hè?'

David keek haar scherp aan, maar besefte dat Sadie een grapje maakte, alsof het een belachelijk idee was dat Alice vertrokken zou zijn.

'Waar is ze naartoe? Ze heeft er niets over gezegd dat ze weg zou gaan. Hé! Ze is toch zeker niet ziek?'

'Nee, nee. Ze is niet ziek. Ze moest er even tussenuit. Een rustpauze. Ze zit min of meer in retraite.' Dit was de verklaring waar hij op uitgekomen was, de enige waarvan hij dacht dat hij ermee weg kon komen.

'Retraite! Wat voor retraite? Dat klinkt heel raar. Zit ze in een klooster of zo? Heeft ze daarom haar telefoon niet meegenomen?'

'Inderdaad. Geen telefoons. Geen contact met familie. Stilte, eenvoudig eten en heel veel slapen. Het was georganiseerd vanuit de praktijk. Holistisch welzijn. Zoiets.'

Hij werd zo'n goede leugenaar dat hij het idee bijna aan zichzelf kon verkopen. Hij wenste dat hij kon wegkruipen om zelf zo'n plek te vinden. Hij had zich nog nooit zo akelig gevoeld als nu, zo ongelukkig en mislukt. Hoewel ze hem niet wilde spreken, had Alice hem via Margaret laten weten dat ze hem morgen wilde ontmoeten, om te práten. Uit Margarets mond klonk het alsof dat schier onmogelijk was. Toen hij had gevraagd hoe het met Alice was, had ze min-achtend gesnoven en gezegd: 'Daar is het een beetje laat voor, vind je niet? Hoe dénk je dat ze eraan toe is? Hoe dénk je dat ze zich voelt?'

'Wanneer komt ze dan terug?' vroeg Sadie bevelend, terwijl ze met een arm vol spullen de trap op liep. 'Ik vind het maar raar dat ze er niets over heeft gezegd.'

'O, over een dag of twee. Ik geloof dat het een beetje plotseling was opgekomen. Terwijl ik weg was, heeft ze gewoon besloten dat ze zelf ook wel aan een adempauze toe was.'

'O, kijk nou, ze heeft de meisjeskamer gedaan,' riep Sadie vanaf de overloop. 'Kom eens kijken, meiden! Georgie, Tamzin! Oma heeft jullie kamer helemaal in orde gemaakt zodat jullie je welkom voelen.'

David sjokte met de koffers achter ze aan en bleef in de deurope-ning staan. Alice had op elk eenpersoonsbed een knuffel neerge-legd, de bedden had ze met roze linnengoed opgemaakt en op het nachtkastje lag een verzameling kinderboeken. Ze had het oude sprookjespaddenstoelnachtlampje gevonden en toen Sadie de la-den van de kast opende, bleek Alice die te hebben uitgeruimd zodat de kleren van de kinderen erin konden. O, Alice, dacht hij ellendig. O, Alice. Ze was hier vast druk mee bezig geweest toen hij in de cot-tage van plan was om overspel te plegen.

'Als we onze spullen hebben opgeborgen, ga ik gauw even naar de supermarkt, pap. Archie en Rory komen morgen en Sabine kenne-lijk ook. Ollie heeft me gisteravond gebeld toen hij mam niet te pak-ken kon krijgen. Zij moet dan maar bij Tamzin en Georgie slapen. Jullie hebben dat opklapbed toch nog steeds, hè? Morgenavond maak ik een enorme pan spaghetti en een warme kruimeltaart. We moeten maar een boodschappenlijstje maken.'

David keek naar zijn jongste dochter. Ondanks het feit dat ze zo ongelukkig was en in zo'n erbarmelijke situatie verkeerde, zag hij dat ze blij was dat ze iets kon doen. Dat deed hem zo erg aan Alice denken, of liever gezegd, de afwezigheid van Alice, dat hij het liefst stilletjes naar hun slaapkamer was gekropen, de deur had dichtgedaan en op Alice' kant op bed was gaan liggen, waar haar lichaam een zacht kuiltje in het matras had gemaakt. In plaats daarvan beloofde hij dat hij het zadel van Georgies fiets hoger zou zetten en daarna de meisjes mee uit fietsen zou nemen, naar de pony's verderop aan het laantje.

Alice sliep diep en droomloos. 's Nachts werd ze een paar keer wakker en lag in het donker te staren terwijl ze haar best deed zich te herinneren waar ze was, in dat vreemde bed in een onbekende kamer. Pas toen Margaret de volgende ochtend met een kop thee in de hand op de deur klopte, besefte ze wat er was gebeurd en werd alles haar met een nieuwe en verbazingwekkende duidelijkheid helder.

Zonder make-up, in een afgedragen chenille kamerjas en met de haren rechtovereind leek Margaret jonger en kwetsbaarder.

'Wil je dat ik hier blijf?' vroeg ze terwijl ze de kop op het nachtkastje zette. 'Als je met hem gaat praten?' Sinds gisteren had ze Davids naam niet over haar lippen kunnen krijgen. Alice was geroerd door haar loyaliteit.

'Natuurlijk niet, Margaret. Hij is mijn echtgenoot, niet een of andere moordenaar! Het is lief van je, maar het is beter als we alleen zijn, denk ik.'

'Je weet dat je hier zo lang kunt blijven als je wilt, hè?'

Alice greep de hand van haar vriendin beet. Ze wilde dat ze niet het gevoel had dat Margaret bijna blij was dat David een ontrouwe ellendeling was; niet omdat ze Alice narigheid toewenste, maar omdat dat een bevestiging was van haar kijk op mannen.

'Dank je wel. Je bent m'n allerbeste vriendin, maar ik heb nu al het gevoel dat ik naar huis moet. De kinderen zijn er vast al. Ze zullen zich afvragen wat er met me aan de hand is.'

'Maar je kunt toch niet zomaar teruggaan alsof er niets gebeurd is? Je zult hem nooit meer kunnen vertrouwen.'

'Ik weet wel dat de dingen nooit meer hetzelfde zullen zijn, maar ik kan niet anders dan geloven dat David een goeie vent is, echt. Ik moet wijs worden uit wat er is gebeurd. We moeten erover praten.'

'Hoe kun je nou zeggen dat hij een goeie vent is terwijl hij je heeft bedrogen?'

'Dat is niet zo moeilijk, hoor. Dat heeft hij in het verleden meer dan bewezen, en dat kan ik niet uitpoetsen. Hoe dan ook, het is het enige wat ik heb. Ik heb mijn hele volwassen leven in hem geïnvesteerd. Ik ben niet zoals jij. Ik ben niet dapper genoeg om op eigen benen te staan.'

'Wat zullen de kinderen zeggen? Ze zullen elk respect voor hem verliezen.'

'Ze komen het nooit te weten. Ik weet zeker dat hij het hun niet heeft verteld, en ik vertel het ook aan niemand. Alleen jij weet het en ik wil je dringend vragen er niets over te zeggen.'

'Maar wat hij je heeft aangedaan zal altijd in je achterhoofd blijven hangen. Elke keer dat je je aan hem ergert, bij elke ruzie zul je naar hem kijken en eraan herinnerd worden.'

'Hij heeft me niets misdaan. Wat ik ervan begrijp, is hij ontrouw geweest met een dwaze en manipulatieve jonge vrouw, maar ik beslis zelf wat er met me gebeurt. Begrijp je het dan niet? Ik kan m'n leven laten vernielen, alles verwoesten, of we proberen het nog eens, leren ervan, rapen de scherven op en gaan verder. Tenzij hij natuurlijk verliefd op haar is geworden en een scheiding wil.'

De gedachte dat dit echt het einde zou kunnen betekenen, doorboorde haar hart. Ze wist dat die dingen gebeurden. Ze had erover gelezen: huwelijken die dertig, veertig jaar hadden standgehouden, bloedden dood en er werden nieuwe partners gezocht. Misschien voelde David het wel zo. Misschien ging het daar bij dat meisje om.

Margaret zuchtte. 'Nou, het is jouw leven. Maar als ik jou was, zou ik het hem niet kunnen vergeven. Het idee dat ze samen zijn geweest zou me elke keer als ik naar hem keek verstikken.'

Alice glimlachte lusteloos en sloot haar ogen. 'Dat weet ik, Margaret. Het is verschrikkelijk, maar tenzij ik een manier weet te vinden om ermee om te gaan, weet ik niet hoe ik sowieso verder moet. Ik begrijp dat jij er anders over denkt. Jij hebt al zo veel jaren geen man in je leven gehad dat je bijna het gevoel hebt dat je nog steeds dezelfde bent. En misschien is dat wel een deel van het probleem, dat David en ik ergens onderweg elkaar niet meer als opzichzelfstaande individuen zagen. Misschien heeft de aandacht van deze jonge vrouw David weer het gevoel gegeven dat hij zichzelf kan zijn. Ik weet het niet. Misschien ben ik op zoek naar excuses omdat de situatie daardoor minder pijnlijk en vernederend is.' Ze staarde uit het raam alsof de oplossing op de lege speelplaats tussen de bomen te vinden was.

'Bovendien spelen er andere herinneringen mee: we hebben een heel leven gedeeld en hij heeft de kinderen na hun geboorte stuk voor stuk voor het eerst in zijn armen gehouden.' Hete tranen welden in haar ogen op en ze kneep haar lippen samen om niet te huilen. 'We hebben samen zo veel doorgemaakt en ik wil dat alles niet zomaar overboord gooien omdat een meisje hem het hoofd op hol heeft gebracht. Dat is ze gewoon niet wáárd, niet in mijn ogen, althans.'

'Je bent te lief voor hem, te vergevingsgezind. Dat is je zwakheid, Alice. Net als die mishandelde vrouwen die steeds maar weer teruggaan om vervolgens het volgende blauwe oog te incasseren.'

Alice zuchtte. 'Ik moet er op mijn eigen manier mee omgaan. En maak je geen zorgen dat ik te vergevingsgezind zou zijn. Momenteel ben ik zo kwaad dat ik hem wel kan vermoorden. Gisteren was ik te verbijsterd en alleen intens geschokt. Vandaag ben ik woedend! Ik wil alleen maar tegen hem schreeuwen: hoe kón je?'

'Mooi zo! Strijdvaardige taal!' Margaret klopte haar op de arm. 'Nou, nu wil je zeker wel ontbijten? Er is toast, yoghurt, fruit en muesli. Maak je het voor jezelf klaar, terwijl ik ga douchen? En maak je over het werk maar geen zorgen. Ik zeg dat je je ziek gemeld hebt en zorg wel voor vervanging.'

'Dank je wel, Margaret. Ik ben natuurlijk weer present zodra ik het aankan. Alles moet weer z'n normale loop nemen, wil ik hier doorheen komen, en weer aan het werk gaan helpt daarbij.'

Nadat Margaret naar de praktijk was gegaan, ging Alice uitgebreid in bad en kleedde zich aan. Ze voelde zich zwak en bibberig, alsof ze invalide was, en zo zenuwachtig dat haar huid tintelde en ze bij het minste of geringste geluidje opsprong. Ze had tegen Margaret gezegd dat David om drie uur zou komen en dat ze in het parkje tegenover haar flat met hem had afgesproken, en nu was ze doodsbenauwd voor het wachten en de ontmoeting zelf.

Ze liep rusteloos door de flat, verwonderde zich erover hoe netjes Margaret was, keek naar de halflege keukenkasten en de keurig geordende planken. Er stonden een paar fotolijstjes op: een jonge Margaret met dezelfde flinke haardos, die een onderscheiding in ontvangst nam van een vereniging voor hoteliers, gekleed in een strak, zwart mantelpak met een enorme rode koolroos op haar revers gespeld; en een foto van haar ouders, die met een kleine Margaret en haar broer op het strand poseerden, terwijl ze naast elkaar op een plaid zaten en met toegeknepen ogen in de lens keken. Natuurlijk waren er geen foto's van haar versmade, ontrouwe echtgenoten.

Alice dacht aan de rommel en warboel in haar eigen huis en besefte hoe ze bijna verdronk in een opeenhoping van andermans afgedankte spullen, dingen waarvoor ze in hun huidige leven geen plaats hadden, maar die wel in het hare rondslingerden. Het wordt tijd dat ik daar eens iets aan ga doen, zei ze bij zichzelf. Het huis heeft een grote schoonmaak nodig, moet radicaal uitgemest worden. De kinderen moeten meenemen wat ze willen houden en de rest gaat weg. Ik wil lege kasten en schone planken, alleen mijn boeken horen in de boekenkast thuis en mijn eigen kleren in de kasten, en ook die van David, natuurlijk, als het daar tenminste op uitdraait.

'Nou, wat is er aan de hand?' zei Sabine tegen Tamzin na het ontbijt, terwijl ze naast elkaar op Tamzins bed zaten en hun nagels in roze met zilverkleurige strepen lakten. 'Waar is je oma naartoe, denk je?'

Tamzin haalde haar schouders op. 'Op vakantie of zo. Mam zei dat ze er even tussenuit wilde.'

'Je denkt toch niet dat ze uit elkaar gaan, hè? Je opa doet er een beetje raar over. Hij gedraagt zich heel vreemd als we vragen wanneer ze terugkomt.'

Tamzin keek haar stiefnicht angstig aan. 'Onzin,' zei ze. 'Bovendien zijn ze veel te oud voor dat gedoe.'

'Ja, dat zal wel. Ze horen als het ware bij elkaar, hè? Je kunt je ze niet apart voorstellen. Ze zitten niet bij elkaar op schoot, maar dat zegt niets. Toen ik mijn vader laatst zag, werd hij dronken en zei hij tegen me hoeveel hij van m'n moeder hield, en toch kunnen ze niet zonder ruzie te maken in dezelfde ruimte zijn. Ze kunnen zelfs niet met elkaar bellen zonder ruzie te maken.'

'Ja,' zei Tamzin en ze knikte wijs. Ze kon zich van haar vader niets meer herinneren, maar ze vermoedde dat ze wel ruzie hadden gemaakt, zoals dat ook met Kyle was gebeurd. Ze wist nog dat haar moeder huilde en daar niet meer mee kon ophouden, terwijl ze haar stevig bij de hand hield, Georgie in haar buggy over straat duwde en iedereen hen aangaapte. 'Ik ga nooit van iemand houden,' zei ze. 'Nou ja, niet van jongens en al dat gedoe.'

'Ik ook niet,' zei Sabine. 'Zeker niet. Dat gaat altijd mis. Mensen willen altijd iets wat ze niet kunnen krijgen, of willen dat de ander anders is dan hij in werkelijkheid is.'

'Ja,' zei Tamzin. Ze begreep niet precies wat Sabine bedoelde, maar herkende er wel iets in. Zo was het ook bij haar moeder geweest: bij elke nieuwe man was het rozengeur en maneschijn geweest, en vervolgens eindigde het met tranen en ruzies. 'Hoe dan ook, opa gaat vanmiddag naar oma toe,' zei ze. 'We kunnen haar wel iets sturen. Een kaartje misschien. Een "kom gauw terug"-kaartje.'

'Ja, of een "het is raar zonder jou"-kaartje, want het is wél raar, hè? Het lijkt net alsof we allemaal onze adem inhouden tot ze er weer is.'

'Opa zei dat hij straks met ons gaat zwemmen, als Rory en Archie er ook zijn. Met z'n vijven! Als één grote familie. Weet je dat mijn moeder een baby krijgt? Daarom is Kyle weggelopen. Maar het maakt me niets uit. Ik wilde toch al het liefst met z'n drieën zijn.'

Sabine stak haar hand uit en bestudeerde haar nagels. 'Ik wil nooit kinderen,' zei ze. 'Persoonlijk vind ik dat ze zwaar overschat worden.'

Om twee uur trof Alice voorbereidingen voor haar afspraak met David. Ze deed wat make-up op en kamde haar haar. Ze vond dat ze er vreselijk uitzag. Haar gezicht leek in zakjes en rimpels uiteen te vallen. Ik ben een oude vrouw, dacht ze. 'Gepensioneerde Alice Baxter, zestig jaar, bereidt zich voor op een ontmoeting met haar ontrouwe echtgenoot, David, tweeënzestig, om de toekomst van hun huwelijk te bespreken. Het echtpaar is veertig jaar getrouwd geweest en ze zouden in mei hun trouwdag vieren.' Wat een gekkigheid, dacht ze verdrietig. Er is zo veel menselijk leed in de wereld, er gebeuren zo veel tragedies en natuurrampen, en wij doen dit, David en ik. We zijn een stelletje dwazen, verwend en genotzuchtig.

Ze was veel te vroeg klaar en ging voor het raam staan om over het park uit te kijken. Om half drie zag ze Davids oude auto langzaam langsrijden terwijl hij naar een parkeerplaats zocht. Ze keek toe hoe hij achteruit inparkeerde, terwijl haar hart tekeerging en haar handen trilden. Ze zag dat hij uitstapte, het raam vergat dicht te doen, weer instapte, daarna weer uitstapte, toen prutsend het portier op slot deed, waarna hij het weer opende en iets van de achterbank pakte. Ze zag dat hij er iets uit opdiepte en nu had hij een boeket bloemen in zijn hand. Hij bleef diep in gedachten verzonken naast de auto staan, opende het portier opnieuw en legde de bloemen weer op de achterbank. Hij is net zo zenuwachtig als ik, bedacht ze. Voor hem is dit alles net zo bizar, onbekend en schokkend als voor mij.

Ze zag dat hij naar het hek van de speeltuin liep, om zich heen keek en toen naar de bank naast de schommels ging. Het was vast warm vanmiddag, want hij droeg alleen maar een overhemd en geen jas. Hij bleef een paar ogenblikken op de bank zitten, keek naar links en naar rechts en legde toen zijn gezicht in een wanhopig gebaar in zijn handen. Toen hij weer opkeek, staarde hij de straat over recht naar Margarets raam, en Alice zag tot haar schrik dat ze elkaar recht aankeken. Ze zag aan zijn gezicht dat hij haar herkende en instinctief stak ze aarzelend een groetende hand op. Hij stak net zo schuchter een hand op en zwaaide terug.

Ze moest nadenken over hoe ze Margarets deur op slot moest doen en niet vergeten de sleutel mee te nemen. Ze prutste met de grendel, liep weg om haar jas te pakken en haastte zich de trap af naar de voordeur, die ze met moeite open kreeg. Ze zag dat David naar het hek van de speeltuin was gelopen en wist niet hoe ze naar hem moest kijken toen ze de straat overstak. Ze wist zich totaal geen houding te geven, ademde hortend en stotend en haar schouders beefden.

Toen ze bij hem kwam, bleef ze wat onzeker naast hem staan, legde haar hand op haar wang en keek de speeltuin over, terwijl ze de aanblik van zijn aangeslagen gezicht niet kon verdragen.

'Alice, Alice,' zei hij met een stem die zwaar was van emotie. 'O, Alice!'

Ze stond toe dat hij een arm om haar schouders legde maar bleef stijf rechtop staan toen hij haar naar zich toe wilde trekken. Haar weerstand maakte hem van streek.

'O! Alsjeblieft, Alice! Alsjeblieft! Het was niet wat je dacht. Echt niet. Laat 't me alsjeblieft uitleggen.'

'Wat ik niet wil horen, David, is dat het je spijt. Want volgens mij spijt het je alleen maar dat je bent betrapt. Het spijt je dat je er niet mee weggekomen bent, meer niet.'

'Dat is niet waar. Het spijt me echt heel, heel erg dat ik je zo heb gekwetst.'

Ze liet toe dat hij haar naar de bank leidde, waar ze naast elkaar gingen zitten terwijl hij haar hand in de zijne wilde nemen, die ze uit zijn greep terugtrok. Ze wilde niet dat hij haar aanraakte.

'Ik neem aan dat je deze verhouding nog maar net bent begonnen…'

'Het is geen verhóúding! Het is zelfs geen relátie!'

'Maar het zou er ongetwijfeld een… een zijn geworden.'

'Nee! Het was een verschrikkelijke vergissing. Ik weet niet hoe het gebeurde. Ik ging erin mee, zonder ook maar een moment aan jou te denken.'

'Dank je wel. Het kwam wel zo goed uit om de vrouw met wie je veertig jaar getrouwd bent te vergeten toen je een welwillende jonge vrouw tegenkwam.'

David zat in ellendig stilzwijgen naar zijn handen te staren.

'Het was een soort waanzin. Ik wist dat…'

'De sirene je toezong.'

'Ja, zoiets, ja.'

'Maar er is meer, David, dan je gevleid te voelen en al dat gedoe rondom een mannelijk ego. Wat ik wil weten is wat er met ons aan de hand is waardoor dit kon gebeuren. Waardoor je tegen me hebt gelogen, waardoor het oké was om me te misleiden.'

'Ik voelde me niet oké. Toen het erop aankwam, kon ik alleen maar aan jou denken.'

'Ik wil niets horen over toen het erop aankwam, bespaar me dat, alsjeblieft. Ik ben niet geïnteresseerd in jou en dit meisje, afgezien van wat het over ons zegt. De eerste vraag die ik je nu ga stellen is wat je nu van plan bent te doen.'

David keek haar verbaasd aan. 'Wat ík ga doen? De bal ligt helemaal bij jou.'

'Ik bedoel, wat wil je dat er nu gebeurt?'

'Ik wil je terug, Alice!' riep David uit. 'Ik wil dat je me vergeeft en dat we opnieuw beginnen. Ik wil ons oude leven terug.'

Alice voelde een reusachtige golf van opluchting, maar ze zette door. 'Terug naar ons oude leven kan niet meer, David. Door ons oude leven heeft dit kunnen gebeuren. We moeten veranderen.' Ze wist dat David een bloedhekel had aan dit soort gesprekken, waarbij gevoelens werden onderzocht die hij liever onuitgesproken liet. 'We moeten zien te ontdekken waarom dit is gebeurd.'

David zuchtte. 'Ik denk dat ik het gevoel had dat je geen belangstelling meer voor me had. Ik leek een bijzaak bij alle andere dingen in je leven, de kinderen, de kleinkinderen, je baan. En ik vermoed dat dit gevoel sinds mijn pensioen sterker is geworden, en eerlijk gezegd ben ik een waardeloze, oude mislukkeling geworden. Ik scharrel door het huis met het gevoel dat ik in de weg loop en maar een lastpak ben.'

Hij wil dat ik medelijden met hem heb, dacht Alice, maar dat gaat niet gebeuren. Ik kan proberen het te begrijpen, maar ik heb geen medelijden.

'Nou, daar kan ik niets aan veranderen!' zei ze korzelig. 'Alleen jijzelf kunt je gevoel veranderen, over jezelf en wat je wilt doen nu je met pensioen bent. Je hebt elke suggestie afgewezen die ik heb aangedragen om je tijd in te vullen. Je kunt toch vrijwilligerswerk gaan doen of een parttimebaan zoeken?'

David zuchtte opnieuw. 'Daar heb ik over nagedacht. Maar het ligt nogal duidelijk, hè? Ik kan niets doen totdat ik weet wat jij wilt. En momenteel is het maar goed dat ik de handen vrij heb om Sadie te helpen.'

'Dat klopt,' erkende Alice, 'maar dat is slechts tijdelijk. We hebben de kinderen ons leven laten bepalen ten koste van ons huwelijk.'

'Zijn zij dan niet het allerbelangrijkst?'

'Nee. Wíj zijn het allerbelangrijkst. Jij en ik. We zijn achteloos met elkaar omgesprongen. We zien niet meer wie we zijn. We respecteren elkaars gevoelens niet meer. Wat hebben we nog over als we oud zijn, niemand ons nog nodig heeft en we alleen elkaar nog hebben? Hoe zal het dan zijn als we de zaken nu niet rechtzetten?'

'Alice, als ik hier één ding uit heb geleerd, dan is het wel dat ik meer dan ooit van je hou. Dat was ik de laatste tijd een beetje kwijt, maar het is wel de waarheid.'

Alice liet toe dat David haar hand pakte. Ze voelde dat zijn verklaring oprecht was en dat ontroerde haar. Ze kon zich niet herinneren wanneer hij voor het laatst tegen haar had gezegd dat hij van haar hield. De tranen stroomden haar over de wangen. Ze veegde ze met haar vrije hand weg, legde haar hoofd op zijn schouder en zo bleven ze een tijdje zitten. Alice bedacht dat Margaret wel teleurgesteld in haar zou zijn, maar zij voelde alleen maar opluchting.

'Zo!' zei David uiteindelijk. 'Ik heb iets voor je.' Hij frummelde in zijn zak en haalde er een paar vellen opgevouwen papier uit. Alice maakte ze op haar schoot open. Het waren zelfgemaakte kaarten van Sabine, Tamzin en Georgie. 'Ze maken zich zorgen om je,' zei David. 'Ik heb ze gezegd dat je je even hebt afgezonderd, maar ik weet niet zeker of ze me wel geloven.'

Alice glimlachte zwakjes. 'Hoe gaat het met ze?' vroeg ze. 'Alles goed met Sadie?'

'Ja. Ze is in haar element en zorgt voor iedereen. De jongens komen vanmiddag. Ik heb beloofd met z'n allen te gaan zwemmen.'

Er viel een stilte totdat Alice zei: 'Ik kom echt terug, David, maar pas over een dag of twee. Ik heb wat rust nodig om met mezelf in het reine te komen. Ik heb tijd nodig om na te denken. We zullen een paar dingen moeten veranderen.'

'Natuurlijk,' zei David gevoelig. 'O, Alice!'

'En het meisje? Heeft dit haar nog verder uit koers gebracht? Ze leek me sowieso al niet erg stevig.'

'Ze had geen serieuze gevoelens voor me. Ik ontdekte dat ze met een aantal andere mannen van de faculteit contact heeft gezocht. Ze heeft een verhouding gehad met de rector van die zogenaamde businessschool waar ze lesgaf. Ze is veel harder dan ze lijkt. Edwin wist er alles van. Je zou het niet van hem zeggen, maar hij is een ongelooflijke ouwe roddelkont.'

'Dan kan hij nu over ons roddelen.'

'Laat 'm toch! Wat maakt 't uit?'

David stak zijn hand weer in zijn zak en haalde Alice' mobieltje tevoorschijn. Hij legde het in haar hand.

'Hou alsjeblieft contact,' zei hij. 'Laat me alsjeblieft met je praten. Ik wil niet dat je te veel gaat nadenken en je over je terugkomst van gedachten verandert.'

Alice glimlachte vaagjes. 'Dat gebeurt niet,' zei ze. 'Dat beloof ik je, dat gebeurt niet.'

'Heb je zin om wat te doen? Een stukje lopen? Ergens wat gaan drinken?'

'Laten we maar wat gaan lopen.'

Ze stonden op, Alice stak haar hand door de arm van haar echtgenoot en liet zich langzaam door het park leiden.

14

'Waar is ze? Waar is mam?' vroeg Sadie, terwijl ze met armen vol bloemen uit de tuin met haar heup het zijhek van het huis openduwde.

'Ze is nog boven zich aan het optutten,' zei Annie, die naar haar toe liep. 'We hebben haar weggestuurd en gezegd dat hier niets meer te doen viel. Het ziet er prachtig uit, vind je niet? En boffen we niet met het weer? Geen wolkje aan de lucht!'

De twee jonge vrouwen bleven staan om naar de roze-met-witte partytent te kijken, en naar de tafels die met gesteven linnen gedekt waren. Cateringpersoneel in zwarte rok en witte bloes legde de laatste hand aan de tafelsetting en een paar familieleden hadden al wat flessen wijn opengemaakt en stonden in groepjes te praten en te lachen. David was nergens te bekennen.

'Zij en pap hebben wonderen verricht met de tuin,' zei Sadie. 'Die zag er nog heel winters en somber uit toen we hier een paar weken geleden kwamen. Ik zie dat de afvalcontainer nog steeds op straat staat; dat bederft het effect wel wat.'

'Alice staat erop dat nu de familie bij elkaar is, ze van alle spullen af wil die zich in de afgelopen veertig jaar hebben opgestapeld. Meenemen of weggooien, zegt ze. De container is al halfvol.'

'Ze is behoorlijk doortastend geworden, hè? En dat allemaal sinds ze in retraite is geweest,' lachte Sadie. 'Ik heb bloemen voor op de tafels,' vervolgde ze. 'De meisjes en ik hebben ze vanochtend geplukt. Denk je dat het erg is als we ze in jampotjes zetten? Tamzin haalt er een paar uit de auto. Natuurlijk allemaal schoon en gewassen.'

'Maakt niets uit. Het zijn prachtige bloemen. Daardoor krijgt het een persoonlijk tintje. Je ziet er goed uit, Sadie. Echt waar. Zwanger zijn staat je goed.'

'Is het dan al te zien? Ik ben nog maar vier maanden heen. Tegen oktober ben ik zo bol als een walvis! Over er goed uitzien gesproken, kijk eens naar jezelf! Je hebt je Londense glans terug, en meer dan dat!' Het was nog waar ook, dacht ze. Annie zag er heel anders uit met haar glanzende korte haar en haar schoenen met wel heel hoge hakken.

'Dank je wel. Ik moet toegeven dat ik het heerlijk vind weer aan het werk te zijn. Ik heb inmiddels nog meer opdrachten voor artikelen. Ik ben er echt enthousiast over en ik ben je dankbaar dat je me tijdens de vakantie uit de brand helpt. Charlie vond de hele kwestie rondom kinderopvang moeilijk te accepteren en alleen omdat de jongens hier terechtkonden, is hij akkoord gegaan. We hebben alles geregeld met een enig Tsjechisch meisje, dat na Pasen begint. Charlie kan dan zelf zien dat het prima in orde komt met de jongens. Ik geloof niet dat ze me missen nu ik er niet ben, wat wel een beetje zuur is. Moet je ze nu eens zien.'

Ze wees naar achter de tent, waar een blauw-met-rood springkasteel was opgetrokken en waarin Rory en Archie op en neer sprongen, algauw vergezeld door Georgie in een roze feestjurk.

'Eigenlijk heb ik iets voor je.' Annie pakte snel haar tas, die onder een tafel was weggestopt, en haalde er een glimmend geschenkdoosje uit.

'Ooo! Wat mooi! Ik ben dol op verrassingen,' zei Sadie. 'Mag ik het nu openmaken?'

Ze wikkelde de zilveren strik los en maakte voorzichtig het turkooizen papier open. Er zat een leren doosje in en toen ze dat openmaakte, zag ze dat er zilveren filigrein oorbellen in lagen.

'Annie! Wat mooi! Dank je wel! Wow!'

'Je verdient ze. Je hebt ons echt gered en dat was vast niet gemakkelijk. Je bent zwanger, je partner is bij je weggelopen, je moest je huis uit en je kreeg een huis vol kinderen van anderen in de maag gesplitst. En Alice was 'm zonder toestemming gesmeerd!'

Op dat moment kwam Tamzin met een kartonnen doos vol jampotjes naast haar staan. Ze maakten op een lege tafel boeketjes van de bloemen en stopten die erin.

'Wees een schat en haal eens een kan water uit de keuken,' zei Sadie, en Tamzin deed dat gehoorzaam. Ze wilde Sabine opzoeken, met wie ze nu dikke vriendinnen was.

'Ja, helemaal niets voor mam om zo te vertrekken. Ik weet nog steeds niet waar dat allemaal over ging,' zei Sadie toen ze buiten gehoorsafstand was. 'Ik had het gevoel dat ik er maar beter niet naar kon vragen. Ik vermoed dat het iets met pap te maken had, dat die zich als een soort klootzak had gedragen. Toen ze weg was, liep hij hier als een geslagen hond rond.'

'Zelfs in de langste huwelijken kan het nog wel eens spannend worden. Maar nu moet je vertellen hoe het komt dat je weer naar de boerderij teruggaat. Zo te horen is alles prima in orde gekomen,' zei Annie.

'Inderdaad. Ik ben gevraagd om in de nieuwe situatie de leiding op me te nemen, als de melkveehouderij eenmaal is verhuisd. Ze hebben iemand nodig die de seizoensarbeiders aanstuurt wanneer de asperges en het zachte fruit geoogst moeten worden. Ze gaan er vijfentwintig stacaravans neerzetten, er komen een gemeenschappelijke ruimte, een wasserij, een spelletjeskamer en zelfs een plek voor minivoetbal. We moeten een groep jonge mensen huisvesten en verzorgen. De meesten komen uit Oost-Europa en zijn hier tijdens het plukseizoen, van maart tot september. Ideaal voor me. Ik kan het combineren met de meisjes en de baby, en ik krijg veel beter betaald. Ze gaan zelfs de cottage opknappen.'

'O, Sadie! Ik ben zo blij voor je.'

'Ja. Dat is een veel beter vooruitzicht. Ik mis Kyle nog steeds, natuurlijk. Hij heeft niet gebeld, maar ik duim dat hij in oktober toch meer wil weten, over zijn kind.'

'Ik duim met je mee.'

'Zo! Wat denk je ervan?' Sadie deed een stap naar achteren om haar huisvlijt te bekijken.

'Ze zien er prachtig uit. Laten we ze snel op tafel zetten!'

'Daar komt Marina met haar gevolg. Zij komt altijd pas als alles klaar is.'

Toen Marina en Ahmed arriveerden, was er een heel gedoe met begroeten, kussen en mensen aan elkaar voorstellen. Ze droegen de kleine Mo in een reiszitje en werden gevolgd door Ahmeds familieleden, die zich in prachtige kleren hadden uitgedost, naar links en naar rechts bogen en zich een weg door de familie baanden.

'Waar zijn pap en mam?' vroeg Charlie. 'Ze zouden er nu moeten zijn. Weten ze dat we op ze wachten?'

'Ze willen een groots entree maken!' riep iemand lachend.

Ahmeds oom, Adib, klein, vierkant en exotisch knap, en die op gevulde dames viel, kreeg Mandy in het oog, die er in een wit broekpak schitterend uitzag en bij haar ouders stond. Hij liep snel naar haar toe om zich in zijn uitstekende Engels voor te stellen. Ze bloosde als een meisje toen hij haar hand kuste.

Sabine, in een nieuw, kort jurkje van Topshop, hing aan haar moeders arm terwijl ze haar andere arm door die van Tamzin haakte. 'Ik wil dat dit het mooiste feest ooit wordt!' fluisterde ze in Tamzins oor.

'Ik ook!'

'Niet doen, liefje!' zei Lisa. 'Ollie, ik ga even zitten, als je het goed vindt. Ik voel me een beetje, je weet wel…'

Sabine en Tamzin wisselden een blik en giechelden.

Margaret stond boven bij het raam, gekleed in laag uitgesneden crèmekleurig kant met een grote roze strik in haar haar, en deed Alice live verslag.

'Je zus en haar man zijn er nu ook! Ze ziet er heel mooi uit in een marineblauw mantelpak, bijpassende schoenen en tas, en ze heeft haar haar laten doen. Ze is dikker dan jij, weet je dat! De kinderen springen allemaal in het kasteel en vermaken zich prima. O, het ziet er prachtig uit, Alice! De tuin, de tent, alles. Wat heb je een knappe zoons! Daar is de kleine echtgenote die journalist is. Ze ziet er gelukkig uit. Heel mooi aangekleed, je kunt zien dat ze weet wat de mode is. Ze helpt Sadie met de bloemen op de tafels zetten. Sadie ziet er ook mooi uit. Heb jij die jurk voor haar gekocht? Donkergroen met een geometrisch patroon?'

'O, dat moet ik zien!' riep Alice uit, en ze stond van haar kaptafel op met de lippenstift nog in de hand. Ze ging naast haar vriendin bij het raam staan. 'Wat een plaatje, hè?'

'Schiet op, trek je jurk aan. Charlie maakt de champagne open en ze roepen om jou en David. Kom, ik zal je helpen.'

Margaret trok de rode jurk over Alice' schouders en ritste hem dicht.

'Zo! Ik ga naar beneden. Ik heb mijn camera in de aanslag. Je ziet er schitterend uit, Alice. Echt prachtig!'

'Dank je wel, Margaret. Dank je voor alles.'

'Alice! Waar zit je? Iedereen wacht op ons!' riep David naar boven.

'Ik kom al! Ik kom al!'

In de tuin vulde Ollie de champagneglazen. Zelfs de kinderen mochten een slokje meedrinken. Het volgende ogenblik was er beweging in het huis. Iedereen draaide zich om en er klonk een gejuich op toen Alice en David hand in hand door de openslaande deuren stapten. David, in een onverwacht mooi, crèmekleurig linnen colbert, zag er knap uit naast een lachende Alice, in haar rode wonderjurk.

286